Phillip C. McGraw

ET MOI ALORS ?

• MARABOUT •

Copyright © 2001 by Phillip C. McGraw.
Publié pour la première fois aux États-Unis par Simon & Schuster Source,
sous le titre original : *Self Matters*.
© **Marabout**, 2003 pour la traduction française.
Traduction de l'américain : Sophie Artaud.

Contact : www.philmcgraw.com

À mon épouse, Robin, sans qui je ne vivrais pas aujourd'hui le meilleur de ma vie.

À mes fils Jay et Jordan, deux adolescents qui ne cessent de me surprendre et dont la personnalité me laisse admiratif.

À ma mère, « Grandma Jerry », qui du jour où je suis né m'a donné la certitude que j'étais unique, et m'a montré la voie de l'élégance et du courage dans les moments difficiles.

Ce livre est également dédié à la mémoire de mon père, Joseph, qui a surmonté les vicissitudes de la vie sans jamais renoncer, et qui est parvenu, à l'âge de soixante-douze ans, à renouer avec la part la plus authentique de lui-même.

Remerciements

Sur un plan personnel, l'écriture de ce livre a été l'occasion d'une transformation extraordinairement profonde, qui n'est pas allée sans difficulté. Un défi que je n'aurais pu relever sans l'aide et le soutien de nombreuses personnes pour moi essentielles, à bien des égards.

Je remercie en tout premier lieu mon épouse Robin, ma partenaire de vie depuis bientôt trente ans. Robin, tu as été pour moi un atout et un guide dans ce projet de créer ma vie à partir d'un « moi » véritable. Ta confiance et ton soutien m'ont donné le courage d'avancer et de retrouver la voie de ma propre authenticité – en contact avec qui je suis vraiment, et non plus en fonction de celui qu'on voulait que je sois. Sans ton esprit de recherche, je serais englué, aujourd'hui encore, dans une existence que je n'aurais pas voulue.

Merci également à mes fils, Jay et Jordan, pour la confiance et les encouragements qu'ils m'ont témoignés. L'un comme l'autre m'ont épaulé jour après jour, au cours de ce long travail. Jamais de message culpabilisant, pas l'ombre d'un reproche sur leurs visages, mais un soutien constant. Et déterminant pour moi. Dans les moments de remise en question, où je m'interrogeais sur la quête frénétique dans laquelle j'avais engagé ma vie, il me suffisait de sonder leur regard empli d'énergie et d'espoir pour connaître la réponse. Moi qui suis adulte, je prie chaque jour pour évoluer au niveau personnel que vous atteignez déjà, dans votre jeune âge.

Un remerciement tout particulier à Oprah, amie très chère et ô combien importante pour moi. C'est au cours d'une conversation bien précise avec elle, alors que nous traversions une route désolée du Texas, au cœur de l'hiver, que je pris la décision d'élucider enfin ce fameux concept du « moi » et d'élaborer une table d'orientation universelle permettant à chacun de retrouver sa personnalité authentique. Oprah, merci pour l'exigence constante dont tu fais preuve à mon égard comme au tien, et pour ta capacité à changer les choses. Merci de savoir me ramener au travail que j'adore, de te plonger dans mon univers tout en me faisant une place dans le tien.

Merci à Jonathan Leach pour la mise à disposition de son talent d'écriture et d'organisation au service de ce livre. Il n'y en a pas une page qu'il n'ait préalablement secouée, frictionnée puis massée pour en obtenir la quintessence. Je pense vraiment que tu es le meilleur, et que tu as fait de moi un écrivain et un homme meilleur. Merci pour les soirées tardives et les longs week-ends que tu m'as accordés et mille excuses à Linda, qui peut désormais récupérer son mari – enfin, pour l'instant.

Merci au Dr Franck Lawlis pour sa contribution au contenu comme à l'écriture de ce livre. Frank, qui fut mon principal professeur de troisième cycle, supervisa mes dissertations et, d'une manière générale, fit en sorte de me maintenir sur la bonne voie.

Sommaire

CHAPITRE 1
Et si… ?

« D'une manière ou d'une autre, nous apprenons à connaître qui nous sommes, et nous conformons notre vie à cette décision. »

Eleanor Roosevelt

Le soleil tambourinait sans relâche sur la tête du jeune homme se tenant sur l'aire de parking. Il n'y avait pas un souffle d'air et, sous la chaleur de l'après-midi, l'asphalte noir et collant commençait à fondre, en réverbérant son haleine de fournaise jusqu'à son visage. Il n'aurait pas dû se trouver là, dans cette cabine téléphonique, à ceci près qu'il n'était pas en ville et que cet appel devait absolument passer par l'opérateur.

Toutes ces années, il avait passé de nombreux appels en PCV chez ses parents, mais celui-ci était tout à fait spécial. Il s'était assuré cette fois-ci que l'opérateur le fasse parvenir en mentionnant son titre de *Docteur*. Comme lui paraissait étrange ce titre incongru, placé avant son propre nom, quand il eut son père à l'autre bout du fil… « Dr Fils » appelant « Dr Père » : un aboutissement qui avait été si long et difficile à venir. Douze années, pour être exact. Des centaines d'unités de valeur universitaires, des dizaines de milliers de pages de lectures et d'étude, des centaines et des centaines de nuits blanches à préparer autant de tests et d'examens. Et puis il y avait eu tous ces kilomètres entre l'hôpital – où étudiants, internes et permanents ne comptaient pour rien – et de

lointaines aires de parking. Plus récemment, il avait fallu
endurer de longs mois l'odeur d'urine mêlée de Cresyl, âcre et
envahissante, du service de psychiatrie de l'hôpital des Vété-
rans de l'armée américaine – sortes d'entrepôts froids et
désolés dont il avait passé de longs jours, et des nuits encore
plus longues, à « gardienner » les patients – à défaut de les
traiter.

De même il y avait eu ces jours, ces semaines et ces
mois passés à affronter toute une théorie de professeurs instables émotionnellement, et dont beaucoup se comportaient
comme des Napoléons en blouse blanche, soucieux avant
tout de garder le pouvoir sur leurs fiefs respectifs. Ces derniers
s'étaient particulièrement surpassés lors de cette inoubliable et
ultime année de diplôme, durant laquelle il avait défrayé la
chronique en arpentant les couloirs de l'hôpital, une lettre de
démission agrafée à son bloc-notes, défiant ses professeurs et
ex-tortionnaires de formuler ne serait-ce que l'ombre d'un
reproche.

En dépit de tout cela, à sa propre surprise comme à la
surprise de qui le connaissait bien, il avait tenu bon. Il se
remémorait les propos d'un de ses professeurs favoris, affirmant qu'il n'y arriverait pas en raison de son comportement,
de son refus d'être un lèche-bottes. « Trop de choix s'offrent à
vous pour faire les frais d'un échec relationnel. Vous n'êtes pas
assez désespéré pour en supporter les dégâts ! » Et pourtant, il
y était parvenu. Les uns après les autres, ses chefs de service
avaient souscrit à l'obtention de ses ultimes certificats, lui
avaient serré la main et l'avaient félicité d'être désormais titu-
laire du grade le plus élevé de la profession. Docteur…
waouh ! Il savait combien son père allait être fier. Ce coup de
fil allait constituer un énorme pas vers la concrétisation du
rêve paternel : le père et le fils, docteurs tous les deux,
travaillant côte à côte au cabinet médical !

Au cours de cette épreuve d'endurance, son adhésion
aux conceptions et au rêve paternels l'avait considérablement

soutenu. Leurs convictions familiales étaient d'une grande simplicité. En fait, le jeune docteur et son père étaient les seuls de toute la famille (côtés paternel et maternel réunis) à avoir fait des études supérieures et, à plus forte raison, les seuls à avoir obtenu un doctorat. Il ne faisait aucun doute que ce coup de fil augurait d'un moment de fierté. Le long voyage arrivait à son terme. La victoire était à portée de main, et les parents comme la famille allaient laisser éclater leur joie.

Tout tombait à point nommé. Un cabinet médical florissant lui était destiné, prêt à prospérer à la mesure de son inspiration et de son énergie. Pour lui et sa jeune épouse, c'était la fin des stratégies de survie. Fini, les voitures datant de Mathusalem ; fini, les appartements si petits qu'il fallait en sortir pour se retourner… Plus important encore, le jeune docteur brûlait d'un désir sincère d'aider les gens, et il tenait enfin sa chance d'agir. En conséquence, aucune ombre n'aurait pu ternir ce tableau – n'est-ce pas ?

Toujours debout sur son aire de parking, articulant les mots attendus avec excitation – alors même que résonnait la voix de son père, toute vibrante d'une fierté sans partage –, notre jeune homme jeta un regard à son épouse, restée dans la voiture. Elle était la seule personne au monde qui le connaisse assez pour savoir que quelque chose ne tournait pas rond. Comment les choses pouvaient-elles aller si bien et si mal à la fois ? Il la regarda dans les yeux. Sans qu'un mot soit échangé, il comprit qu'elle savait.

Mais il ferait un bon soldat. Il allait balayer toutes ces émotions négatives et aller de l'avant. Bientôt, il serait tellement pris dans la course que la vie se chargerait de chasser ces pensées obsédantes et il se consacrerait sans réserve à répondre aux attentes de tous ces gens qui l'aimaient. Il se dit que tout cela n'était probablement que de l'anxiété – rien que le travail assidu ne puisse chasser. C'est donc avec une solide dose de bonne conscience teintée de dévouement, d'engagement énergique et de naïveté propre à la jeunesse qu'il se préparait à entrer dans la carrière. Ses doutes ne se dissipaient pas, et il subsistait comme un vague malaise à propos de son orientation professionnelle – de même que cette idée obsédante que quelque chose ne tournait pas tout à fait rond. Mais bon ! On allait être sacrément fier de lui...

Il se fit alors une promesse solennelle : *Je me fiche de l'argent que je peux gagner. Si jamais je me retrouve à faire ce métier pour l'argent, si j'en viens seulement à l'exercer machinalement, j'arrête tout ; je tourne les talons et je m'échappe en douceur. Je ne me résignerai pas. Je ne me renierai pas au point de vivre sans flamme et sans passion, uniquement parce que c'est sans risque et facile, ou que c'est le scénario attendu ! J'ai plusieurs cordes à mon arc : j'ai réussi la médecine, je pourrais tout aussi bien réussir d'autres choses, sans problème.*

Dix ans plus tard...

Dix ans et des milliers de patients plus tard, le médecin plus si jeune, plus si stupide et beaucoup moins naïf accompagné de sa femme descendent du jet privé d'un client qui vient d'atterrir à l'aéroport bondé d'une ville fourmillant d'activités. C'est un dimanche après-midi d'octobre, beau et frais. L'activité de son cabinet a littéralement explosé pour atteindre une importance nationale. Il domine à présent la profession. A-t-il réussi ? Oui, absolument, à l'aune des critères attendus. Se sent-il à l'abri ? Sans aucun doute. Possède-t-il maisons et voitures ? Oui, et ce qu'il y a de mieux. Deux beaux enfants, un mariage merveilleux et la fierté de ses parents : que demander de plus ?

Alors pourquoi ne se sent-il pas mieux qu'il y a dix ans, devant le téléphone à pièces de cette aire de parking surchauffée et déserte ? Sa vertueuse déclaration vieille de dix ans le hante de plus en plus. Il souhaite ardemment ne l'avoir jamais formulée. Il y a aussi ces instants redoutables où sa propre vérité le prend de vitesse. Particulièrement pénibles, lorsqu'il est très fatigué, ou dans les rares moments de calme qu'il s'accorde. Il déteste ces moments-là – lorsque sa réalité intime se joue de lui : *…Si jamais je me retrouve à faire ce métier pour l'argent… si j'en viens seulement à l'exercer machinalement, j'arrête tout ; je tourne les talons et je m'échappe en douceur. Je ne me résignerai pas. Je ne me renierai pas au point de vivre sans flamme et sans passion, uniquement parce que c'est sans risque, prévu ou facile…*

Sa promesse le hante, parce qu'il sait pertinemment que l'argent qu'il gagne et son mode de vie actuel l'ont en quelque sorte « acheté », alors qu'il s'était juré le contraire. Loin de se sentir impliqué de façon vitale dans sa propre existence, notre docteur s'y sent piégé. Quelque part au fond de lui, il se rappelle ce qu'étaient la passion, l'espoir, l'optimisme et l'énergie. Cette part de lui-même a refusé de capituler et d'endosser les rôles assignés par un monde insensible et parfois cruel. C'est un aspect de son moi qui veut juste jouer sa partie, celle qu'*il* a choisie. Une partie qui veuille dire quelque chose pour lui, que cela signifie ou non quelque chose pour les autres. Il s'agit d'un aspect privé de lui-même, habituellement renié, et qui ne veut pas être contrôlé par ce que l'on attend de lui. Cette part de lui sait ce qui est authentique, bien qu'elle soit coutumière du silence.

La vérité toute nue est qu'il ne vit pas selon son cœur, ni selon ses choix. Il mène une existence qui satisfait beaucoup de gens, globalement bien intentionnés à son égard, mais qui ne le satisfait pas *lui*. Il fait ce qu'il fait simplement parce que son père a fait de même. Même l'endroit où il vit n'a pas été consciemment choisi. C'est même le dernier endroit au monde qu'il aurait choisi. Il mène la vie que beaucoup aimeraient vivre, mais le cœur n'y est pas. Cette vie ne lui est pas *naturelle* – au point qu'il s'y astreint par la force. Tout lui est une corvée. Il n'y a pas de passion, pas d'envie. Il ignore ses rêves véritables, mais cela lui devient de plus en plus difficile. S'efforcer d'être la personne qu'il n'est pas constitue la tâche la plus rude qu'il ait jamais accomplie.

À vrai dire, il ne s'agit pas d'une tragédie monumentale. Je veux dire, bon, allez : « Pauvre chéri, qui doit passer toute la journée à son boulot peinard ! » Je n'y vois pas une cause digne de faire la une du JT de 20 heures ! Serait-il heureux un jour ? Après tout, son mariage comme sa famille vont bien. Ne pourrait-il se satisfaire de cela et continuer son bonhomme de chemin ? Sans doute. Mais cela lui devient plus difficile de jour en jour, les jours sont devenus des mois, et les mois, des années. De temps en temps, une voix lui parvient, sa propre voix, implorant le réconfort – il n'y répond pas. Il lui est souvent plus facile de ne pas y penser. Après tout, est-ce que le fait de se *sentir* bien, d'*avoir une passion* compte tant que cela ? Est-il ridicule et romantique de tenir la sincérité envers soi-même pour quelque chose de plus qu'une philosophie élevée ? Ne devrait-il pas témoigner de sa gratitude pour ses nombreux bonheurs – lesquels raviraient n'importe qui d'autre ?

Notre docteur se justifie en se disant qu'il aimerait vraiment changer, laisser tomber et se lancer dans quelque chose qui le passionne vraiment, mais qu'il a des responsabilités. Bon sang ! Il a une femme et des enfants… Comment leur imposer de laisser tomber leurs amis, leurs écoles et leurs vies pour partir en quête de son rêve ? Il se demande si c'est cela qui le retient vraiment, ou si c'est la peur qui l'en empêche. Peut-être qu'en définitive, il n'a pas deux cordes à son arc. Peut-être n'a-t-il en réalité aucun talent. Peut-être a-t-il eu de la chance, et il n'aurait pas pu réussir dans une activité différente. Il ne lui semble plus reconnaître cette confiance en soi qui lui était si naturelle autrefois. Bien qu'il la devine présente, il lui devient difficile de rester en contact avec elle. La perception qu'il en a, autrefois claire et nette, s'altère et se brouille tout à la fois.

Au moment précis où il lutte avec ses propres pensées fuse l'observation de son épouse : « Où étais-tu parti ? Il faut me dire ce à quoi tu penses ! Dis-moi où tu vas quand tu écarquilles les yeux comme ça… » C'est comme si elle avait lu dans ses pensées. Elle lui dit : « J'ai l'impression que je perds une part de toi, chaque jour un peu plus. Lorsque nous sommes ensemble, ou juste avec les garçons, tu es véritablement toi, tel que tu étais avant que nous ne vivions *cette vie-là* ; mais à l'instant où le monde extérieur intervient, ton regard se voile. Le téléphone se met à sonner, quelque chose vient briser le charme, et tu deviens totalement différent — une sorte de robot. »

Et c'est ainsi qu'au cours d'un bel après-midi, tandis qu'il traverse la ville dans sa décapotable en profitant de l'air frais de l'automne, il décide une bonne fois pour toutes de cesser de se nier lui-même. Il décide de laisser parler ses sentiments et de dire la vérité : « Écoute, je suis sur le point de perdre les pédales. Je suis franchement désolé d'avoir à le dire, mais la vie que je mène est absolument nulle. Je m'en veux d'être allé si loin que je me sente presque incapable d'en sortir. Je hais ma carrière. Je hais l'endroit où nous vivons, je hais ce que je fais. Je l'ai détesté avant même d'avoir jamais commencé... Je me revois il y a dix ans, planté dans ce parking avec mon père au bout du fil, sachant pertinemment que je n'avais aucune envie de déménager dans cette ville perdue et de me lancer dans cette fichue carrière ; j'ai complètement cafouillé et, maintenant, me voilà coincé, pris au piège d'une vie que j'abhorre... J'ai laissé tomber et me suis conformé à ce que chacun voulait pour moi — non pas à ce que *je* voulais. Je n'ai aucune passion pour ce que je fais. Je vis tout en pilote automatique, et cela devient chaque jour un peu plus difficile ; je devrais me sentir motivé par la vie que je mène — j'en suis très loin. Je vous mens, à toi et aux garçons, parce que je ne suis pas moi-même. Je vais sur mes quarante ans. J'ai perdu dix ans de ma vie et je ne pourrai jamais les revivre, quoi que je fasse... J'en ai mal au ventre, rien que de le dire. Je ne veux pas jouer les trouble-fête, mais je hais ce compromis ; et si cela ne tenait qu'à moi, je mettrais la clé sous la porte, je ficherais le camp pour faire ce que j'ai envie de faire, dans un endroit qui me convienne. Excuse-moi, mais c'est la vérité ; je me sens en fraude. Pardonne-moi de te lâcher tout cela d'un seul coup, mais puisque tu me le demandes, je te réponds. Je suis en train de perdre mon énergie vitale ; je n'en peux plus d'être fatigué. Je suis las de me réveiller chaque matin sans aucun entrain. J'en ai assez de pas être fier de ce que je fais ou de ce que je suis. Ce n'est la faute de personne, si ce n'est la mienne. Je me suis mis dans cette situation parce que je n'avais pas le cran de me battre. C'est stupide, non ?... »

L'histoire de cet homme, je la connais dans les moindres détails, et jusqu'à ce qui fut dit dans cette voiture : j'y étais. Cette histoire, cette confession, ce sont les miennes. J'ai été ce jeune médecin, debout sur une aire de parking en 1979, et je fus cet homme quittant avec son épouse le quartier de Love Field, à Dallas, Texas, en 1989.

Pendant ces dix années, ma vie fut incohérente. Le fond de ma vie, les choix que j'avais faits, tout cela n'était pas en harmonie avec qui j'étais, ni avec ce que je voulais. J'entreprenais des choses qui ne me tenaient pas à cœur et ne faisais pas celles qui me passionnaient. D'un côté, j'occupais une zone de confort où je me sentais en sécurité, parce que tout y était aussi stable et prévisible que le tic-tac d'une horloge. Le problème était que tous mes choix étaient faits en fonction des autres et pour leur plaire, et que j'ignorais mes choix propres. J'étais très malheureux. Si l'on m'avait alors demandé : « Est-ce le genre de vie, la carrière que tu veux ? », « As-tu le sentiment de remplir ta mission sur cette terre ? », j'aurais pu répondre : « Non, et j'en suis loin. » Je savais que je ne menais pas la vie pour laquelle j'étais fait. J'étais conscient que quelque chose n'allait pas, mais pendant ces dix années, j'avais évité d'y faire face parce qu'il était plus facile de continuer ainsi que de tout bouleverser. Au lieu de m'occuper de cette douleur sourde qui me suivait partout, au lieu de déraciner ce mal qui me troublait, je choisis de continuer comme ça. C'est incroyablement bête, mais vrai. J'appris à connaître le vide obsédant d'une vie absurde aussi bien qu'un ennemi intime. J'en vins à m'ignorer moi-même et à vivre pour des personnes, des buts et des causes qui n'étaient pas miens. Je trahissais la personne que j'étais et en acceptais un substitut imaginaire modelé par son environnement. Je me trahissais moi-même et m'appropriais une vie et une expérience de pure fiction.

Trop de choses m'étaient étrangères dans ce que j'entreprenais. C'eût été parfait si j'en avais eu la passion, mais là, autant demander à un chien de voler. Il n'y a pas de mal à vouloir voler, à condition d'être une hirondelle… et non un teckel ! J'adorais ma famille ; mais toute autre expression de ma vie me devenait une douloureuse épreuve de force parce qu'elle ne venait pas du cœur. Ça ne jaillissait pas de source. Et aux aspects négatifs engendrés par ce non-respect de ma vie venait s'ajouter une absence flagrante de points positifs. Je n'éprouvais ni plaisir ni attrait. Je n'entreprenais pas ce qui avait du sens pour moi. Je ne m'adonnais pas à ce pour quoi j'étais fait, et ne remplissais pas ma mission dans cette vie. Je ne terminais jamais la journée en me disant : « Waouh ! Tu as bien bossé, aujourd'hui ! Tu peux être fier… » J'avais désespérément besoin d'éprouver cette sensation, en me regardant dans la glace. J'avais besoin de me sentir tendu vers un but, et cela n'arrivait pas parce que je ne *l'étais* pas. Je n'étais motivé par *rien*, nada, zéro. Cela n'augurait rien de bon.

Au bout du compte, je fus capable de reconstruire totalement ces parts de ma vie qui n'étaient pas « moi » et de m'appuyer sur celles que j'estimais justes, parce qu'elles *l'étaient*. Lorsque je cessai de vivre cette vie absurde et commençai à prêter attention à ma propre voix, à mes besoins propres, mon expérience de vie se modifia dans des proportions monumentales. Je n'ai pas récupéré mes dix années perdues, mais leur souvenir s'estompe, chaque jour remplacé par celui d'une vie qui m'est authentique. (Vous en saurez bientôt plus long sur la façon dont j'y suis parvenu.)

Je n'oublierai jamais complètement la souffrance et le vide que j'éprouvais en vivant de la sorte pendant ces dix ans, et je ne le veux pas. Pour avoir passé dix ans sur cette terre désolée, je sais que je n'y retournerai jamais. Je préférerais avoir faim, devoir travailler pour le gîte et le couvert en faisant ce que j'aime, plutôt que de me trahir de nouveau. S'il vous est jamais arrivé de persévérer dans quelque chose de stupide, puis de vous en écarter pour finalement changer, vous savez bien ce que l'on ressent. Vous regardez en arrière en vous disant : « Mon Dieu ! Comment ai-je pu être aussi bête ? J'ai perdu un temps fou ! » Je connais bien ce sentiment et j'en ai même eu la révélation à travers des événements tout simples – le jour où j'ai enfin porté des lunettes et celui où j'ai construit une clôture à même de m'éviter de courir après le chien. Vous pouvez donc imaginer ce que j'ai ressenti lorsque ma vie a changé, après dix ans de fausse route. Ce fut énorme ! Un profond soulagement ! Je m'en suis sorti, et si vous en êtes là vous aussi, je veux également vous en sortir. Pas de panique : je n'ai pas l'intention de faire voler en éclats votre mariage ou votre famille. Une vie incohérente ne met pas forcément en cause votre environnement, vos occupations, votre emploi du temps, ni même ceux qui partagent votre vie. Il n'est question ici que du véritable « soi ». Il est uniquement question de savoir *comment* vous agissez, et à quel point vous êtes profondément sincère avec vous-même. J'agis encore aujourd'hui comme j'agissais autrefois. Mais je le fais très, très différemment, en fonction de mes priorités – non de celles des autres. Il n'est ici question que de vous écouter vous-même, et de devenir votre meilleur ami.

Question : se pourrait-il que, tout comme moi, vous ayez l'opportunité de vivre une vie extrêmement satisfaisante et stimulante, et viviez au-dessous de vos moyens en passant à côté de cette vie, soit par ignorance, soit, si vous en êtes conscient, parce que vous êtes coincé par vos circonstances et ne faites rien pour les changer ? Se pourrait-il que vous soyez, en réalité, un individu au talent unique avec le besoin d'exprimer tout ce qu'il est, tandis que vous vous employez à renier cette individualité puissante, enlisé que vous êtes dans le marais de vos responsabilités, et prisonnier d'une éthique conformiste se résumant à ne pas faire de vagues ?

Bon, c'est vrai, je vous provoque un peu. Ces questions sont un peu « chargées », et je parie que vous y avez répondu par un « oui ! » franc et massif. Si tel est le cas, *votre concept du moi* est en danger, et vous abusez non seulement vous-même mais vos enfants, votre époux, et tous ceux qui vous entourent, comme je l'ai fait moi-même. Poursuivez cette lecture et nous verrons si je suis dans le vrai. Si c'est le cas, ne désespérez pas car, je vous le promets, je vais vous rendre les dix années que j'ai perdues. Nous allons ensemble illuminer votre vie à un point que vous n'imaginez pas encore.

Autant vous avertir : ce livre démontre, de manière très directe, sans langue de bois ni faux-semblants, comment prendre le plein contrôle de votre vie. Le contrôle dont je parle se fonde sur la reconnaissance de votre *moi authentique*. Pour comprendre ce que j'entends par là, vous n'avez qu'à vous référer aux meilleurs moments de votre vie. Je parle de ces moments les plus absolument heureux : ces moments où vous vous êtes senti particulièrement vous-même, particulièrement vrai. Repensez au *moi* de ces moments-là. Votre vie, alors, abondait d'énergie et de promesses. En même temps, vous vous sentiez très calme au fond de vous. Vous étiez peut-être au travail, mais le travail vous paraissait un jeu. Vous aviez le sentiment d'être exactement à votre place, en train de faire ce qui vous convenait le mieux, auprès des bonnes personnes. Vous aviez une perception inébranlable de votre propre valeur. Vous aviez confiance en vous. Vous vous amusiez et ne prêtiez pas attention à l'opinion des autres. Il n'y avait, dans votre vie, pas de place pour la peur, l'anxiété ou le doute. Vous viviez pleinement le présent, tout en gardant une vision optimiste et la conviction que demain serait tout aussi intéressant et gratifiant qu'aujourd'hui. La vie se parait de couleurs chatoyantes. Votre vie vous paraissait la plus

intéressante qui fût, et vous étiez impatient d'en vivre les péri-
péties futures. Le plus important étant peut-être que vous
vous acceptiez pour qui et ce que vous étiez. En conséquence,
votre estime de vous-même était à l'épreuve des balles. Parce
que vous éprouviez cette image positive de vous-même, une
détermination sans faille et un réel contrôle, rien ne vous
importait moins que le jugement des autres. *Vous* étiez important, non dans une perspective égoïste, mais grâce à cette
confiance. À l'abri des jugements, vous étiez fier de vous et
avanciez plein d'assurance. Vous ne saviez pas ce que l'avenir
vous réservait, mais vous saviez être capable de l'assumer.
L'acceptation de vous-même était le pivot de ce bonheur de
vivre et le moteur qui vous propulsait irrésistiblement.

Reprendre contact, à nouveau, avec ce moi authentique
implique que vous vous retrouviez en face de vous-même, face
à ce moi sincère qui existait *avant* que le monde extérieur ne
vous en éloigne. Je parle d'un contrôle qui vient du plus
profond de vous-même. Ce livre n'est consacré qu'à vous – à
personne d'autre que vous. Vous allez y découvrir comment
vous passionner pour votre vie et la combler de ce qui est véritablement important pour vous, plutôt que d'activités
machinales, d'habitudes héritées, imposées et extérieures à
vous-même. Je parle ici de contrôler virtuellement chaque
aspect de votre expérience au monde. Ce qui implique de réorganiser votre vie de manière à vous sentir comme vous en avez
envie, de faire ce dont vous avez envie, et plus important : ce
dont vous avez *besoin*. De manière à vous respecter pour ce que
vous êtes et ce que vous faites. Autrement dit, à vous regarder
dans un miroir en sachant que ce qui est important pour vous
n'a pas sombré dans un océan de conformisme. Il s'agit de vivre
en ayant à l'esprit les choses dont vous avez toujours rêvé. Le
défi ne consiste pas seulement à éviter de sombrer dans des
considérations du type : « À quoi bon ? », « Pourquoi fais-je
tout cela ? » ou encore « Chienne de vie ! ». Ce qui ne me paraît
pas, en effet, une philosophie, ni une stratégie de vie efficaces.
Si vous souhaitez devenir totalement et consciemment

responsable de *vous*, de chaque chose que vous pen
ressentez, et voulez faire usage de cette maîtrise po
valeurs qui vous soient favorables et, par conséquen
à tous ceux qui vous entourent, vous êtes à la bonne adresse.
Mais il faut vous mettre au travail…

Je vais vous dire : j'ai une théorie. Je crois en effet que
vous, moi, chacun d'entre nous s'est « planté » une fois, ou est
actuellement en train de « se planter » au jeu que nous appe-
lons la vie. Tant de gens, de nos jours, sont occupés à « tenir »,
ou à « travailler », au point que les couleurs de leur propre vie
se sont effacées. Ils se contentent de peu, de bien trop peu.
Réfléchissez-y : votre vie privée peut s'avérer totalement nulle.
Elle peut même s'apparenter à une catastrophe ferroviaire – et
cependant, en vous levant le matin, vous évitez de vous
concentrer ne serait-ce que cinq minutes sur ce que vous
pensez ou ressentez, et vous tournez en rond deux heures
durant en vous focalisant uniquement sur les apparences, au
détriment de l'essentiel. C'est ce que vous faites constamment. Vous feriez bien de faire une pause, le temps de réaliser
à quel point votre énergie vitale est absorbée par ce qui est
superficiel, au détriment de ce qui, vous le savez, au fond de
vous, compte vraiment. La notion même de mariage en offre
un bon exemple : je rencontre chaque année des myriades de
couples qui se destinent au mariage. Je suis prêt à parier que
90 % d'entre eux ont passé des mois, voire des années à en
planifier la *cérémonie*, en n'accordant en réalité que très peu
de temps au *mariage*. Quelle folie de consacrer tant de temps
au traiteur et au fleuriste, pour un événement qui n'aura duré
qu'une heure, et de n'en accorder que fort peu aux enfants, à
l'argent et aux plans de vie. Et je ne dis pas ça juste parce que
je suis un homme, et que je ne comprends pas l'importance
du mariage pour les femmes ! J'ai également trois sœurs,
toutes mariées. Je peux comprendre. Je souligne juste qu'il
faut *aussi* planifier son mariage. Il en va de même pour sa
propre vie. Vous la créez à partir de vous-même, en conséquence, elle doit absolument *vous* refléter – ce qui vous

demande une attention toute particulière à vous-même ; pas seulement à votre masque social.

Cette question du moi, de la personne que vous êtes réellement au fond de vous, est de la plus grande importance. Pourquoi ? Parce qu'une vie sans couleur est une vie sans intérêt ni passion. Elle n'est qu'une existence monotone, qui vous pousse à mettre un pied devant l'autre, machinalement, sans émotion. Vous investissez votre énergie à répondre aux attentes, à accomplir votre travail et vos tâches quotidiennes. Vous cessez de vivre, vous existez seulement. Vous vous levez le matin, préparez le petit déjeuner des enfants, vous inquiétez de vos finances, partez au travail, revenez à la maison, faites tourner une machine, préparez le dîner ; puis vous vous inquiétez pour vos enfants, tondez la pelouse, revenez aux soucis d'argent, regardez la télé, dînez, vous inquiétez encore avant d'aller vous coucher ; et le matin suivant, vous vous relevez pour reprendre tout le cycle à l'identique, encore, encore, et encore – et ce, trois cent soixante-cinq jours par an. Ne vous illusionnez pas : lorsque les tâches ménagères, la routine de vie et la nécessité de faire « tourner le moulin » constituent votre principal but dans l'existence, c'est que vous n'en avez déjà plus et qu'il faut en retrouver un. Vous devez découvrir votre meilleur *usage*, le plus élevé en ce monde, et vous y consacrer. N'aurait-il pas été tragique qu'Albert Einstein mène une vie de boutiquier ou de tailleur ?... Ou qu'Elvis Presley reste conducteur de poids lourds, et Mère Teresa, serveuse ou comptable ? Lorsqu'une une routine abrutissante et sécurisante prévaut, qu'elle est aveuglément acceptée comme un but de vie sans discernement, il ne peut y avoir d'authenticité ; parce que nous avons tous une « mission », un objectif qu'il nous est impossible d'ignorer, si nous voulons vivre pleinement. Si vous n'avez pas de but à réaliser, vous n'avez pas de passion. Et si vous n'avez pas de passion, vous vous trahissez, en quelque sorte. Je peux dire cela parce que je sais qu'au fond de vous se tient cette passion, et qu'une fois reconnue et libérée, celle-ci pourra régénérer et stimuler votre expérience de la vie.

Dans une vie sans passion, le superficiel devient le meilleur substitut à ce qui compte vraiment. Des hochets illusoires comme l'argent, l'approbation des autres et l'accumulation de biens matériels finissent par avoir raison de votre énergie vitale. Vous êtes alors piégé dans la spirale descendante d'une existence dépourvue de sens. Si vous n'êtes engagé dans rien, ne croyez en rien – y compris vous-même –, vous devenez perméable à tout et n'importe quoi. Vous êtes qualifié pour une mission particulière dans cette vie ; et ne pas parvenir à l'identifier et à l'accomplir équivaut à vous atrophier l'esprit, le corps et l'âme. Vous ne pouvez jouer votre vie en essayant seulement de ne pas perdre et de surnager. Vous devez jouer pour gagner – et il vous appartiendra de définir ce que « gagner » veut dire. Ne pas le faire serait vous renier.

Vous êtes peut-être à présent convaincu que votre vie n'a, de toute façon, jamais connu de couleur ni de passion. Mais si cela avait été le cas, vous en souvenez-vous ? Réfléchissez-y attentivement et posez-vous la question : jusqu'à quel point ai-je laissé s'affadir les couleurs de ma vie ? Il vous a peut-être été difficile de vous en rendre compte, parce que cela s'est fait petit à petit, par petites touches.

Êtes-vous passé, au contraire, d'une vie chatoyante à une existence en pâles demi-teintes ? Demandez-vous depuis combien de temps vous n'avez pas ressenti d'intérêt et de passion dans un domaine significatif de votre vie. Je ne parle ni d'une nouvelle voiture, ni d'un bijou de prix, ni d'une canne à pêche. Je fais allusion ici au sentiment exaltant et passionné que l'on éprouve lorsqu'on s'épanouit dans ce que l'on fait, et qu'on le fait bien. Je veux parler ici de la confiance en soi qui en découle. De la calme assurance qui naît de savoir qu'on a le courage d'être qui l'on est vraiment, et d'être là pour soi, au moment où il le faut. Du courage qui vous aide à vous défendre contre un époux odieux, à choisir la carrière qui *vous* convient, ou à décider si vous aurez ou non des enfants. La passion, l'appétit et la confiance sont des vitamines importantes dans votre ration journalière. Et pour les obtenir, il n'y a qu'à revendiquer simplement votre droit à la joie et au plaisir *maintenant* – non pas dans les limbes flous de votre passé, mais à présent.

Je caricature : êtes-vous du genre à rappeler sans cesse à quel point vous *étiez* drôle et farfelu ? Avez-vous l'habitude de ressasser de vieux souvenirs : « Tu te souviens que nous avions coutume de faire ceci… ? » Vous êtes-vous résigné à l'idée que l'essentiel de votre épanouissement et de vos joies se trouve *derrière* vous, parce que vous assumez à présent des responsabilités, des factures et des enfants et que toute tentative de rationaliser ce fait vous conduit à vous négliger vous-même et à ignorer ce qui compte pour vous ? Laissez-moi vous dire que si tel le cas, c'est une grosse bêtise ! Je me suis retrouvé il y a peu de temps, lors d'une réunion d'anciens de l'université, au milieu d'anciens coéquipiers de l'équipe de football. Une partie d'entre eux se sont forgé une vie de qualité, avec épouses, familles et carrières admirables à la clé. Les autres sont restés résolument accrochés au souvenir de nos vieilles gloires sportives. Ils se complaisent dans une fierté nostalgique : « Dis donc, Phil, tu te rappelles cette fois où on a marqué un but à trois minutes de la fin du match, et à dix joueurs ? On était sacrément doués, non ? » Je réponds : « Oui, les gars, c'était vraiment un sacré truc… » Et en mon for intérieur, je me dis : « Grands dieux, non, mon vieux, je ne m'en souviens pas du tout, j'ai même accompli dix millions de choses depuis trente ans, et il semble que ce ne soit pas ton cas. Et tant qu'à faire, cette gloriole dont tu te berces, l'as du foot, n'est qu'un tas de balivernes. La vérité, c'est qu'on était mauvais ! Et maintenant que je me souviens de cette passe de dernière mi-temps, qui a dû copieusement alimenter ta légende familiale, on était quand même menés 3 à 0 ! Passe à autre chose… Tu ressembles à mon père qui, lui, nous racontait qu'il devait faire au moins quatre kilomètres par jour pour aller à l'école, dans trente centimètres de neige, et que ça grimpait dans les *deux* sens… »

La seule raison pour laquelle on reste fixé sur un passé fantasmé est que l'on éprouve un désintérêt pour son présent. Vous, je ne sais pas, mais moi, je ne voudrais pas avoir de nouveau vingt ans. Il y avait de bons moments et beaucoup de mauvais. Lorsqu'il évoquait ses années d'armée ou ses parties de football à l'université, mon père disait ceci : « Je ne le referais pas pour un million de dollars, et je ne donnerais pas un sou pour recommencer. » C'est à peu près ce que ressens à propos de ma jeunesse, à l'exception des moments que je retrouverais volontiers pour quelques « sous »…

Si le meilleur de votre vie appartient au passé, il y a vraiment quelque chose qui ne va pas. Et je le prouve : au fur et à mesure que l'on vieillit, on devrait gagner en compétence, et non perdre. Notre vie est supposée s'améliorer parce que nous *nous* améliorons. En conséquence, tenter de rationaliser ou de justifier le fait de s'ignorer soi-même et ce que l'on veut vraiment relève de la bourde majeure. Je veux mettre votre concept du moi au centre de la scène, de manière à ne plus trahir vos souhaits, vos rêves, vos besoins et votre vision.

Vous êtes en train de vous dire : « Eh là, vous y allez un peu fort, que savez-vous de moi ? Fichez-moi donc la paix ! Comment pouvez-vous penser connaître aussi bien ma vie, alors que nous ne sommes jamais rencontrés ? »

À vrai dire, je ne pense pas que vous souhaitiez réellement être laissé tranquille, et j'espère sincèrement que vous n'alliez pas me rejeter pour mon excès de franchise, et du fait que je vous dise des choses pas toujours faciles à entendre. N'importe qui peut vous dire ce que vous avez envie d'entendre, et franchement, il me serait bien plus facile de faire ainsi – mon livre ressemblerait alors à des centaines d'autres, et vous ne l'avez pas choisi pour qu'on vous serve des balivernes. Vous avez acheté ce livre parce que vous accordez de l'importance à votre vie et que vous voulez agir au mieux pour votre bien-être et celui de votre entourage le plus cher.

Je pense vraiment être en mesure de connaître ce qui se passe dans votre vie. Et ceci pour deux raisons. D'abord, parce que j'en ai moi-même fait l'expérience dans ma propre vie, ensuite, parce que je travaille quotidiennement avec des milliers de gens comme vous et moi, et que je le vois dans leurs vies, à leurs visages et dans leurs yeux. Tous sont trop occupés, trop piégés dans leurs rôles, trop enfermés pour se considérer eux-mêmes. Je vous entends penser : « Ah ! Formidable ! Je pensais que je m'en sortais bien avant d'avoir acheté ce fichu bouquin – maintenant, je constate que je *croyais* seulement être heureux. Merci bien ! »

Désolé, mais, comme le disaient vos parents avant moi : « Tu me remercieras plus tard… » À ceci près que cette fois-ci, c'est la vérité.

Je vous propose donc d'écouter ce que j'ai à vous dire, et si, à la fin, vous en arrivez à la conclusion que vous êtes heureux et que vous faites ce qu'il faut, alors bravo. Au moins, vous en serez conscient en ayant le sentiment d'avoir ausculté votre vie et vos pensées. Mais encore une fois, je suis quasi certain que les découvertes que vous ferez vous procureront un choc, et qu'au final, vous serez reconnaissant d'avoir été tiré de votre torpeur. Et je suis carrément déterminé à vous en tirer, de cette torpeur ! Parce qu'il est hors de question que vous laissiez votre vie en sommeil comme je l'ai fait moi-même pendant dix ans.

Vous et le monde

Selon moi, nous nous sommes *perdus* parce que notre monde s'est accéléré à un rythme proprement insensé. Il s'est accéléré au point de nous submerger de messages extérieurs rendant inaudibles tout message intérieur et tout discours intime. Nous nous sommes perdus dans le grand tapage du monde.

Des dizaines de chaînes télévisées, Internet, la vidéo à domicile, plus nos activités professionnelles conspirent à nous *priver* de nous-mêmes. Les enfants, qui n'ont plus aucun temps libre, courent de l'école à la danse, du foot au théâtre en enchaînant activité sur activité. Vous vous trouvez embarqué dans un manège trop rapide pour être contrôlé, et dont il devient impossible de sauter en marche. En conséquence, vous vous recroquevillez, en essayant de tenir debout. Et s'il vous arrive par hasard de disposer d'un peu de temps libre, qui ne soit ni calibré ni instrumentalisé, vous ne l'utilisez pas pour vous concentrer ou vous accorder un peu d'attention. Bien au contraire, cela vous rend nerveux et vous panique, et vous cherchez à tout prix quelque chose à faire, ou quelqu'un qui vous dise quoi faire. Vous êtes si occupé à remplir des obligations que vous n'avez pas choisies et ne choisiriez probablement pas aujourd'hui que vous ne parvenez même plus à penser à ce que vous voulez, à ce dont vous avez besoin et qui vous tient à cœur.

Voici un rapide test de logique qui déterminera si vous acceptez passivement, voire même choisissez des comportements qui ne vous correspondent pas, ou si vous avez adopté des comportements et un style de vie qui découlent de vos inclinations naturelles et de votre moi authentique.

Si vous êtes constamment fatigué, stressé, émotionnellement inerte, voire même déprimé, inquiet et insatisfait, vous êtes en train d'ignorer votre moi authentique et vivez une existence dont vous êtes absent. Si votre vie comporte des activités que vous détestez notoirement, et que vous persistez, quoi qu'il en soit, à les accomplir, j'y décèle également une trahison de soi-même. Par exemple, déplorez-vous constamment votre excès de poids sans en perdre pour autant ? Échouez-vous dans vos tentatives de faire du sport, reprendre des études, changer de travail, faire face à votre couple en péril, sortir avec quelqu'un, avoir un hobby, ou prendre enfin en compte la souffrance ou les abus subis dans votre enfance ? Si tel est le cas, il vous est impossible de vivre en accord avec celui ou celle que vous vous destiniez à être. Si votre vie est dominée par une inquiétude et une anxiété constantes, et que vous ne savez pas du tout comment faire pour y réagir, c'est également mauvais signe. (Mon père disait toujours que « s'inquiéter, c'est un peu comme se balancer dans un fauteuil à bascule, c'est quelque chose que l'on fait, mais qui ne mène nulle part… ».)

Si vos pensées deviennent ennuyeuses et que vous perdez votre vivacité d'esprit, vous n'êtes gagné ni par la vieillesse, ni par la bêtise. C'est juste que votre moi authentique est en train de s'enfoncer dans l'oubli. Qu'il essaie de respirer. Si vos émotions sont empreintes de cynisme, d'apathie, de désespoir, et qu'elles manquent d'optimisme, c'est simplement parce que vous vous êtes laissé tomber, et vos désirs avec vous. Si vous choisissez ce que vous faites, et ce que vous pensez, et les placez en tête d'une liste de priorités erronées, parce que basées sur ce qu'à votre avis les autres attendent de vous, plutôt que sur ce qui vous importe vraiment, vous souffrez d'une « infection fictionnelle ». Votre véritable moi est contaminé par un mode de vie largement inauthentique, qui n'a pas tenu compte de qui vous êtes, et a engendré à la place un moi « fictionnel ».

Ignorer qui vous êtes véritablement et authentiquement peut littéralement vous tuer. Oui, j'ai bien dit « littéralement ». Quand vous persistez à ignorer qui vous êtes réellement, l'ensemble de votre « système » connaît une telle détresse qu'il se détériore et que vous vieillissez avant l'âge. Se forcer à être quelqu'un que l'on n'est pas ou, inversement, réfréner qui l'on est vraiment coûtent incroyablement cher. Cela vous peut vous coûter de nombreuses années de vie. Je me demande combien de faire-part de décès, de ceux que l'on trouve dans la presse, pourraient être libellés ainsi :

« Dubois, Jean-Claude. M. Jean-Claude Dubois est décédé hier suite à des complications dues à une vie nulle, dont il n'a pas réellement voulu. Son bilan se compliquait du fait qu'il a également échoué à réaliser ne serait-ce qu'un peu de ce qu'il souhaitait accomplir. Selon les experts, il est mort d'une indigestion physique et psychique de conceptions de vie étrangères à la sienne assimilées de force. Ses tentatives de combler un vide intérieur par le travail, les voitures, l'excès de nourriture, l'alcool, trois mariages, deux mille parties de golf et l'efficacité à répondre à toutes attentes autres que les siennes se sont avérées lamentablement inutiles. Celles-ci lui ont malheureusement retiré tant d'énergie vitale qu'il s'est retrouvé usé environ vingt ans trop tôt. Malheureux dans ses dernières années, il est mort hier chez lui, sans sérénité. Il était entouré de collègues de travail qu'il détestait, ainsi que de membres de sa famille, tous aussi malheureux qu'il ne le fut. »

J'exagère un peu, c'est vrai, mais les faits ne sont pas à prendre à la légère. Les experts médicaux nous signalent qu'en subissant le stress que je décris plus haut, nous pouvons perdre jusqu'à quatorze années d'espérance de vie. Voilà pourquoi, je le répète, vous jouez avec le feu.

Bref, je reprends. Comment tout cela est-il arrivé ? À l'évidence, personne ne vous a drogué, pas plus que vous n'êtes mentalement diminué. Vous avez juste été rattrapé par le train fou de la vie. Vous vous êtes simplement accoutumé à l'ennui. Au fil du temps, il vous est devenu plus facile de vous dire « non » à vous-même qu'aux autres. Votre éducation vous a très probablement programmé à penser qu'il était égoïste de vous intéresser à vous-même. Et ce conditionnement, bien sûr, émane d'un tas de gens qui préféraient de loin que vous vous concentriez sur eux et ce qu'ils voulaient, plutôt que sur ce que *vous* vouliez.

Si, à l'inverse, vous êtes tous les jours passionné par la vie que vous menez, et vous sentez en accord avec ce que vous êtes et ce que vous faites, vous existez très probablement en harmonie avec votre moi authentique.

Laissez-moi vous dire ce que je souhaiterais que vous pensiez et disiez, maintenant, pendant et après la lecture de ce livre :

« Hep, une petite seconde s'il vous plaît. Je me fiche des projections des autres et de vivre pour eux. Ils (quels qu'ils soient) ne paient pas mon loyer, ne rentrent pas chez moi le soir pour donner le bain aux enfants et préparer le dîner. Alors pourquoi vivrais-je ma vie en fonction de ce qu'une bande d'individus mal définis attendent de moi ? Ça ne marche plus. Fini de gaspiller mon énergie à tout vent. Je vais la récupérer, et l'employer à être moi-même.

Je veux contribuer à *mon* propre bonheur en accomplissant sincèrement ce qui compte pour moi. Si j'aime la musique, j'en veux dans ma vie. Si une carrière me tente, je m'en offre les moyens. Si j'en ai assez d'être trop gros, je veux faire de cet aspect une priorité de ma vie. Si je ne suis pas traité avec dignité et respect, ça ne marchera pas, ni maintenant, ni jamais. Je préfère vivre seul que mal accompagné. Si ma vie spirituelle est mise en sourdine parce que mon conjoint n'y est pas sensible, c'est à lui de s'adapter, et pas à moi. Je suis las d'avoir constamment peur. Peur pour les enfants, les parents, l'argent et le travail ; peur du patron, peur de la désapprobation. Je veux respirer. Je veux me sentir en vie. Je veux éprouver ma propre valeur et la voir dans les yeux des autres. Je veux apprécier chaque matin, au lieu d'en avoir peur. Je veux voir très clairement qui je suis dans ce monde, et ce que je suis censé y accomplir, dans le temps qui m'est donné. Je veux prendre conscience qu'il ne s'agit pas d'une répétition générale, mais de ma propre vie – la seule que j'aie. Je veux que mes enfants bénéficient de ma présence pleine et entière, au lieu d'un ersatz de moi-même. Je veux qu'ils découvrent tout de ce que je suis vraiment, mes centres d'intérêt, mon sens de l'humour, mes valeurs. Je suis convaincu que les enfants apprennent les choses par l'exemple, et je veux qu'ils apprennent *par l'exemple* la fierté plutôt que l'art du compromis. Je veux vivre en paix, dans l'accomplissement, la joie et la passion. Je veux pouvoir finir une journée en remarquant qu'elle a été bonne. Je veux être à même de penser que je suis fier de moi et fier de ce que j'ai fait aujourd'hui. Je veux pouvoir me dire : "J'aime qui je suis et tout ce qui me caractérise." Je veux me sentir calme et paisible. Je veux me sentir satisfait. Je veux pouvoir me dire que je me sens bien. Je veux être sûr que je mérite ce que je souhaite *parce que* – et juste pour cela ; je veux m'aimer pour ma capacité d'attention à ce qui compte vraiment pour moi. »

Êtes-vous en état de choc ? Vous devez probablement penser que je suis devenu un fou d'égoïste sévèrement cintré qui a pété les plombs. Erreur ! Il s'agit juste d'un cas de conscience « politiquement correct ». Car comment peut-il être égoïste de prendre soin de soi alors qu'il est incontestable que l'on ne peut donner ce que l'on n'a pas ? Si vous vous montrez vertueusement désintéressé, vous pouvez faire un super-martyr bien intentionné ; mais quelles que soient vos intentions initiales, vous tromperez tout votre entourage – vos enfants, votre conjoint, vos collègues, vos amis –, bref, l'ensemble de votre environnement. La Bible elle-même recommande d'aimer son prochain comme soi-même. Il vous faut prendre soin de vous-même avant même de *pouvoir* prendre soin de l'autre.

Depuis combien de temps vous est-il vraiment arrivé, sans rire et sans culpabilité, de prendre soin de vous ? Demandez-vous depuis combien de temps vous ne vous êtes pas dit : « Je fais ce que je fais aujourd'hui parce que c'est ce que je voulais faire, plutôt que de faire ce que je fais aujourd'hui simplement parce que c'est ce que je faisais hier ? »

Bien. Je ne veux plus que vous égreniez vos journées l'une après l'autre sans réfléchir. Je veux que vous preniez l'engagement profond et sans compromis de mettre votre monde au diapason de la personne que vous êtes authentiquement, et véritablement. Je ne veux pas que vous viviez en fonction d'un moi fictionnel qui n'a rien à voir avec vous ni avec tout ce qui compte pour vous. Je veux que vous commenciez à vous interroger sur ce qui est important pour vous : que désirez-vous ? Que vous manque-t-il pour réinvestir votre vie ?

Jetez un coup d'œil sur la liste suivante et choisissez parmi ces propositions celles dont vous souhaiteriez qu'elles fassent partie de votre vie, ou y occupent au moins une part plus importante :

- La musique
- L'art
- Le travail
- Les enfants
- La vie spirituelle
- L'honnêteté
- Le temps libre
- La fierté au travail
- La fierté de son apparence
- Le sentiment de dignité
- La santé
- La nature
- Une carrière qui mise sur vos points forts
- La permission de dire, de faire et d'être ce que vous êtes
- Le bénévolat
- Les centres d'intérêt personnel
- Un style de vie différent
- La passion
- L'émotion
- L'indépendance
- Une relation de couple enrichissante
- Une morphologie différente
- Le don

Nous pourrions continuer longtemps. Je vous propose cet exercice pour vous mettre en train et vous amener à penser aux choses que vous souhaiteriez plus présentes dans votre vie. Si elles en sont absentes, et je parie qu'il y en a pas mal qui manquent, je m'en vais vous montrer très précisément pourquoi et comment elles vous ont été retirées, et comment les réhabiliter dans votre vie.

La bonne nouvelle, c'est que la seule personne dont vous ayez besoin pour changer tout cela, c'est vous. Vous n'avez besoin ni de vos parents, ni de votre conjoint, ni de votre patron. Uniquement de vous-même. Ma théorie est que vous êtes à l'origine de cette situation, parce que vous l'avez soit passivement autorisée, soit activement provoquée en vous plaçant en dernier, vous et tout ce qui compte pour vous, dans la liste des priorités. Que vous le sachiez ou non, il se pourrait fort bien que vous vous soyez sacrifié. Et typiquement, quand c'est le cas, les choses que nous abandonnons en premier sont celles qui ne comptent que pour nous. Pourquoi ? Parce qu'ainsi, nous ne décevons personne d'autre que nous-mêmes – et Dieu sait combien nous sommes déçus... Souvenez-vous : lorsque vous figurez en dernier dans la liste de vos priorités, non seulement vous vous trahissez vous-même, mais également tous les membres de votre entourage. Ce que j'essaie de vous dire ici, c'est qu'il ne s'agit pas seulement d'un droit à défendre, mais bien d'une responsabilité. Nous sommes en train de parler de votre vie. De l'unique coup à jouer dans ce monde. Si vous êtes à ce point vertueux que vous ne puissiez justifier de vivre pour vous-même, alors faites-le pour vos enfants, pour votre famille, et pour tous ceux que vous aimez. Dans le cas contraire, vous passez à côté de vous-même, eux aussi, et rien ne va plus.

Quand vous aurez terminé ce livre, je voudrais que vous soyez capable de dire : « J'ai compris, et je suis maintenant là pour moi et pour tous les êtres auxquels je tiens. » Je veux également vous faire découvrir un point clé, la réalité fondamentale qui à la fois résume et constitue la substance et le cœur de votre vie intime :

Votre Vérité Personnelle.

VOTRE POSITION DE DÉPART

Afin de bien voir où vous en êtes et de comprendre comment vous rendre là où vous avez l'intention d'aller, il vous faut d'abord connaître votre position de départ. Le point où vous en êtes actuellement, tout ce que vous êtes, et tout ce que faites, découle de cette *vérité personnelle*. Ce que j'entends par vérité personnelle recouvre *toute conviction intime développée au cœur absolu de votre être et à l'abri de toute censure*. Cette vérité personnelle est décisive, parce que si vous y croyez, et si elle est vraie pour vous, elle constituera la réalité de votre vie de tous les jours. Que nous le voulions ou non, nous entretenons tous de ces vérités intimes qui fondent notre vie quotidienne. Si vous êtes honnête et sincère dans l'observation de ce que vous pensez et ressentez à propos de vous-même dans vos moments de franchise, vous savez que ce que je dis est vrai. Vous le savez parce que vous avez vu émerger cette vérité personnelle au moment où vous ne le souhaitiez pas. Vous pouvez raconter au monde entier un scénario tout préparé en espérant être cru, mais vous savez pertinemment le fin mot de l'affaire, ce à quoi vous croyez vraiment – du moins, ce que vous en percevez – et nous savons tous deux que votre vérité est très loin de ressembler à ce fameux scénario ! L'histoire que vous vous racontez n'est autre que celle que vous vivez ; c'est celle qui vous tombe dessus et vous fait trébucher quand vous êtes sous pression. Vous vous demandez à chaque fois si la mascarade va prendre fin, si vous allez être démasqué. Car quoi qu'on y fasse, on ne peut échapper à sa vérité personnelle. Elle finit toujours par vous rattraper à la fin, et c'est la raison pour laquelle il est si important de la clarifier et de clarifier tous les doutes et distorsions qui vous embarrassent. Nous le savons tous, les vérités personnelles se rappellent durement à ceux qui veulent se les dissimuler. C'est le caïd de l'école qui se transforme en petite chose tremblante le jour où l'on découvre son ressort intime – la peur ; c'est l'athlète qui fanfaronne, mais manque d'assurance et craque au moment critique de la compétition ; ou encore, la reine de beauté « sûre d'elle » – en réalité pétrie de solitude et d'angoisse – qui finit par mettre fin à ses jours…

Il se peut que votre vérité soit positive et juste, ou qu'elle soit, au contraire, synonyme de catastrophe et minée par de fausses croyances ancrées sur le terrain de la peur, de la souffrance et de la confusion. Et il est fort probable que votre vérité personnelle soit une combinaison de tous ces éléments. Mon travail, le vôtre, est de vous amener à la sincérité dans les domaines de votre vie qui ne fonctionnent pas, selon vous. Il est presque impossible de vous cacher, ou d'outrepasser les limites imposées par ce que, en votre for intérieur, vous croyez savoir sur vous-même. Vous ne pouvez jouer le jeu de la vie en toute confiance si votre vérité personnelle est minée par l'appréhension et la peur. Vos meilleures performances ne pourront jamais dépasser ce que vous dicte votre vérité personnelle. Si cette vérité est déformée et fictionnelle, vous pouvez être sûr qu'elle se manifestera dans les circonstances les moins opportunes, et sous la forme d'une autocritique insidieuse et sans répit. Cette notion de vérité personnelle est d'une importance énorme : elle engage toute votre vie. Si vous ne réformez pas la vôtre, cela peut ruiner vos plans les mieux construits pour revitaliser votre existence. Au fil de ce programme, ne tentez pas de tricher avec vous-même en fuyant la réalité, simplement parce que vous n'avez pas le courage de vous dire « tout haut » ce que vous croyez vraiment au fond de vous. Tant que vous n'aurez pas confronté votre vérité, vous n'aurez pas la moindre chance de devenir celui ou celle que vous pourriez être. Comme n'importe quel être humain, vous retirez des messages biaisés et ambivalents du monde qui vous entoure et des expériences que vous y faites. Ce qui a pour résultat d'infléchir la perception de « votre » vérité. Or, précisément, c'est en évitant de confronter les distorsions de sa vérité personnelle que l'on aboutit à une profonde trahison de soi-même. Analysons maintenant toute l'importance de cette question.

Je vous avouerai d'emblée que je suis la plupart du temps décontenancé par les notions que les « experts » utilisent lorsqu'ils discourent et écrivent sur nos vies – des termes comme « réalisation de soi », « moi intérieur », « actualisation du moi », ou encore « être centré », qui font partie de toutes ces expressions à la mode qu'ils fabriquent au kilomètre pour avoir l'air branchés. Ces termes sont beaucoup trop élaborés et sophistiqués, je le crains, pour ma vision terre à terre. Mais quand je suis fidèle à cette vision concrète des choses, je constate que ce que l'on est dans ce monde, et qui l'on devient, reposent entièrement sur cette vérité personnelle – cette accumulation de croyances que l'on a sur soi-même. Elle revêt une importance cruciale parce qu'elle fonde et définit ce que j'appelle le « concept de soi ». Si vos croyances sur vous-même reflètent fidèlement celui ou celle que vous êtes, votre existence reposera sur un concept de soi vous donnant le pouvoir de devenir la personne la plus absolument vraie et authentique qui soit. Si tel n'est pas le cas, si le faux remplace le vrai, vous ne disposerez que d'un concept de soi limité et fictionnel, qui trahira qui vous êtes authentiquement et vous handicapera dans toutes vos entreprises. Pas bon, ça !

Nous aborderons plus en détail les notions de moi authentique et fictionnel dans le prochain chapitre. Pour l'instant, il vous suffit juste de comprendre que vous ne disposez que d'un seul « moi », et que ce moi, comme un caméléon, adopte les couleurs émotionnelles, l'histoire et l'environnement dont il est issu. Votre concept du moi oscille dans un continuum entre les deux pôles d'attraction que constituent, d'un côté, l'image authentique de vous-même (la personne que vous avez vocation à être) et, de l'autre, l'image déformée et fictionnelle que vous avez conçue de vous-même (celle que le monde vous a renvoyée).

Votre situation, sur cette échelle, est fonction de votre expérience de la vie, et de la vérité personnelle que vous avez créée par l'observation de vous-même et l'interprétation de votre propre existence, au fil des années.

Cette vérité personnelle, et le concept du moi qui en découle, représentent l'ADN de votre personnalité. En connaissant cet ADN, vous saurez où vous en êtes avant d'entamer ce voyage à la redécouverte de vous-même.

Au fil de cette lecture, j'ai bien l'intention de vous démontrer comment vous avez fabriqué cet ADN, quel qu'il soit. Je vous amènerai alors à déconstruire ces éléments négatifs qui vous ont desservi. Je vous indiquerai aussi pas à pas comment rebâtir un concept du moi authentique qui vous assure le succès.

Voici comment nous procéderons. Nous allons d'abord décortiquer tout votre concept du moi : toutes les pensées, les sentiments ou les croyances que vous conservez sur vous-même. Je vous indiquerai alors, en termes clairs, comment cette vérité personnelle a déterminé (et détermine encore) virtuellement chaque aspect de votre vie, et vous donnerai les moyens concrets de modifier cette vérité, en mettant un point final à la déformation de vos perceptions. Il s'agit d'un procédé simple à comprendre, que nous pouvons facilement décomposer en étapes. Ces étapes prendront en compte les événements survenus dans votre environnement extérieur, aussi bien que ceux qui vous ont marqué et vous conditionnent encore intérieurement.

Au cours des chapitres à venir, nous allons identifier les éléments les plus pertinents de votre histoire en relevant les expériences clés de votre vie, celles qui se sont successivement inscrites sur votre « ardoise » et contribuent à définir votre vérité personnelle, comme votre concept du moi. Nul besoin de disséquer chaque aspect de votre existence. Ce serait s'engloutir sous un monceau de détails microscopiques qui n'ont pas réellement d'intérêt. Nous nous contenterons — chose surprenante — de ne pointer qu'un petit nombre d'événements survenus tant extérieurement qu'intérieurement, mais qui ont déterminé le cours de votre vie entière. Lorsque vous réaliserez à quel point ces quelques événements ont pu influencer à eux seuls la personne que vous êtes devenue, vous serez absolument choqué. Mais telle est la réalité, et celle-ci a au moins pour vertu de faciliter le travail. En répondant à des questions précises, en réfléchissant aux divers facteurs qui ont forgé votre concept du moi et, plus généralement, en effectuant un audit honnête et sincère de votre propre vie, vous commencerez à ressentir une énergie et une paix intérieure que vous ne connaissez plus depuis des années, voire que vous n'avez jamais connues. Quelles que soient vos conditions de vie actuelles, ce travail est à votre portée. Les seules choses dont vous ayez besoin sont la détermination et le désir d'y voir clair. C'est un travail nécessaire. Si aujourd'hui n'est pas le bon moment pour renouer avec vous-même, quel sera alors le meilleur moment ? Cela ne va pas être facile, je vous le dis tout net. Au point où vous en êtes actuellement, vous êtes en droit de vous demander si le jeu en vaut la chandelle, s'il est en votre pouvoir de corriger le tir et de laisser le champ libre à votre vraie passion, à vos forces, vos dons et vos talents. Ayez confiance lorsque je vous dis que c'est possible et que vous le méritez. Je veux aussi que vous réalisiez que, quel que soit le temps que cela prendra, votre précieux capital de vie s'écoulera de toute façon, que vous agissiez ou non pour améliorer votre existence. Je vous promets que, dans un an exactement, votre vie sera meilleure, ou pire qu'elle ne l'est aujourd'hui. Elle ne sera plus la même ; et le choix de l'améliorer ou de la laisser à l'abandon vous appartient totalement. Je vous montrerai comment faire. Que vous ayez besoin d'une petite « révision » ou que vous vous sentiez complètement et désespérément perdu, je suis là pour vous aider. De votre part, je n'ai besoin que d'un minimum d'attention, d'ouverture d'esprit et de détermination. Et maintenant, au travail !

CHAPITRE 2
Définir
son moi authentique

« La seule chose au monde que vous puissiez changer, c'est vous-même, et c'est cela qui change tout. »

Cher

Autant vous dire que j'ai horreur de paraître critique d'entrée de jeu, mais si nous voulons obtenir des résultats, je me dois de vous dire la vérité toute nue. En un mot, vous pouvez la dissimuler à vos amis (je le fais, moi aussi), mais de vous à moi, nous n'allons pas *nous la jouer* ! Mon propos est de mettre en évidence des comportements de vie communs à *la plupart des gens*. Ce que j'entends par « vie », c'est l'expérience personnelle et privée – non pas *l'image projetée* de la vie. Personne d'autre que vous ne saura si je me trompe à votre sujet. Je ne vous demande pas de substituer mon jugement au vôtre, mais de peser attentivement ce que j'ai à vous dire. Je vous demande également la plus grande honnêteté, même si cela vous effraie d'admettre un certain nombre d'éléments sur vous-même et votre propre existence. Souvenez-vous : vous ne pouvez changer que ce que vous reconnaissez.

Voici comment je vois les choses. Si votre vie ressemble un peu à celle de la plupart des gens – en fait, à celle que j'ai menée autrefois –, vous devez être, que vous le sachiez ou non, gentiment dépassé. Par un jeu d'apparences, il se peut que personne autour de vous ne s'en soit rendu compte. Mais on se fiche de ce que les autres veulent pour vous en ce moment. Nous devons nous concentrer uniquement sur ce que *vous* voulez. Nous aurons bien le temps de rééquilibrer tout cela plus tard.

Tout comme le cygne traversant gracieusement l'eau lisse de l'étang, vous faites pour le mieux… en surface. Mais songez aux efforts fournis par le cygne *sous* la surface de l'eau. Il bat l'eau à toutes palmes, offrant un contraste chaotique avec cette décontraction de surface. Comme dans la vie.

Imaginons un moment, juste pour voir, ce que vous choisiriez pour vous si vous deviez réécrire, là, maintenant, le scénario de votre vie, d'aussi loin que vous voulez, jusqu'à aujourd'hui. Si vous n'aviez pas été jeté dans le grand maelström de la vie, avec son cortège de messages et de pièges, d'attentes et de responsabilités… Si vous n'aviez pas hérité d'un *statu quo* et si vous n'étiez pas né dans une certaine famille, ou dans un certain milieu… Si vous n'aviez pas été coincé au point de ne pas pouvoir vraiment choisir… Que souhaiteriez-vous ? Que choisiriez-vous si vous n'étiez pas assujetti financièrement d'un chèque de fin de mois à l'autre, ou si vous n'étiez pas responsable de tant de gens ? Si vous n'étiez sujet ni au surpoids, ni à la fatigue chronique, quelle existence serait la vôtre ? Si, au lieu de vous sentir piégé, vous aviez l'opportunité de façonner votre vie à la mesure de *qui vous êtes vraiment*, de vos valeurs et de ce qui compte pour vous, à quoi ressemblerait-elle ? Que changeriez-vous et de quelle manière ? Et si vous vous imaginiez un instant conduire une voiture, habiter un endroit, gagner un salaire différents ? Et si vous vous demandiez s'il vous importe que certains vous aiment et que d'autres ne vous aiment pas ?

Si l'on vous accordait une seconde chance, changeriez-vous les choses ou bien préféreriez-vous conserver ce qui vous est familier, et donc plus sûr, en restant attaché à ce que vous avez déjà ? Prendriez-vous cette chance, ou craqueriez-vous au dernier moment, par peur de l'inconnu ? Trancheriez-vous en faveur de vos acquis actuels par crainte de ne rien trouver d'autre ? Vous êtes sur le point de découvrir que vos choix sont beaucoup plus ouverts que vous ne l'auriez imaginé. Vous êtes sur le point d'apprendre comment démêler les fils de votre passé de manière à ne plus en subir les effets dans le présent, ni à l'avenir. Ce voyage commence par votre refus d'accepter le *statu quo* et de vous trouver des excuses. Si vous n'avez pas ce que vous voulez et demandez, vous devrez le formuler fermement et avec conviction.

Lorsqu'on demande à quelqu'un : « Qui êtes-vous ? », on entend la plupart du temps des réponses telles que : « Je suis maman », ou « Je suis médecin » ; ou encore « Je suis plombier, femme au foyer, comptable… », « Je suis maire » ; ou encore « Je suis de telle région… ». Vous entendrez ces mêmes réponses dans la bouche de vos enfants : « Je soutiens l'équipe de l'école, je joue au foot, je suis bon élève, je chahute en classe. » Les enfants comme les adultes n'apportent pas de réponses sur *qui* ils sont. Ils parlent de *ce qu'ils font*, de leur situation sociale, de la fonction qu'ils s'attribuent dans la vie. Ils se définissent eux-mêmes par le biais de leur travail ou de leur rôle social. Ils répondent à partir de ce qu'ils font, à défaut de pouvoir répondre sur *qui ils sont* – ce dont à vrai dire ils sont rarement conscients. Bien sûr que l'on existe à différents niveaux, et le comportement constitue un de ceux-là. Ce que l'on fait influe indéniablement sur ce que l'on est. Mais il existe néanmoins tout un plan d'existence distinct de nos actions, et qui représente l'authentique et véritable substrat de notre identité. À défaut de terme approprié, j'ai fait appel à la notion de « moi authentique » pour désigner notre identité *véritable*. Et je crois bien que vous auriez du mal à décrire cette identité à quelqu'un, parce que vous n'avez pas été en contact avec cette part de vous-même depuis des lustres, voire jamais.

Bon, soyons francs. Qui êtes-vous ? Et pourquoi faites-vous ce que vous faites ? La vie que vous vous êtes forgée met-elle en valeur et reflète-t-elle qui vous êtes réellement ? Si vous le pouviez, feriez-vous un choix différent ? Savez-vous seulement ce que vous feriez, dans cette éventualité ? Êtes-vous en contact avec votre moi authentique ? Appréhendez-vous clairement cette notion, ou ne reste-t-elle pour vous qu'un vague discours psychologique ? Ne serait-il pas dommageable qu'un autre vous-même, éclatant de vie, demeure enterré sous un monceau d'obligations terre à terre, tandis que vous acceptez machinalement de répondre aux attentes du monde entier ? Ce moi authentique existe en vous. Que votre vie le reflète ou non. Ne serait-il pas enfoui tout au fond de vous ? Question intéressante, n'est-ce pas ?

Et si…

Quel est donc ce moi authentique auquel je fais allusion ? Il s'agit de ce *vous* qui réside au plus profond de vous-même. Il s'agit de la part de vous-même qui n'est déterminée ni par le travail que vous exercez, ni par la fonction ou le rôle que vous occupez. Elle est constituée de l'assemblage unique de vos dons, compétences, capacités et intérêts, de vos talents, de vos idées et de votre sagesse. Elle se compose de toutes ces forces et ces valeurs qui vous appartiennent en propre et demandent à s'exprimer, et non de celles pour lesquelles on vous a programmé et conduit à croire qu'elles étaient vôtres. Il s'agit de ce « vous » libre et épanoui qui s'est développé aux moments les plus heureux et les plus accomplis de votre vie. De ce « vous » qui existait *avant* et subsiste après que les chagrins, les expériences et les attentes de la vie se sont estompés. Qui existait *avant* que vous ne souffriez du divorce de vos parents ou ne soyez blessée par les plaisanteries du joli cœur de la classe au sujet de vos robes ou de votre appareil dentaire. Ce « vous » existait *avant* que votre conjoint ne vous humilie, dispute après dispute. Je parle du « vous » qui existait *avant* que votre conjoint, ou même vos enfants ne vous abandonnent. Ce « vous » qui exige de vous plus que vous ne lui donnez et ignore jusqu'à la notion de trahison ou d'abandon.

Connaissez-vous ce « vous » authentique, le sentez-vous vivre en vous ?

Si la réponse est non, vous gaspillez de l'énergie vitale et vous vivez dans un compromis qui ne vous donne pas toutes les chances d'être en paix et heureux.

Avez-vous une seule fois prêté attention à sa voix ? Soupçonnez-vous d'avoir, de quelque façon et quelque part dans votre parcours, perdu contact avec elle ?

Si tel est le cas, vous devez une fois encore retrouver cette voix et tenir compte de son message, plutôt que de ne prêter l'oreille qu'à la rumeur du monde et à ceux qui tentent de vous contrôler.

Votre comportement, votre personnage public sont-ils en contradiction avec les valeurs, les croyances, les désirs, les passions et les conceptions qui définissent votre moi authentique ?

Si oui, vous avez abandonné le contrôle de votre existence et vivez en fonction des circonstances extérieures, au lieu de partir de vous-même. En n'étant pas fidèle à ce moi authentique, vous ressentez un vide et un sentiment omniprésent d'incomplétude. Vous vous demandez constamment si vous devriez faire quelque chose d'autre de votre vie. Ce trouble, cette sorte d'aspiration vide ne disparaîtront pas comme ça. C'est un peu comme si vous aviez un trou à l'âme. Vous pouvez tenter de le combler de mille façons : en buvant, en fumant, en travaillant tant et plus, en surinvestissant votre couple ou vos enfants. Ou bien vous vous asseyez pour manger un gâteau au chocolat avec un demi-litre de glace. Ou bien vous avez une liaison. Vous faites des enfants. Ou bien vous divorcez. Vous vous mariez. Ou encore, vous vous lancez dans un nouveau boulot. Bref, vous recherchez toute chose susceptible de remplir ce vide dans votre cœur.

Il peut vous arriver de vous sentir extrêmement seul. Et chose surprenante, même lorsque vous êtes au milieu des autres, vous éprouvez un sentiment d'isolement. Vous leur parlez, mais leur écoute n'est jamais complète. Il vous arrive de vous sentir incompris, même lorsque vous vous risquez à confier ce que vous ressentez. Il vous arrive de redouter le contact avec l'autre, parce que vous ne pouvez discerner son intention réelle, quel que soit son degré d'intimité avec vous, y compris dans votre entourage familial. Douloureusement, vous avez dû découvrir que vos propres amis, tout comme les membres de votre famille, avaient la capacité de vous abandonner ou d'ignorer ce qui est important pour ce moi authentique, et préféraient le plus souvent que vous agissiez et vous comportiez selon leur souhait. Et si vous luttez depuis longtemps pour combler ce vide, il se peut que vous en ayez conçu un pessimisme latent. Votre quête de changement et d'accomplissement est devenue passive. Pour faire bref : les moments de paix et d'équilibre ont été rares dans votre vie.

Soyons francs sur les enjeux. Vivre dans ce monde en vous conformant à un rôle tout tracé plutôt qu'à votre moi véritable vous vide de l'énergie vitale nécessaire à la défense et à la poursuite des valeurs qui comptent vraiment pour vous. Au contraire, dès que vous commencez à vivre en fonction de vous-même, toute cette force dispersée, toute cette énergie jusqu'alors dépensée en pure perte vous propulsent et vous placent dans l'orbite de votre vie. Vous gagnez en rapidité, en efficacité, en aisance. Vous rencontrez beaucoup plus de succès en devenant qui vous voulez et avez besoin d'être.

Pour imaginer l'énergie que vous dépensez en tentant simplement de réprimer votre moi authentique, remémorez-vous vos heureux souvenirs de baignades au bord de la mer, lorsque vous étiez enfant. Si vous aviez emporté un ballon, il était vraiment très drôle d'essayer de le maintenir sous l'eau. (J'ai pour ma part tiré un grand plaisir de cette entreprise divertissante pour l'esprit.) Rappelez-vous comme ce ballon luttait constamment pour surgir comme un boulet hors de l'eau. Rappelez-vous combien d'efforts et d'énergie vous étaient nécessaires pour vous maintenir dessus tandis qu'il grinçait et frétillait dans tous les sens, tentant de se soustraire à la pression de vos mains en cherchant à retrouver, coûte que coûte, sa flottabilité naturelle. Pensez à la fatigue que vous éprouviez au fil des secondes. Ne se passe-t-il pas exactement la même chose lorsque vous déniez son expression naturelle à votre moi authentique ? Imaginez seulement la fatigue harassante accumulée à mener cette bataille, à chaque minute de chaque heure de chaque jour de votre vie…

Songeons maintenant un instant à l'énergie que vous dépensez à vivre la vie fictionnelle dont je vous ai parlé. Je parle ici d'une existence qui vous a fait ignorer vos dons et talents véritables, et adopter des rôles obligatoires ou héréditaires qui n'étaient pas du tout les vôtres. Imaginez-vous en train de remonter un énorme rocher au sommet d'une haute colline pentue. Sentez le poids et la masse de ce rocher, faisant inexorablement contrepoids tandis que vous luttez pour accomplir votre tâche. Représentez-vous maintenant au sommet de la colline, imprimant la dernière poussée à votre rocher. Celui-ci vous échappe tranquillement des mains et roule de l'autre côté de la colline. Comparez ces deux tâches. À la fin d'une longue et épuisante journée, vous avez pu hisser un rocher en haut de la colline quand, dans le même temps, vous auriez pu faire rouler mille rochers en bas, en vous sentant frais et dispos. Pourquoi cela ? Parce que faire rouler ces rochers en bas de la colline est fidèle à la loi de la gravité, qui traduit l'ordre naturel de l'univers.

Le même principe gouverne votre vie. Un certain nombre de traits, qualités, talents, besoins et désirs vous sont propres. Votre présence en ce monde obéit à une raison profonde. En réprimant qui vous deviez être, qui vous avez besoin d'être, vous agissez de manière complètement antinaturelle. Si vous vivez au service d'un moi fictionnel, vous essayez inutilement de maintenir d'une main un ballon sous l'eau, tout en poussant, de l'autre, votre rocher en haut de la colline. Vous gâchez une précieuse énergie vitale dans une lutte contre nature – énergie que vous pourriez précisément investir dans une vie authentique.

Ce livre vous apprend à laisser partir le ballon. À laisser tomber ces efforts idiots et épuisants pour vous conformer aux rôles que vous n'auriez jamais choisis s'ils ne vous avaient pas été imposés. En faire moins serait une trahison intellectuelle, émotionnelle, spirituelle et physique.

Comme je l'ai dit dans la « nécro » du chapitre précédent, les conséquences de vos choix sur votre santé sont indéniables. Il est médicalement prouvé que l'état pathologique d'un individu est largement plus fonction de la vulnérabilité de son système immunitaire que d'une exposition à la maladie elle-même. Il est également attesté que le stress, tant physique qu'émotionnel, a un impact certain sur le système immunitaire. Les études montrent, l'une après l'autre, l'occurrence de grippes ou de coups de froid liés à un stress immédiat. La fréquentation des infirmeries universitaires s'accroît à l'approche des examens. La grande majorité des veufs décèdent dans les deux ans qui suivent la mort de leur conjoint, quel que soit leur âge. Face au stress et au désordre intérieur, notre système immunitaire se fissure.

Il ne peut exister de stress supérieur à celui que procure le déni de son moi authentique. Parce que votre énergie de vie est détournée, et par là même appauvrie, vous êtes compromis sur le plan mental, émotionnel, spirituel et physique. Et qu'en est-il des effets cumulés, à long terme, de tout ceci ? Je n'exagérais pas en soulignant que le déni de soi-même pouvait tuer. Dans son livre *Real Age*, le Dr Michael Roizen révèle que chaque année de vie soumise à un stress important se solde par trois années en moins d'espérance de vie. D'après ses recherches, si vous ne réservez pas une soupape d'expression à votre vraie passion, vous perdez encore six ans. Si votre énergie est minée par le désarroi et les conflits, vous perdez de nouveau huit ans. En fait, si vous y ajoutez le nombre d'années perdues à cause du stress du déni de soi, vous arriveriez à un total de trente-deux ans ! Réfléchissez-y ! Ces trente-deux années représentent plus du tiers de votre espérance de vie actuelle – tout cela parce que vous avez choisi de mener votre existence dans une prison fictionnelle, plutôt que de découvrir et vivre une vie cohérente avec votre personnalité authentique.

Connaissant la nature humaine comme je la connais, je conçois que ces lointaines conséquences – des problèmes de santé qui ne vous affecteront pas avant une trentaine d'années – ne représentent pas pour vous une motivation puissante. La réduction de l'espérance de vie reste une notion assez peu parlante, lorsqu'on en est encore au début ou au milieu de sa vie. Mais vous pouvez me croire : ces répercussions peuvent se révéler très concrètes, à un moment donné de votre vie.

Supposez, par exemple, que je me rende sur votre lit de mort et vous dise : « Voici quatorze années de plus à vivre, quatorze années pour voir grandir vos petits-enfants, quatorze années pour faire de votre vie ce que vous voulez – les prenez-vous, ces années d'extra ? » Quelle serait votre réponse ?

Être ce que vous n'êtes pas prend tellement d'énergie – être vous-même en demande si peu... Si, au terme de votre vie, votre réponse devait être : « Oui, rendez-moi ces quatorze années », alors allons-y.

Vous allez rapidement découvrir que lorsque l'on va dans la bonne direction, on est porté par une vague d'énergie. On se sent inspiré et apaisé. Pour faire simple, vous ferez l'expérience du sentiment de puissance. La puissance est cette capacité à concentrer sa force vitale vers un seul objectif. Grâce à elle, deux parents sont capables de soulever un véhicule de deux tonnes pour sauver leur enfant coincé dessous. Grâce à elle encore, le guerrier prend un redoutable avantage sur son adversaire, et d'innombrables bandes de soldats peuvent vaincre des armées bien supérieures en nombre.

Une fois que vous vous engagez à reprendre contact avec votre moi véritable, vous verrez sous un nouveau jour vos occupations quotidiennes les plus rébarbatives. La caissière impolie du supermarché ne ruinera plus votre après-midi et ne vous causera plus ni contrariété ni angoisse. Vous saurez que rien ne peut vous désarçonner ni vous déséquilibrer, parce que vous trouvez *en vous-même* l'équilibre. Vous aurez les outils pour faire face à votre moi fictionnel, et déterminer ce qui est bon et ce qui ne l'est pas, ce qui est cause de souffrance ou de joie, ce qui vous appartient et ce qui ne vous appartient pas.

Il est très important que j'établisse à votre usage la représentation claire d'une conduite de vie authentique. Je pense pouvoir vous le faire ressentir à travers, notamment, l'exemple de personnages dont le parcours respire l'authenticité. J'ai rencontré un personnage de ce genre lorsque j'étais enfant. Il s'agissait de quelqu'un de très original, se consacrant à une occupation non moins originale, et qui a laissé sur moi une empreinte indélébile. Il s'appelait Gene Knight. Gene est devenu pour moi un repère, en ce qui concerne la passion et l'authenticité.

Nous avons tous, à un moment ou à un autre, rencontré des êtres exceptionnels, des gens dont l'expérience de vie était guidée par la passion et l'attrait. En bref, des êtres se passionnant pour leur vie, laquelle le leur rendait bien. Pour eux, le travail et le jeu ne sont en rien distincts. Observez-les au travail, ils vous font partager tout le plaisir qu'ils en retirent. Leur vie est tout sauf terne. Et c'est à travers eux que nous pouvons nous représenter en quoi consiste une vie authentique.

Pour moi, Gene Knight fut l'un de ces êtres. Je vous dirai franchement que je n'ai pas grandi dans un milieu très sophistiqué, ni dans une famille huppée. Gene Knight, un de mes modèles d'authenticité, livrait et vendait de l'alcool de contrebande. J'aurais pu lui inventer une occupation plus respectable, mais telle est la vérité.

Du milieu à la fin des années soixante, nous avons habité une petite bourgade de l'Oklahoma, dont de nombreux comtés interdisaient la vente d'alcool. Gene était de ceux qui remédiaient aux importants besoins de la région en fournissant tous les whiskies imaginables à leurs amateurs. En y repensant, je vois clairement que la vraie vocation de Gene était probablement de parcourir le pays en se livrant à des démonstrations aériennes – mais il avait trente ans de trop. Au lieu de cela, les gens le payaient pour livrer des caisses de whisky par avion dans tout l'Oklahoma. Il aurait tout aussi bien pu être pilote de brousse en Afrique, ou médecin volant dans la jungle amazonienne. Le fait est que Gene était un pilote-né. Et lorsqu'il grimpait dans le cockpit, nul ne pouvait douter de la passion sans équivoque qui l'animait.

Je le rencontrai pour la première fois vers l'âge de huit ou neuf ans. Je me rappelle mon père me hissant dans la voiture pour aller voir l'avion. Nous nous rendions assez loin de la ville, empruntant une succession de routes poudreuses jusqu'à nous retrouver en plein milieu d'un champ de coton où nous attendait un hangar en bois, apparemment destiné à entreposer de l'équipement agricole. Cet emplacement avait été choisi de manière à apercevoir de très loin tout véhicule approchant dans sa direction. Ceci, m'avait-on dit, pour éviter les contraventions, bien que, si j'ai bonne mémoire, le shérif Tucker ne nous ait pas fait défaut une seule fois pour décharger les caisses ! Je me souviens de mon premier voyage au hangar. C'était par un après-midi extrêmement froid, que le coucher du soleil rendait plus froid encore. Une fois dans le hangar, je m'étais faufilé dans un groupe d'hommes qui se pressaient autour d'un petit poêle à bois. J'avais à peine eu le temps de me frotter les mains au-dessus pour les réchauffer que l'un d'entre eux remarqua : « Ça doit être Gene », et dans l'instant, on entendit comme le bourdonnement très lointain d'un moustique, qui alla crescendo jusqu'à ce que nous nous jetions dehors.

Après quelques rebonds dans un fracas de ferraille entrechoquée, l'avion s'immobilisa et Gene en sortit. J'enjolive sans doute les choses, mais ce type aurait aisément pu passer pour Errol Flynn. Sa chevelure était d'un noir de jais, il portait un blouson d'aviateur et mesurait plus d'un mètre quatre-vingt-dix. Il sauta prestement à bas de l'avion, un sourire jusqu'aux oreilles. Tandis qu'il serrait les mains, donnait des tapes dans le dos et échangeait des histoires drôles avec chacun de ces hommes, il flottait autour de lui comme un air particulier – un air de joie absolument contagieuse. Et tandis que les hommes s'affairaient en tous sens pour décharger les caisses d'alcool, Gene leur prodiguait son sourire rayonnant comme pour dire : « N'est-ce pas formidable ? Y a-t-il quelque chose qui vaille cela ? » Il parlait de son avion comme s'il s'agissait du Concorde, nous montrant chaque fois un nouveau gadget, ou les éraflures de la coque – traces laissées par la cime d'un arbre accrochée à l'atterrissage. Il se dirigea vers le hangar pour se réchauffer les mains au poêle et bavarder avec mon père. Tous les hommes le suivirent, moins pour trouver la chaleur que pour grappiller une part de cette liberté que dégageait Gene. Debout en train de se frotter les mains et de taper des pieds, il me fit l'effet d'une sorte de pur-sang peinant à contenir son excitation avant la prochaine course.

Comme vous pouvez l'imaginer, ces samedis après-midi devinrent mon rituel favori. J'attendais avec impatience les expéditions au hangar avec mon père. Gene parlait aviation avec les yeux comme des phares. Il était passionné par ce qu'il faisait, il aimait sa vie et les gens qu'il croisait sur son chemin. Un jour vint où Gene m'emmena dans une de ses courses. Je vous prie de croire que Buck Rogers n'était pas mon cousin. Dès que nous fûmes en vol, je me jurai de devenir pilote et obtins ma licence dès que j'en eus l'âge. Je vole toujours depuis, et je le dois directement à l'influence de Gene.

Quarante ans plus tard, lorsque je remets tout cela en perspective, je dois reconnaître que Gene ne gagna jamais beaucoup d'argent. Son avion était vieux, lent et déglingué. Je sais que, tout comme mon père et tous les autres hommes du groupe, il avait des factures à payer et des engagements à tenir. Mais ce qu'il y avait d'inoubliable, chez lui, c'est qu'il vivait pour accomplir sa passion. Il était né pour voler, et il le savait. Il aimait son travail, il s'aimait lui-même et n'éprouvait pas le besoin d'en faire étalage. C'était un homme humble, mais d'une joie de vivre contagieuse. La vie était sa richesse et il en faisait profit en partant voler puis poser son avion au milieu de ce champ de coton, à des kilomètres du premier aéroport, pour faire ce qu'il avait à faire et rencontrer ses amis. Chaque fois qu'il sautait de son avion, je suis persuadé qu'il était impatient d'y remonter, quelle que fût sa destination. J'ai connu Gene pendant trente-cinq ans, et je peux vous dire qu'il a volé jusqu'à la dernière année de sa vie. Il est mort en homme heureux et accompli.

Mais parlons de vous, à présent. Ne croyez-vous pas qu'il est temps d'imprimer une direction à votre vie – n'êtes-vous pas conscient de l'urgence ? Je suppose que vous faites passer les besoins de tous avant les vôtres – si vous y prêtez jamais attention. Et pourtant, le simple fait que vous soyez en train de me lire en dit long sur vos besoins profonds. Quelque part, vous êtes prêt à faire bouger votre vie, et je veux tirer parti de ce désir d'agir. Vous savez que j'ai raison. Ce que vous ne savez peut-être pas, c'est à quel point je prends au sérieux la sincérité que vous vous devez à vous-même, et à quel point votre vie peut changer lorsque vous aurez retrouvé le pouvoir incroyable dont vous ignorez probablement la perte. Vous valez mieux que la vie que vous menez. Vous êtes capable de plus que ce que vous n'avez déjà accompli ou expérimenté. Votre vie peut bourdonner d'activité, dès que vous aurez réconcilié votre monde avec votre moi véritable. Et pour y parvenir, il vous faut absolument reprendre un contact intime avec vous-même.

C'est la raison pour laquelle vous aurez besoin d'être guidé dans votre « autodiagnostic ». Répondre à des questions sur vous-même – les bonnes questions – peut vous aider à prendre du recul, à être honnête avec vous-même et à commencer à considérer vos choix. Si vous dites que tout va bien uniquement parce que vous avez fait des compromis, il faut que vous en soyez conscient. En conséquence, vous progresserez dans ce livre de façon interactive : pratiquement chaque concept introduit fera l'objet d'un « temps mort » que nous instaurerons pour vous permettre de l'assimiler à votre propre expérience de vie.

Nous allons conclure un pacte avant de commencer. Au fil de notre progression, vous ne devez prendre en considération que les *faits* purs et durs. Puisque les questions s'adressent à vous-même, je vous demande de cesser dès à présent de vous appuyer sur des opinions ou des suppositions, et de commencer à considérer *les faits*.

Ce qui exclut les suppositions non vérifiées. Ce que je suis en train de vous dire, c'est que vous ne pouvez pas automatiquement vous fier à votre objectivité passée ni actuelle, en ce qui vous concerne. Ce n'est pas parce que vous avez cru quelque chose pendant longtemps ou êtes convaincu de tel ou tel aspect de votre personnalité que cela en fait quelque chose de vrai. Vous devez décider de remettre en question tout ce que vous avez cru à propos de vous-même. Par exemple, si vous vous considérez depuis longtemps comme un citoyen de seconde classe, quelle preuve en avez-vous ? Si vous deviez débattre de ce fait au tribunal, en auriez-vous les arguments ? S'agit-il d'un fait, ou juste d'une opinion que vous entretenez depuis longtemps ? Mettons-nous d'accord sur un point : les faits, et rien que les faits.

Cela peut sembler facile à première vue, mais vous devez convenir que dès qu'il s'agit de vous-même, votre élan peut s'essouffler : il se peut que vous n'ayez pas prêté attention aux faits depuis des années. Souvenez-vous qu'un mensonge que l'on ne conteste pas devient la vérité. On vous a seriné, ou vous vous êtes répété si longtemps ces âneries que vous y croyez systématiquement. Cela ne serait jamais arrivé si vous vous étiez astreint à vous en tenir aux faits. Ainsi, par exemple, personne ne pourrait vous convaincre que vous êtes un voleur, parce que sur un plan factuel, vous en êtes certain. Vous savez et tenez pour un fait indiscutable et objectif que vous ne volez pas, point à la ligne. Vous êtes en mesure de rejeter cette accusation sans équivoque, parce que les faits sont là — quiconque pensant autrement n'y changerait pas un iota. En conséquence, cette information ne peut avoir aucune incidence sur votre concept du moi. Cette idée selon laquelle « je suis un voleur » ne fera jamais partie de votre vérité personnelle.

Or supposons maintenant que l'on vous confronte à un aspect de vous-même qui ne soit ni objectif, ni aisément mesurable, comme par exemple votre valeur humaine ou sociale, votre désirabilité ou votre sensibilité. Ces appréciations ne sont pas si nettement quantifiables. Nul ne peut déterminer un litre de votre valeur, ni cent grammes de votre caractère. Prenons un exemple : si vous (ou quelqu'un d'autre) ne croyez pas à votre valeur, vous devez avoir des faits à opposer, sinon, *vous êtes cuit*. Si vous n'avez pas la preuve absolue et concrète du contraire, vous vous faites avoir.

Et je constate que, selon une étrange logique qui ne cessera jamais de m'étonner, les gens ne cessent de tomber dans le panneau. Il suffit qu'un imbécile de service (autrement dit notre fiancé-e, notre belle-mère, notre patron ou une langue de vipère) émette une vague critique sans fondement pour que nous y croyions dur comme fer et l'acceptions comme une part de nous-mêmes, juste parce que nous n'avons pas travaillé *sur les faits*. Et nous ne sommes même pas à l'abri de nos propres jugements ! En examinant votre concept du moi, vous devez être très clair sur ce qui est factuel et ce qui ne l'est pas. Les opinions ne sont que des opinions, et celles-ci peuvent changer. Je veux que vous parveniez à *cesser* de prendre pour argent comptant *l'opinion* que vous avez de vous-même, pour *privilégier les faits*.

Une fois que vous connaîtrez ces faits, votre rapport au monde changera complètement. Vous cesserez de vous répéter que vous devez gagner votre droit d'exister par l'intelligence, la richesse, la beauté, l'humour, et j'en passe. Au lieu de cela, vous communiquerez au monde que vous avez le droit d'être là parce que vous savez *intrinsèquement* que vos qualités méritent l'estime des autres. Que vous en êtes conscient. Que cela peut prendre un certain temps pour le comprendre, mais que quoi qu'il en soit vous savez qui vous êtes, et que vous gagnez à être connu.

J'insiste lourdement sur ce point parce que je sais que dans l'existence, la perception et la pensée que l'on a de soi-même sont par trop déformées (par des opinions infondées). La plupart du temps, cela se produit à votre propre insu. C'est comme si votre moi authentique était une image projetée sur un mur. Au début, l'image était nette et précise. Les couleurs brillantes et les contours ultra-définis ; il n'y avait aucun doute sur l'identité de cette image. Si l'on vous avait demandé : « Qui êtes-vous ? », vous auriez désigné cette image et répondu avec confiance : « Voilà ce que je suis. »

Puis le monde a commencé à brinquebaler le projecteur. Vos soucis, les diverses échéances et les difficultés de la vie l'ont bousculé au point d'en dérégler la mise au point. Vos propres réponses à ces turbulences ont contribué aux vibrations et aux chocs subis par l'appareil. Cela a pris des années. Et, au fil du temps, vous avez cessé de vérifier la netteté et vous avez accepté le brouillage. À présent, lorsque vous regardez le mur, vous ne distinguez plus qu'un amas de lignes folles et de couleurs disparates. Votre « moi » authentique est devenu complètement flou, les faits sont brouillés par vos opinions et celles des autres, plutôt peu susceptibles de prendre vos intérêts à cœur.

Tout cela pour vous dire que vous devez commencer, avec détermination, à « tester » pratiquement chaque pensée, sentiment ou réaction que vous entretenez à propos de vous-même. Il est naturel et normal de faire confiance à votre raison, mais que se passe-t-il si vous avez tort, si vous passez à côté d'aspects très importants de votre personnalité ? Si vous prenez vos pensées pour des faits, vous ne renouvellerez plus vos conceptions, parce que vous croirez avoir toutes les réponses. Vous refuserez des données factuelles essentielles que vous ne pouvez vous permettre d'ignorer. Vous prendrez pour guide une « image » de vous-même entièrement brouillée et à laquelle vous ne pouvez plus accorder aucun crédit.

Il est temps de commencer à remettre en question vos schémas et connaissances familières. Essayez au contraire de découvrir quels ont été vos « trompe-l'œil », ces facteurs qui ont déréglé votre projecteur. Tentons maintenant de les comprendre ensemble, afin de les combattre. Mettez-vous en quête de nouvelles informations sur vous-même, parce que je vous affirme que certains aspects de votre personnalité authentique vont surgir de ce magma d'expériences et de choix intimes. Il serait tragique que vous passiez à côté de votre moi le plus authentique, juste parce que vous n'avez pas poussé votre introspection jusque dans les régions les plus opaques de votre personnalité.

Et puisque nous en sommes aux faits, si vous êtes prêt à les traiter à fond, c'est le moment idéal pour mettre à plat quelques points essentiels. En voici quelques-uns qui sont de portée universelle. Et ils sont appelés à devenir les pierres angulaires de cette redécouverte de vous-même.

FAIT N° 1 : Chacun d'entre nous, y compris vous, possède en lui-même tout ce dont il a besoin pour être, faire et obtenir ce qu'il désire.

La vie fait preuve de sagesse dans bien des aspects que nous ne percevons pas. Je suis convaincu que chaque personne détient à l'origine tout ce dont elle aura besoin pour remplir pleinement son rôle propre. Nous disposons des outils, des ingrédients et d'absolument tout ce dont nous avons besoin pour agir dans ce monde et vivre selon notre nature profonde. Et cette combinaison de talents diffère pour chacun d'entre nous. Les vôtres sont différents des miens. La vie vous a doté d'aptitudes que n'aura pas votre voisin. Votre moi authentique recèle ces ressources. Si vous vous sentez inapte ou mal outillé pour diriger votre vie, et que cela vous est difficile à accepter, vous pouvez me suivre les yeux fermés parce que je vous affirme que toutes ces couches de conceptions erronées que vous avez pu accumuler au cours de l'existence dissimulent des compétences et des talents. Si vous vous sentez en décalage avec vos buts, qu'ils soient de nature personnelle, professionnelle, émotionnelle, physique ou spirituelle, il se pourrait bien que ce ne soit pas *vous* qui en soyez la cause, mais vos buts eux-mêmes.

En matière de psychologie d'entreprise, nous sommes toujours mandatés pour obtenir la meilleure interface « individu/activité ». L'objectif est de dénicher la personne qui correspondra le mieux au travail proposé. Par exemple, deux personnes d'une intelligence égale peuvent fournir des résultats très différents, engagés au même poste. La structure intime de leur moi authentique en est la cause. Bien qu'ils soient d'intelligence comparable, l'un répond aux exigences du poste, alors que l'autre n'y colle tout simplement pas.

Si vous luttez actuellement pour vous accomplir dans tel ou tel domaine de votre vie – carrière, vie amoureuse, finances, famille, exigences intérieures spécifiques –, il est absolument possible que ce ne soit pas vous, mais votre interface personnelle « individu/activité » qui soit en cause. Il se peut fort que vous cherchiez à atteindre des gens, des buts, des objectifs et des expériences personnelles qui vont à l'encontre de votre nature profonde. Comme je l'ai dit plus haut, ne vous laissez pas piéger par une « pensée rigide ». Vous devez vous tenir prêt à remettre en question pratiquement chaque aspect de votre vie et accepter l'idée que vous puissiez être en train de courir après des choses qui ne vous conviennent tout simplement pas.

FAIT N° 2 : Votre moi authentique existe, il a toujours été là, et il vous est pleinement accessible. Vous ne faites pas exception à la règle. Les exceptions n'existent pas.

Vos traits et caractéristiques propres, ainsi que votre réserve de perceptions correctes et non déformées sont ce qui vous définit et vous différencie de tout autre être humain en ce monde. Cette distinction se vérifie, cependant, si et seulement si vous vivez une vie qui autorise l'épanouissement de vos personnalité propre. Vous devez vous saisir de chacun de ces aspects *originels* et faire en sorte qu'ils jouent un rôle central dans votre vie. Et c'est possible. La redécouverte de son moi authentique ne fait pas partie d'une démarche ésotérique ou mystique, conduite par quelque maître au sommet d'une montagne. C'est une démarche qui vous incombe complètement. Vous ne pouvez être *vous* sans *vous* connaître. Vous pouvez y avoir accès, mais c'est à vous de travailler. Omettez de le faire, et vous ne serez plus que le quatre-vingt-troisième mouton du quatre cent dix-sept millième rang, en partant de la gauche !

FAIT N° 3 : Le « moi » qui gouverne votre vie n'est pas le fait du hasard. Il est le produit :
– de certains événement clés qui ont forgé votre vie, ou « facteurs externes »,
– d'un processus de réaction et d'interprétation qui s'exerce en vous, ou « facteurs internes ».

Votre rapport au monde résulte d'une série d'interactions, à la fois internes et externes. Par le biais d'interactions externes, l'environnement affirme et consolide votre schéma initial ou, au contraire, va à son encontre, l'agresse et l'affaiblit. Les facteurs et réactions internes sont au moins aussi puissants lorsque vous vous mettez à interpréter et à réagir à ce qui se produit dans votre vie. Le résultat final, si vous vous êtes construit dans un environnement hostile et dépourvu de sensibilité, est un moi fictionnel. Il devient fictionnel parce que les expériences négatives de votre vie et – plus important encore – vos réactions et les interprétations qui en découlent vous éloignent du « moi » que vous connaissiez et teniez pour vôtre. Au final, vous commencez à négliger qui vous êtes, ce que vous voulez et ce dont vous avez besoin. Votre moi authentique fait des choix, au lieu de vous couler dans le moule du conformisme le plus lisse : « Prenez ce qui vient, et surtout pas de vagues. » Cette acception conformiste de vous-même est peut-être bien pratique pour ceux qui vous entourent, mais elle peut faire de vous quelqu'un d'assez frustré, manquant d'espoir, de passion et d'énergie. Afin de vous déconnecter de ce moi fictionnel et de reprendre contact avec votre être authentique, vous devez comprendre comment cette double influence, à la fois externe et interne, a façonné la vie que vous vivez actuellement, et à quel point vous pouvez en contrôler les effets pour créer et obtenir la vie que vous voulez et désirez véritablement.

Par exemple, si vous avez souffert de rejet (influence externe) et que vous êtes dur envers vous-même, en vous reprochant de ne pas être assez « bien » (influence interne), vous brouillez la communication avec votre moi authentique et vous reliez à une fiction qui, en vérité, a très peu à voir avec vous, et beaucoup avec l'autre.

FAIT N° 4 : Votre moi fictionnel brouille votre identité et prodigue de fausses informations.

Non seulement le moi fictionnel vous envoie de fausses informations sur la personne que vous êtes et ce que vous devriez faire de votre vie, mais il oppose un barrage actif à toute information vous permettant de maintenir le lien avec votre identité authentique. Faire confiance aux injonctions de votre moi fictionnel équivaut à naviguer avec une boussole cassée.

Prenons un exemple : lorsque vous arrivez à un carrefour et que vous devriez aller à droite, vous prenez à gauche. C'est une double erreur. Non seulement prendre à gauche ne vous emmène pas là où vous avez besoin d'aller, mais – et cela compte tout autant – cela vous éloigne de la bonne direction. Si vous faites vingt kilomètres à gauche quand vous auriez dû en faire vingt à droite, vous faites une erreur de soixante kilomètres : vingt kilomètres dans la mauvaise direction plus les vingt autres pour revenir, auxquels s'ajoutent les vingt kilomètres qu'il vous faudra faire pour arriver à destination. Ce genre d'erreur cumulative se produit sous l'influence du moi fictionnel. Voilà pourquoi vous devez à présent prendre un temps de repos pour voir où vous en êtes. La direction que prend votre vie est-elle véritablement la bonne ?

FAIT N° 5 : Votre vie n'est pas une répétition générale.

S'il est vrai que vous avez mieux à vivre, il faut vous demander pourquoi vous n'en faites pas l'expérience concrète – et vous devez vous poser cette question *maintenant*. Vous devez vous demander comment prendre *immédiatement* les choses en main. Peut-être n'exigez-vous pas assez de vous-même parce que vous vous sentez piégé ? Vous pensez ne pas avoir le choix. Peut-être le manque d'argent vous empêche-t-il d'agir, à moins que ce ne soient les circonstances ? Il se peut également que votre réussite menace directement certains membres de votre entourage. Peut-être ne savez-vous pas dans quelle direction aller, ni ce qui vous motive réellement ?

Quoi qu'il en soit, vos raisons ne doivent pas devenir vos « excuses ». Quelle qu'en soit la difficulté, je vous affirme qu'il est de votre responsabilité de devenir la personne que vous voulez, aux yeux de votre famille et du monde entier. Il s'agit de votre vie, et le temps n'attend pas. Si vous restez enfermé dans le refus de vous-même, vos jours, vos semaines, vos mois et vos années (un temps précieux qui aurait pu vous réserver bien des découvertes) s'écouleront *à perte*.

N'est-ce pas précisément le cas de cette journée ? Réfléchissez-y… Comme tant d'autres avant elle, une fois terminée, elle sera perdue à jamais. Quoi que vous ayez fait ou non, ressenti ou pas, souffert ou adoré, partagé ou gardé pour vous, elle aura passé. Or, en lisant ce livre, en ouvrant votre cœur et votre esprit à votre évolution possible, votre journée retrouve déjà tout son sens. Vous entamez un voyage, un chemin au-delà des scories et des strates qui ont façonné votre vie, un voyage pour vous retrouver.

Nous allons commencer avec deux courts tests qui vont vous permettre d'évaluer la part de votre énergie consacrée à votre moi authentique, et celle investie dans un moi fictionnel. Pour effectuer ces tests, il vous faut de quoi écrire, ainsi que la tranquillité et l'intimité nécessaires pour répondre le plus sérieusement et le plus honnêtement possible aux questions posées.

ÉCHELLE D'AUTHENTICITÉ

Chaque question ci-dessous vous propose une alternative A (*moi fictionnel*) / B (*moi authentique*). Considérez-les comme les pôles opposés d'une même échelle continue. Il se peut que la proposition A soit plus vraie pour vous ou, au contraire, que la B vous reflète mieux.

Prenons l'exemple de la première question, et lisons la proposition A : décrit-elle précisément votre registre de motivation ? Lisons à présent la proposition B : êtes-vous plus susceptible de répondre à des motivations d'ordre personnel et interne ? Une fois choisie la proposition – qui vous correspond le plus : A ou B –, il vous suffit d'en déterminer l'intensité ou la fréquence, à votre convenance. Supposons par exemple que vous soyez motivé par le besoin de plaire aux personnes en position d'autorité, et que cette disposition se vérifie pour vous *la plupart du temps*. Vous allez entourer l'affirmation *Vraie la plupart du temps*. Ce barème s'applique aux trente-huit questions qui vont suivre.

1 – A. Je suis motivé par le besoin de plaire à une autorité et de gagner l'approbation des autres.

Vrai à chaque fois (A) – Vrai la plupart du temps (A)
Vrai la plupart du temps (B) – Vrai à chaque fois (B)

B. Je suis motivé par des facteurs personnels tels qu'un sens intime de ma mission et une certaine honnêteté envers moi-même.

2 – A. J'obéis aux directives, par peur de la désapprobation.

Vrai à chaque fois (A) – Vrai la plupart du temps (A)
Vrai la plupart du temps (B) – Vrai à chaque fois (B)

B. Je fais des choix qui confortent au mieux mon intérêt personnel.

3 – A. Je perds confiance en l'absence d'une figure d'autorité. Je n'ai pas l'esprit d'initiative.

Vrai à chaque fois (A) – Vrai la plupart du temps (A)
Vrai la plupart du temps (B) – Vrai à chaque fois (B)

B. J'ai confiance dans l'efficacité de mes propres décisions.

4 – A. L'estime que je me porte repose sur ce que pensent les autres, et j'ai désespérément besoin de leur approbation.

Vrai à chaque fois (A) – Vrai la plupart du temps (A)
Vrai la plupart du temps (B) – Vrai à chaque fois (B)

B. L'estime que je me porte dépend de facteurs internes, avec ou sans l'approbation des autres.

5 – A. J'ai du mal à percevoir le lien entre mon comportement personnel et ses conséquences, en l'absence d'une réaction des autres.

Vrai à chaque fois (A) – Vrai la plupart du temps (A)
Vrai la plupart du temps (B) – Vrai à chaque fois (B)

B. Je suis capable de percevoir le lien entre mon comportement personnel et les conséquences qu'il entraîne.

6 – A. Il m'est difficile de faire des choix fondés sur des priorités personnelles.

Vrai à chaque fois (A) – Vrai la plupart du temps (A)
Vrai la plupart du temps (B) – Vrai à chaque fois (B)

B. Je suis capable de faire des choix motivés par des priorités personnelles.

7 – A. J'éprouve un sentiment de dépendance et de peur.

Vrai à chaque fois (A) – Vrai la plupart du temps (A)
Vrai la plupart du temps (B) – Vrai à chaque fois (B)

B. J'éprouve force et confiance.

8 – A. J'esquive mes perceptions intérieures.

Vrai à chaque fois (A) – Vrai la plupart du temps (A)
Vrai la plupart du temps (B) – Vrai à chaque fois (B)

B. Je cherche les réponses en moi-même.

9 – A. Je suis conciliant envers les autres.

Vrai à chaque fois (A) – Vrai la plupart du temps (A)
Vrai la plupart du temps (B) – Vrai à chaque fois (B)

B. Je suis coopératif avec les autres.

10 – A. Je cherche à éviter les problèmes.

Vrai à chaque fois (A) – Vrai la plupart du temps (A)
Vrai la plupart du temps (B) – Vrai à chaque fois (B)

B. Je cherche un épanouissement personnel.

11 – A. Les attentes des autres me mettent généralement mal à l'aise.

Vrai à chaque fois (A) – Vrai la plupart du temps (A)
Vrai la plupart du temps (B) – Vrai à chaque fois (B)

B. Je suis généralement en confiance au contact des autres.

12 – A. Je me sens effrayé.

Vrai à chaque fois (A) – Vrai la plupart du temps (A)
Vrai la plupart du temps (B) – Vrai à chaque fois (B)

B. Je me sens bien dans ma peau.

13 – A. Je vis ma vie sans boussole.

Vrai à chaque fois (A) – Vrai la plupart du temps (A)
Vrai la plupart du temps (B) – Vrai à chaque fois (B)

B. Ma vie tend vers un but.

14 – A. Je ne me sens jamais à ma place.

Vrai à chaque fois (A) – Vrai la plupart du temps (A)
Vrai la plupart du temps (B) – Vrai à chaque fois (B)

B. J'ai des affinités avec tout le monde.

15 – A. J'ai horreur de prendre des décisions.

Vrai à chaque fois (A) – Vrai la plupart du temps (A)
Vrai la plupart du temps (B) – Vrai à chaque fois (B)

B. J'aime prendre des décisions.

16 – A. Je me déteste.

Vrai à chaque fois (A) – Vrai la plupart du temps (A)
Vrai la plupart du temps (B) – Vrai à chaque fois (B)

B. Je me surprends moi-même.

17 – A. Je ne me pardonne rien.

Vrai à chaque fois (A) – Vrai la plupart du temps (A)
Vrai la plupart du temps (B) – Vrai à chaque fois (B)

B. J'ai fait des erreurs, mais j'en ai tiré les enseignements.

18 – A. Je me traite souvent d'imbécile.

Vrai à chaque fois (A) – Vrai la plupart du temps (A)
Vrai la plupart du temps (B) – Vrai à chaque fois (B)

B. Je me juge honnêtement et objectivement.

19 – A. Je me vois comme un *loser*.

Vrai à chaque fois (A) – Vrai la plupart du temps (A)
Vrai la plupart du temps (B) – Vrai à chaque fois (B)

B. Je suis un gagnant.

20 – A. J'entends toujours la voix de mes parents.

Vrai à chaque fois (A) – Vrai la plupart du temps (A)
Vrai la plupart du temps (B) – Vrai à chaque fois (B)

B. Je suis délivré du jugement de mes parents.

21 – A. J'ai souvent peur de cafouiller.

Vrai à chaque fois (A) – Vrai la plupart du temps (A)
Vrai la plupart du temps (B) – Vrai à chaque fois (B)

B. Je ne me laisse pas envahir par le pessimisme.

22 – A. Je me demande toujours si les autres me jugent.

Vrai à chaque fois (A) – Vrai la plupart du temps (A)
Vrai la plupart du temps (B) – Vrai à chaque fois (B)

B. Je me concentre en priorité sur mes propres valeurs.

23 – A. Je me demande souvent pourquoi, quels que soient mes efforts, il me semble si difficile d'obtenir ce que l'on veut de sa vie.

Vrai à chaque fois (A) – Vrai la plupart du temps (A)
Vrai la plupart du temps (B) – Vrai à chaque fois (B)

B. Je trouve qu'il est simple d'obtenir ce que l'on veut dans la vie, à condition de porter ses efforts où il faut.

24 – A. Lorsque je me retrouve seul, mon regard part dans le vide et je me sens déconnecté.

Vrai à chaque fois (A) – Vrai la plupart du temps (A)
Vrai la plupart du temps (B) – Vrai à chaque fois (B)

B. Lorsque je me retrouve seul, je me sens en bonne compagnie et j'apprécie d'être là.

25 – A. Lorsque je ne parviens pas à dormir, je me demande comment je vais faire pour tenir le lendemain.

Vrai à chaque fois (A) – Vrai la plupart du temps (A)
Vrai la plupart du temps (B) – Vrai à chaque fois (B)

B. Lorsque je ne dors pas, je m'autorise à être créatif, sachant que demain sera aussi intéressant que gratifiant.

26 – A. Je trouve que la joie et l'espoir ont laissé la place à une vie lassante et machinale.

Vrai à chaque fois (A) – Vrai la plupart du temps (A)
Vrai la plupart du temps (B) – Vrai à chaque fois (B)

B. Je trouve la joie et l'espoir aisés à éprouver.

27 – A. Il m'est difficile de me bouger et de me lancer dans quelque chose.

Vrai à chaque fois (A) – Vrai la plupart du temps (A)
Vrai la plupart du temps (B) – Vrai à chaque fois (B)

B. Je n'appréhende pas de me lancer dans un nouveau projet.

28 – A. Je me demande pourquoi les autres réussissent et pas moi.

Vrai à chaque fois (A) – Vrai la plupart du temps (A)
Vrai la plupart du temps (B) – Vrai à chaque fois (B)

B. Je comprends aisément pourquoi les autres réussissent.

29 – A. Je suis facilement en proie à la dépression et à l'anxiété.

Vrai à chaque fois (A) – Vrai la plupart du temps (A)
Vrai la plupart du temps (B) – Vrai à chaque fois (B)

B. Je suis heureux et plein d'espoir.

30 – A. Je ressens de la frustration, l'envie de laisser tomber et de me mettre à hurler.

Vrai à chaque fois (A) – Vrai la plupart du temps (A)
Vrai la plupart du temps (B) – Vrai à chaque fois (B)

B. Je suis capable de gérer la frustration.

31 – A. Je me demande pourquoi je ne suis jamais en position dominante, ni respecté comme tel.

Vrai à chaque fois (A) – Vrai la plupart du temps (A)
Vrai la plupart du temps (B) – Vrai à chaque fois (B)

B. Je suis en position dominante et respecté.

32 – A. J'essaie de comprendre pourquoi mon mariage est difficile et mes enfants peu équilibrés.

> *Vrai à chaque fois (A) – Vrai la plupart du temps (A)*
> *Vrai la plupart du temps (B) – Vrai à chaque fois (B)*

B. Ma vie de famille est stable et réconfortante.

33 – A. J'ai envie de prendre mes jambes à mon cou, particulièrement quand arrivent les factures.

> *Vrai à chaque fois (A) – Vrai la plupart du temps (A)*
> *Vrai la plupart du temps (B) – Vrai à chaque fois (B)*

B. Je trouve que la vie a du piquant et que les charges matérielles passent au second plan.

34 – A. J'ai l'impression de vivre une existence de mascarade, et non pas ma propre vie.

> *Vrai à chaque fois (A) – Vrai la plupart du temps (A)*
> *Vrai la plupart du temps (B) – Vrai à chaque fois (B)*

B. Je vis ma vie à part entière.

35 – A. J'en ai assez de ma vie.

> *Vrai à chaque fois (A) – Vrai la plupart du temps (A)*
> *Vrai la plupart du temps (B) – Vrai à chaque fois (B)*

B. Ma vie est merveilleuse et pleine d'intérêt.

36 – A. Que je me lance dans un nouveau travail ou un nouveau régime, j'ai le sentiment que je vais probablement échouer.

> *Vrai à chaque fois (A) – Vrai la plupart du temps (A)*
> *Vrai la plupart du temps (B) – Vrai à chaque fois (B)*

B. Les nouveaux défis me motivent, parce que je sais que le succès est possible.

37 – A. J'en arrive à la conclusion que je n'ai ni décidé, ni façonné ma vie selon mes vœux.

> *Vrai à chaque fois (A) – Vrai la plupart du temps (A)*
> *Vrai la plupart du temps (B) – Vrai à chaque fois (B)*

B. Ma vie est une source d'épanouissement.

38 – Je n'aime pas ce que ma vie est devenue et cela me remplit d'amertume.

> *Vrai à chaque fois (A) – Vrai la plupart du temps (A)*
> *Vrai la plupart du temps (B) – Vrai à chaque fois (B)*

B. Je ne ressens pas d'amertume, et je suis heureux d'avoir façonné ma vie, quelles qu'en soient les réussites.

Résultats du test

– *Vrai à chaque fois (A)*, comptez 1 point.

– *Vrai la plupart du temps (A)*, comptez 2 points.

– *Vrai la plupart du temps (B)*, comptez 3 points.

– *Vrai à chaque fois (B)*, comptez 4 points.

Effectuez le total pour les trente-huit questions, lequel devrait être compris entre 38 et 142 points.

Lecture des résultats

De 38 à 70 points : ce résultat semble indiquer que vous êtes sérieusement déconnecté de votre moi authentique. Vous devez vous poser la question de savoir quels aspects de votre vie vous correspondent vraiment.

De 71 à 110 points : ce score dénote que vous agissez la plupart du temps sur la base d'un concept du moi fictionnel, qui s'est peu à peu déformé jusqu'à devenir un ersatz de votre personnalité véritable. Il ne serait pas étonnant que vous soyez souvent perplexe à propos des choix à faire, ou du meilleur usage de votre temps. Il se peut aussi que vous soyez perturbé par ce que le monde attend de vous, et vous devez vous sentir réellement déconnecté de votre propre vie. Un résultat de ce type est problématique : bien que conscient de l'existence et de l'influence d'un moi fictionnel sur votre vie, vous avez peur de prendre la responsabilité du changement.

De 111 à 129 points : ce résultat indique que votre concept du moi adopte une forme fictionnelle, du moins une partie du temps. Vous devez avoir peur d'être complètement vous-même, en raison du pouvoir de votre environnement. Mais vous en êtes conscient et cherchez désespérément à ne pas vous trahir. Le problème est que lorsque le défi devient trop grand, il vous est difficile de rester fidèle à vous-même.

De 139 à 142 points : un tel résultat laisse penser que vous opérez la plupart du temps en accord avec votre moi authentique. Une personne de votre type a une idée claire de son moi authentique et de ce qu'il ou elle attend de la vie. Placée en situation difficile, elle puise naturellement dans ce moi, ses buts restant clairs et cohérents avec sa personnalité authentique.

TABLEAU DE CONVERGENCE

Cette étude vous aidera à appréhender à quel point votre expérience quotidienne de vie (ce que vous vivez, pensez et ressentez tous les jours) est cohérente avec ce que serait votre vie idéale, si elle était pleinement authentique et épanouissante. Autrement dit : êtes-vous à quatre-vingt-dix pour cent en harmonie avec votre potentiel, ou bien votre concept du moi a-t-il été déformé en un ersatz fictionnel de qui vous étiez ?

Ce tableau d'adéquation traite la question en trois étapes. Vous allez définir votre plein potentiel en vous définissant dans différents domaines, et ceci *tel(le) que vous seriez en vous projetant dans une dimension idéale de vous-même et de votre vie.* Puis vous vous définirez dans ces mêmes domaines, cette fois, *en fonction de qui vous croyez être vraiment.* Enfin, vous déterminerez le pourcentage de convergence entre ces deux profils. La différence – l'écart entre votre projection idéale/authentique et la réalité moins désirable que représente votre vie – vous donnera un premier point de repère sur vous-même.

Vous trouverez ci-dessous deux séries de mots identiques vous permettant de vous décrire vous-même, d'abord dans votre vie idéale, puis tel(le) que vous êtes actuellement. Tout comme le précédent questionnaire, celui-ci requiert toute votre attention. Lorsque vous aurez fini de pointer vos deux listes, vous serez à même de faire des comparaisons extrêmement révélatrices.

1 – Entourez au crayon tous les aspects physiques ou moraux dont vous estimez qu'ils correspondent à la personne idéale que vous voulez être, celle qui représente pour vous le plein potentiel de ce que vous êtes.

Joli – séduisant – beau – mignon – présentant bien – attachant – décontracté – doux – spirituel – sage – agréable – amical – fidèle – dominant – fort – capable de soutien – moral – éthique – à principes – bon – honnête – décent – animé – aimant – tendre – chaleureux – démonstratif – attentif – gentil – affectueux – cordial – hospitalier – accueillant – aimable – joyeux – passionné – ardent – enthousiaste – zélé – arrogant – égocentrique – altruiste – sympathique – humain – désintéressé – philanthrope – malin – dépendant – libre – modéré – prévenant – despotique – soumis – autonome – créatif – compatissant – se suffisant à soi-même – personnel – libéré – conventionnel – objectif – élégant – stylé – intelligent – rapide – charmant – ordonné – soigné – attentionné – prudent – vigilant – alerte – fiable – inspiré – inventif – plein de ressources – ingénieux – productif – passionnant – énergique – plein de vie – vigoureux – dynamique – actif – rempli de joie – délicieux – satisfait – enchanté – gai – sain d'esprit – rationnel – sensé – raisonnable – normal – complet – capable – authentique – inspirant – fier – accessible – paisible – généreux – enrichissant – accompli – entier – parfait – cohérent – capable de réussite – formidable – confiant – content – humble – sans prétention – heureux – comblé – à l'aise – confortable – relaxé – doué – pertinent – qualifié – compétent – expert – pointu – riche – fortuné – cossu – prospère – pourvu – splendide – précieux – opulent – fécond – puissant – profond – prolifique – compréhensif – entreprenant – efficace – serviable – constructif – bénéfique – positif – opérationnel – valable

Comptez à présent le nombre de mots que vous venez d'entourer. Il constituera votre Score Potentiel.

PREMIER TOTAL DE MOTS ENTOURÉS = SCORE POTENTIEL

2 – Entourez à présent les mots ci-dessous en fonction de votre personnalité réelle.

Joli – séduisant – beau – mignon – présentant bien – attachant – décontracté – doux – spirituel – sage – agréable – amical – fidèle – dominant – fort – capable de soutien – moral – éthique – à principes – bon – honnête – décent – animé – aimant – tendre – chaleureux – démonstratif – attentif – gentil – affectueux – cordial – hospitalier – accueillant – aimable – joyeux – passionné – ardent – enthousiaste – zélé – arrogant – égocentrique – altruiste – sympathique – humain – désintéressé – philanthrope – malin – dépendant – libre – modéré – prévenant – despotique – soumis – autonome – créatif – compatissant – se suffisant à soi-même – personnel – libéré – conventionnel – objectif – élégant – stylé – intelligent – rapide – charmant – ordonné – soigné – attentionné – prudent – vigilant – alerte – fiable – inspiré – inventif – plein de ressources – ingénieux – productif – passionnant – énergique – plein de vie – vigoureux – dynamique – actif – rempli de joie – délicieux – satisfait – enchanté – gai – sain d'esprit – rationnel – sensé – raisonnable – normal – complet – capable – authentique – inspirant – fier – accessible – paisible – généreux – enrichissant – accompli – entier – parfait – cohérent – capable de réussite – formidable – confiant – content – humble – sans prétention – heureux – comblé – à l'aise – confortable – relaxé – doué – pertinent – qualifié – compétent – expert – pointu – riche – fortuné – cossu – prospère – pourvu – splendide – précieux – opulent – fécond – puissant – profond – prolifique – compréhensif – entreprenant – efficace – serviable – constructif – bénéfique – positif – opérationnel – valable

Comptez de nouveau le nombre de mots que vous venez d'entourer. Vous obtenez votre Score Réel.

DEUXIÈME TOTAL DES MOTS ENTOURÉS = SCORE RÉEL

3 – Votre Score de Convergence est le pourcentage obtenu en comparant le total des mots entourés à l'étape 2 au total des mots entourés à l'étape 1.

Score de convergence = score réel/score potentiel x 100.

Par exemple, si votre Score Potentiel est de 120, et votre Score Réel de 90, votre Score de Convergence sera :

90/120 = 0,75 x 100 = 75 %.

Si vous ne vous sentez pas très à l'aise avec les divisions, vous pouvez vous reporter à la table de conversion suivante qui vous permettra d'estimer votre Score de Convergence. Pour le déterminer, choisissez votre total correspondant à votre Score Potentiel figurant en abscisse, et croisez-le avec la ligne correspondant à votre Score Réel, en ordonnée. Le pourcentage situé à l'intersection vous indique votre Score de Convergence.

N.B. : Ces pourcentages ne sont que des estimations, pouvant présenter un décalage par rapport au calcul réel.

Voyez le tableau complet page 75.

Votre Score Réel	Score de Convergence			
81-90	60 %	64 %	69 %	75 %
71-80	53 %	57 %	62 %	67 %
61-70	47 %	50 %	54 %	58 %
51-60	40 %	43 %	46 %	50 %
41-50	33 %	36 %	38 %	42 %
31-40	27 %	29 %	30 %	33 %
21-30	20 %	22 %	23 %	25 %
11-20	13 %	14 %	15 %	17 %
0-10	7 %	7 %	8 %	8 %
	141-150	131-140	121-130	111-120
	Votre Score Potentiel			

Interprétation des résultats

— Si votre score de convergence est de 90 %, vous vivez à votre plein potentiel la plupart du temps et puisez en vous-même la joie et le bonheur. Vous trouvez votre accomplissement en ce monde et votre santé mentale est très probablement bonne.

— Si votre score se situe entre 75 et 90 %, vous vous situez dans une zone positive vous permettant de vivre en accord avec votre personnalité authentique de façon significative. Vous avez épargné de réels traumatismes à votre être intime, et celui-ci est largement à l'abri des expériences négatives qui ont pu vous affecter. Votre bonne estime de vous-même vous aide à réussir ce que vous entreprenez.

— Si vous vous situez dans une fourchette de 50 à 75 %, les choses restent positives et vous avez actualisé quelques bons aspects de votre véritable personnalité. Vous n'êtes cependant pas réellement en contact avec d'importantes facettes de votre moi authentique. Vous vous déniez à vous-même de puissants atouts et vous ne vous sentez pas digne d'accomplir certains projets. Vous doutez très probablement de vous-même et manquez de confiance en vous pour évaluer votre potentiel à sa juste mesure.

— Si votre score est compris entre 35 et 50 %, vous vous limitez vous-même et n'utilisez qu'une faible part de votre identité véritable. Il vous faut sérieusement travailler à vous retrouver vous-même. Vous avez laissé le monde extérieur vous dicter votre personnalité, au lieu de vous appuyer sur une vérité intime et un concept du moi non altérés. Il y a là un travail à accomplir.

— Si votre score est compris entre 1 et 35 %, vous vivez à travers un moi fictionnel. Votre vérité personnelle et votre concept du moi ont été sévèrement chahutés et altérés. Vous gaspillez une énergie vitale précieuse. Votre capacité d'action est contaminée par des concepts fictionnels et vos efforts dirigés à perte vers des objectifs qui ne sont pas les vôtres.

Considérez ces résultats comme une photographie et une première mesure de votre degré actuel d'authenticité. Si vos résultats révèlent que vous vous situez à des kilomètres de votre moi authentique, nous avons besoin d'en parler, et ce livre est fait pour cela. Pour commencer, j'ai à la fois une mauvaise et une bonne nouvelle. La mauvaise est que *vous* faites les choix qui vous placent dans cette situation. La bonne est que *vous* allez faire les choix qui vont l'améliorer. Comme je le dis souvent, vous êtes à l'origine de vos expériences.

Je pense aussi à ceux d'entre vous dont les résultats se situent dans une bonne moyenne et qui vont penser : « Finalement, cela ne marche pas si mal pour moi. J'aime bien ce que je suis : au revoir, et merci. Ce truc est pour les gens qui ont vraiment des problèmes. » Or il se trouve que la psychologie est une discipline qui fonctionne toujours mieux pour ceux qui en ont « le moins » besoin. Vous pouvez vivre dans la confusion la plus totale sans même vous en rendre compte. Réfléchissez bien : si vous n'avez conduit jusqu'à présent qu'une 2 CV 1958 sans chauffage, vous ne pouvez pas imaginer conduire une Cadillac, une Mercedes-Benz ou une Rolls-Royce. Je parle ici de votre conduite de vie. Vous pouvez parfaitement vous dire que tout va bien ; mais cela pourrait aller encore bien mieux. Ne souhaiteriez-vous pas le découvrir maintenant, plutôt que dans dix ans ? Si vous vous sentez bien dans votre vie actuellement, tant mieux : cela signifie seulement que vous allez partir d'un peu moins loin. Sur une échelle de zéro à cent, si vous partez de dix, vous avez du chemin à faire, que ce livre vous aidera à accomplir. Mais si vous partez de soixante-dix, ce sont vos forces que nous allons développer – c'est-à-dire qui vous êtes et ce que vous êtes.

Ne vous sentez pas trop démoralisé si, à l'issue de ces tests, vous réalisez que votre moi authentique vous est totalement étranger. Peu importe à quel point vous vous sentez inauthentique – peu importe la faiblesse de vos scores, à l'un des tests ou aux deux. Vous n'êtes ni bizarre, ni faible, ni fou.

Tableau de Score de Convergence approximatif

Votre Score Réel

	141-150	131-140	121-130	111-120	101-110	91-100	81-90	71-80	61-70	51-60	41-50	31-40	21-30	11-20	1-10
141-150	100 %														
131-140	93 %	100 %													
121-130	87 %	93 %	100 %												
111-120	80 %	86 %	92 %	100 %											
101-110	73 %	79 %	85 %	92 %	100 %										
91-100	67 %	71 %	77 %	83 %	91 %	100 %									
81-90	60 %	64 %	69 %	75 %	82 %	90 %	100 %								
71-80	53 %	57 %	62 %	67 %	73 %	80 %	90 %	100 %							
61-70	47 %	50 %	54 %	58 %	64 %	70 %	78 %	88 %	100 %						
51-60	40 %	43 %	46 %	50 %	55 %	60 %	67 %	75 %	86 %	100 %					
41-50	33 %	36 %	38 %	42 %	46 %	50 %	56 %	63 %	71 %	83 %	100 %				
31-40	27 %	29 %	30 %	33 %	37 %	40 %	45 %	50 %	57 %	67 %	80 %	100 %			
21-30	20 %	22 %	23 %	25 %	28 %	30 %	34 %	38 %	43 %	50 %	60 %	75 %	100 %		
11-20	13 %	14 %	15 %	17 %	19 %	20 %	23 %	25 %	29 %	33 %	40 %	50 %	67 %	100 %	
1-10	7 %	7 %	8 %	8 %	9 %	10 %	12 %	13 %	14 %	17 %	20 %	25 %	33 %	50 %	100 %

Votre Score Potentiel

MAIS : *vous brûlez la chandelle par les deux bouts en laissant s'écouler votre vie tout en sachant que quelque chose ne tourne pas rond.*

Vous constaterez bientôt que les circonstances de votre vie actuelle ne sont en rien accidentelles. Parce que rien dans la vie ne l'est. Et même si vous vous sentez piégé par vos propres circonstances, sachez que vous ne l'êtes pas. Vous n'êtes pas prisonnier du passé, pas plus que vous n'êtes captif d'une vie qui vous semble scellée dans la pierre. Vous allez apprendre que la qualité de votre vie n'est pas fruit du hasard. Bien au contraire, elle n'est que le produit de choix que vous avez faits, tant sur le plan intime que sur le plan de vos actes. Ce qui signifie que, à votre insu ou non, vous avez eu, et aurez toujours un énorme pouvoir sur votre vie.

Le problème est que vous n'étiez peut-être pas conscient de faire des choix, ni même qu'il y en avait à faire. Il faut me croire lorsque je vous dis qu'il y a toujours eu des choix à faire, et que vous les avez toujours faits. Car il est véritablement impossible de *ne pas choisir*, même si vous le vouliez. *Ne pas choisir* constitue en réalité un choix à part entière. Lorsque nous les mettrons à plat, différents aspects de votre vie qui vous paraissaient confus ou inaccessibles vont paraîtront très clairs. Vous allez rapidement découvrir que vous pouvez vous appuyer sur vos bons choix passés, et vaincre vos faiblesses en modifiant ou en reprenant certains de vos choix plus néfastes. Précisément, ces choix sont en relation particulière avec la manière dont vous vous traitez et prenez soin de vous-même.

Car en gros, à travers les choix que vous avez faits, qu'ils résultent d'une action ou d'une réaction, vous vous êtes programmé de l'intérieur. Et plus encore, vous avez fait ces choix avec une telle force que vous avez provoqué à la fois les résultats immédiats et les échéances à long terme de votre existence. Votre environnement peut vous être pesant, mais vous devez en prendre votre parti avant que celui-ci ne prenne sur vous un ascendant critique. Nous allons remettre en question ce à quoi vous avez pu souscrire et adhérer aveuglément – et bon sang, tenez-vous prêt ! Car quand vous allez découvrir les fadaises que vous avez gobées, vous allez être secoué. Moi, je l'étais. Tout ce processus d'action, de réaction, de choix et d'esquive de choix se produit de façon presque invisible, mais il a bien lieu, néanmoins. Du reste, votre esprit est si bien rodé à accomplir ce processus, minute après minute et jour après jour, qu'il deviendrait écrasant si vous en étiez pleinement conscient.

Quoi qu'il en soit, écrasant ou pas, mystérieux ou non, vous allez en déchiffrer le « code ». Nous allons observer tout cela à la loupe, et vous allez cesser de prendre des vessies pour des lanternes, en ce qui concerne vos choix passés. Vous avez droit à la clarté et à la vérité, mais à condition d'être sincère envers vous-même et de reprendre contact avec votre moi authentique, afin de reprendre pied sur la scène de votre vie.

Ce n'est donc pas le moment de me fermer la porte au nez en vous disant : « J'entends bien votre propos mais je suis coincé. Vous n'imaginez pas depuis combien de temps et à quel point. » Eh bien justement si, je le sais. Je sais que cela vous demande du courage ; et je parierais volontiers que, tout comme moi, vous avez vécu ces moments de lucidité où les mauvais aspects de notre vie apparaissent en pleine lumière et font que l'on se demande comment on a pu les supporter aussi longtemps. J'aime autant vous dire que vous allez éprouver cette sensation à la puissance dix ! Faites simplement preuve d'honnêteté en répondant et en réfléchissant aux questions posées – d'une honnêteté totale. Lisez attentivement, faites les exercices et soyez honnête. Voilà tout ce que je vous demande pour le moment.

Le changement qui doit intervenir dans le champ de votre vérité intime (votre concept du moi) afin de décupler votre énergie vitale ne prend sa source qu'*à l'intérieur* de vous. Et c'est réellement une bonne nouvelle. Réfléchissez : vous ne pouvez pas changer le monde ni le cours de ses événements, et vous pouvez à peine influer sur votre environnement immédiat. Mais vous pouvez changer votre rapport au monde et aux autres. Lorsque c'est votre point de vue qui change, lorsque vous modifiez votre « base de données » personnelle, lorsque vous commencez à réévaluer votre concept du moi, vous découvrez de nouvelles possibilités et aptitudes, et faites l'expérience d'une nouvelle maîtrise, vous pouvez alors vous concentrer sur votre moi authentique qui, lui, est bien réel, contrairement à votre moi fictionnel, qui ne l'est pas. La bonne nouvelle, encore une fois, est que la seule personne qui ait la capacité de mettre à jour la part authentique de vous-même, et d'en reprendre le contrôle, c'est vous.

Servez-vous de ce livre comme d'une carte, d'un guide pour découvrir votre moi authentique et votre vérité intime. Appuyez-vous sur lui pour apprendre de vous-même et commencer, en toute connaissance de cause, à *vivre à dessein*.

Je veux que vous récupériez et reconstruisiez votre moi authentique, votre âme véritable. Pour y parvenir, vous aurez besoin d'un plan de travail. Vous devrez appréhender l'architecture de votre personnalité. Laquelle, malheureusement, a souffert de simplification grossière, ces dernières années. Nous avons tous en tête l'allégorie du petit diable rouge susurrant à notre oreille, tandis qu'un ange immaculé murmure à l'autre. Sans parler des innombrables images et références contemporaines au « géant endormi » qu'on réveille, ou à « l'enfant intérieur » qui doit sortir pour s'ébattre dans la vraie vie. Or les choses ne sont pas si simples. La plupart du temps, soit on ne vous a jamais évoqué la possibilité de découvrir et d'être qui vous êtes vraiment, soit on vous a abreuvé d'euphémismes, de formules à la mode ou de bavardage « psy ». La rhétorique peut être aussi séduisante qu'intelligente, mais elle a peu à voir avec l'architecture de votre vie et de votre être. Mon livre est consacré à résoudre ce dilemme.

MA MISSION PREMIÈRE

Entendons-nous bien : nous ne sommes pas ici dans le « tout-ou-rien ». Comme je l'ai dit plus haut, il y a des aspects de votre vie que vous adorez ou détestez absolument. Certains pourraient faire partie d'une vie *vraiment* formidable. Vivre en fonction de votre moi fictionnel, que celui-ci vous domine totalement ou partiellement, vous met dans un état dangereux qui disperse, absorbe et pille votre énergie vitale. Qui vous imprègne malgré vous d'une façon de penser, de ressentir et d'agir. Et qui, quel qu'en soit le degré, vous empoisonne à long terme.

Le problème est que votre environnement vous demande d'adopter un certain type de comportement. De ne pas faire de vagues. Et de vous inscrire dans un plan plus large, qui n'a franchement pas la moindre vocation à vous envisager en tant qu'individu à part entière. Si vous répondez au profil le plus répandu, vous avez été élevé pour être un brave petit garçon ou une gentille petite fille, et l'on vous a récompensé lorsque vous vous conformiez à ce modèle. Que vous soyez prêt à le reconnaître ou non, votre priorité dans la vie est de ne pas bouleverser le *statu quo*. Vous avez avancé au fil des attentes imposées de l'extérieur. Vous avez activement contribué à séduire les autres en acceptant ce dont vous ne vouliez pas. Vous avez pris l'habitude d'endosser le rôle que l'on vous assignait, plutôt que de vivre en accord avec votre personnalité authentique. Vous avez pris part à une conspiration dévastatrice dont vous étiez la cible involontaire.

Et pourtant, bien que vous viviez au sein d'une société insensible et trop heureuse de vous cantonner au niveau d'une statistique sans identité, vous n'êtes pas totalement victime de la situation. Vous y contribuez de manière essentielle en acceptant les rôles que vous ont attribués – parfois presque au hasard – ceux qui régissent votre environnement : vos parents, vos professeurs, votre époux(se), votre employeur, les médias, la publicité, vos voisins, vos vieilles amours déçues – bref, la société dans son ensemble.

Peut-être avez-vous résisté au début, puis bientôt rendu les armes, en leur donnant ce qu'ils demandaient, sans plus de considération pour vos désirs véritables.

Il se peut que vous vous demandiez : « Si c'est le cas, pourquoi n'ai-je pas cherché à changer cela plus tôt ? » J'aime dire qu'il y a deux différences essentielles entre l'humain et l'animal, qui sont le pouce et la capacité de raisonnement. Nous savons ce que vous avez fait de vos pouces, jusqu'à présent. Mais qu'avez-vous fait de votre raison ?

Je suis prêt à parier que vous êtes tellement investi à tenter de maintenir votre rythme de vie que vous n'accordez que très peu (voire pas) de place à un travail sur vous-même et sur ce qui vous importe réellement. Au lieu de quoi, vous faites des claquettes *pour la galerie*. Les attentes et les demandes qui vous pompent temps et énergie ont atteint un volume vertigineux. Résultat ? Vous vous perdez littéralement dans une hyperactivité brouillonne qui vous détourne de vous-même.

Et puis il y a la peur. Peur du changement, peur de se lancer vers l'inconnu. La peur est une question fondamentale, une question que nous devrons aborder ensemble : peur liée à votre travail, peur engendrée par le mariage (ou son absence), peurs liées à votre santé, à vos enfants, à votre conscience de vieillir, et à mille autres choses qui ont le pouvoir de vous paralyser, de vous confiner au pessimisme, au repli sur soi et à l'anxiété. Car il est parfois difficile de se découvrir des points positifs, alors que l'on s'y adonne consciencieusement.

Mais faites-moi confiance : au tréfonds de chaque individu se tient un être absolument unique et distinct des autres, qui ne demande qu'à s'exprimer. Vous ne faites pas exception. Si profond que soit enterrée votre individualité propre – et quelle que soit votre impression de vous fondre dans la masse –, elle fait partie de vous. Votre tâche est de vous lancer dans le projet que je vous propose au fil de ces pages, avec la volonté d'y offrir votre temps, votre franchise, sans concession et avec un maximum de passion. Vous devez vous engager à reprendre contact avec vous-même, *avec ou sans* les encouragements des autres. Vous devez décider de vous poser à vous-même les questions radicales que je m'apprête à vous soumettre, et d'y apporter des réponses honnêtes et cohérentes, aussi déplaisantes soient-elles. À partir de maintenant, vous devez vous ouvrir à un nouveau mode d'introspection.

Je vous promets, de mon côté, de mettre en évidence les failles d'une vie inauthentique, les conspirations dont vous êtes victime de votre plein gré, et les outils dont vous aurez besoin pour retrouver votre personnalité véritable. Les conspirations se trament dans l'ombre. Elles se produisent dans les profondeurs de votre être. Monstres et fantômes prospèrent dans l'obscurité, tout comme nos peurs grandissent dans le noir. La vie fictionnelle est un monstre. Nous allons allumer les projecteurs plein pot. Et nous allons voir tous vos mythes personnels se déballonner comme des lâches. Vous allez reprendre pouvoir sur votre vie, afin de protéger vos intérêts et ceux des êtres que vous aimez.

VOTRE MISSION PREMIÈRE

À partir de maintenant, et dès le deuxième chapitre de ce livre, je vous propose de faire une énorme pause pour observer ce manège emballé que constitue votre vie, et de vous concentrer sur celui ou celle qui en est l'acteur principal : *vous*. Je vous demande simplement, j'insiste, de vous concentrer sur vous, à fond et sans complaisance. Il ne s'agit pas d'une expérience égoïste et narcissique. Vous n'êtes pas le nombril du monde, celui-ci ne tourne pas autour de vous.

Je suis convaincu que nous recevons de la vie des dons particuliers et providentiels, dont nous sommes en quelque sorte les obligés. Ces dons sacrés, il nous appartient de les identifier, de les chérir et de les faire travailler à l'amélioration de notre propre vie et de celle de nos proches. Je crois fermement que plus on exerce une responsabilité envers soi-même, plus on devient capable de l'exercer vis-à-vis des autres. Je crois également qu'un des plus beaux cadeaux que l'on puisse offrir aux autres est son authenticité – et non pas son moi fictionnel. Un moi authentique rayonne d'une paix et d'une clarté qui ne peuvent qu'enrichir et améliorer la vie des êtres chers.

Reprendre contact avec vous-même constituera une incroyable expérience. Une vie quotidienne porteuse d'authenticité et de cohérence fera naître en vous une joie et une liberté immenses. Les étapes de ce processus vous seront présentées au fil des chapitres à venir. Attendez-vous à être immergé dans une succession de défis qui vous impliqueront corps et âme. Vous allez :

- examiner et démythifier vos expériences passées afin de les contrôler plutôt que de vivre sous leur contrôle ;

- identifier très clairement vos objectifs de vie en ce monde ;

- identifier tout aussi clairement les dominantes de votre moi authentique, ainsi que les compétences et les aptitudes qui vous caractérisent essentiellement ;

- vous tracer une voie dans laquelle vous pourrez, à travers vos choix et vos actions, autoriser votre moi authentique à s'exprimer ;

- abandonner votre peur de l'inconnu et vous échapper de votre zone de confort.

Vous devez faire très, très attention à ne pas laisser les autres interférer dans votre tâche. Les gens ont réellement peur du changement, en particulier lorsqu'il met en jeu leur vie personnelle et relationnelle. Ils peuvent parfaitement redouter que vous ne soyez amené à exiger plus d'eux. Si les êtres qui vous sont le plus proches s'imaginent que vous allez faire monter les enchères et ne plus vous conduire en douce brebis docile mais, au contraire, faire preuve d'exigence avec

vous-même comme avec les autres, ils vont se sentir terriblement menacés. Je ne vous dis pas d'y être insensible, mais il
leur appartient de gérer la situation et la responsabilité de
leurs propres sentiments. Il s'agit de vous, ici, et non pas des
autres.

Nous allons commencer par démythifier votre passé et
ce fameux concept du *moi*. Et une fois que nous aurons mis
un coup de projecteur sur cette nébuleuse, et examiné votre
passé au microscope, nous allons vous entendre !... « Ah, ça y
est, j'ai enfin compris – je vois ce qui a dirigé ma vie jusqu'ici.
Et qui plus est, je vois maintenant comment laisser s'exprimer
ma personnalité authentique !... »

Si vous êtes prêt à en faire la découverte, poursuivons
cette lecture.

CHAPITRE 3

Le concept de soi

« Ce qui reste derrière nous et ce qui se trouve devant nous est de bien peu d'importance, comparé à ce qui demeure en nous. »

Ralph Waldo Emerson

Pour que ce livre ait un sens et qu'il soit susceptible de changer votre vie, je me dois de vous donner une définition *opérationnelle* du *moi*. Je ne puis me permettre de rester vague sur ce point, au risque de vous induire en erreur. La *définition opérationnelle* appartient au registre scientifique. Définir quelque chose de façon opérationnelle revient à éliminer tout risque de confusion. Le but de la manœuvre étant de décortiquer le concept le plus complexe en étapes consécutives : A, B, C, D... Qui connaît chaque élément de la définition peut donc saisir parfaitement de quoi il est question. Mais, je vous le confesse, et cela reflète beaucoup ma façon de fonctionner, je me suis beaucoup *documenté* sur ce concept pendant mes études, mais en réalité je n'ai fait qu'*apprendre*, et je ne suis réellement parvenu à le comprendre que dans la vraie vie (en résumé : j'ai fait des erreurs mais j'en ai retenu les leçons).

Lors de mon premier été après le lycée, il me fut proposé un petit boulot, consistant à démolir une vieille maison située près de chez mes parents, au Texas. Je connaissais le vieil homme à qui appartenait le terrain : il voulait faire place nette avant d'y rebâtir une maison neuve. La maison était à l'état d'une carcasse délabrée. Elle n'avait plus de fenêtres ni de portes, les plafonds étaient effondrés depuis belle lurette. Elle abritait quelques vieilleries, des bouts de carrosserie et des bidons de cinquante litres. En me proposant le travail, le propriétaire me dit simplement : « Eh, je vais te dire, tu sais y faire pour défoncer un mur. Je te paie deux cent cinquante dollars pour me débarrasser de cette baraque. Il n'y a qu'à la détruire et tout bazarder. » J'étais effectivement doué pour ça, et pas peu fier de l'être. Mon père disait toujours que si on me donnait une enclume à midi, elle serait réduite en miettes à la fin de la journée. Il y a tout un art à se comporter en andouille irresponsable, tout en faisant foirer carrément tout son été. Je donnai à cette occasion toute la mesure de ma compétence au point de mériter, je le crois, une médaille olympique.

En résumé, cela me semblait parfaitement dans mes cordes, et deux cent cinquante dollars représentaient plus d'argent que je n'en avais jamais vu à la fois. Le marché fut donc conclu. J'allais me jeter les deux pieds dans le pétrin. Je recrutai un partenaire aussi disposé que moi pour ce genre de prouesses, et nous nous présentâmes, tôt le matin suivant, gonflés à bloc. À notre grande consternation, nous ne fûmes pas longs à découvrir que les murs de cette maison construite trente-cinq ans plus tôt étaient faits d'un plâtre solide et épais d'une trentaine de centimètres. Je peux vous garantir que ces murs étaient plus robustes qu'aucune matière connue de l'homme avant la conquête spatiale. En fait, je subodore qu'on y a découvert le titanium ! Ces murs étaient truffés de jambages de portes, de chambranles de fenêtres et de poutres incroyablement lourdes. En inspectant cette forteresse, nous réalisâmes que, pour deux cent cinquante dollars, le vieux nous avait franchement bien eus. Et il devait sûrement en rire, tandis qu'il se rendait à la banque. J'allais lui ôter ce sourire de la figure ; personne d'entre nous ne le savait encore, mais c'était inéluctable.

Deux jours durant, nous nous attaquâmes à la maison à coup de masses, de pinces-monseigneur, de chaînes et de cordes. À l'issue de ces deux jours, nous étions plus rompus et moulus que la maison elle-même. Nous n'arrivions absolument à rien. C'est alors que, me considérant depuis toujours comme plus cérébral que physique, je décidai que nous devions utiliser nos méninges pour ménager notre force. J'entrepris sur le champ de creuser de petits trous dans les murs, d'attacher des chaînes aux coins de la maison et de les accrocher au pick-up — ma théorie étant qu'en tirant sur les chaînes, nous ferions s'écrouler le tout d'un seul coup, puis chargerions la camionnette… et basta. Non seulement cela ne marcha pas, mais nous brûlâmes deux pneus neufs dans la bataille. Le pauvre vieux pick-up gémissait sous la traction, tandis que les deux roues arrière partaient en fumée. Puis la chaîne céda, et nous fonçâmes comme une fusée directement dans la haie du voisin, en pulvérisant par la même occasion un pilier de son porche. Ce qui n'améliora pas l'état du pick-up. Sans parler du fait que nous nous attaquions à la *mauvaise* maison. Je demeurais assez contrarié de cet accroc, jusqu'à ce qu'une heure plus tard, tandis que nous transportions un bloc de béton à la carrière, une marche arrière trop serrée nous fasse perdre le pneu gauche. Ce fut l'enfer total en l'espace d'un instant ! Toute la charge de la camionnette glissa d'un seul côté, elle partit en l'air et fit six tonneaux dans le ravin. D'un seul coup, je n'étais plus du tout contrarié par cette aile cabossée par le porche du voisin… mais par mes velléités d'intelligence.

Mais je n'étais pas de ceux qui abandonnent, et dans le désir d'innover, j'eus une brillante idée. « Et si nous réduisions ce bahut en cendres ? » J'imaginai que si nous pouvions enflammer la structure qui tenait les murs de plâtre, nous n'aurions plus qu'à pelleter les restes de la maison. Je me demandai ensuite si nous ne pourrions pas nous servir de notre camionnette déjà passablement endommagée comme d'un bélier pour démolir les murs. (Je sais ce que vous pensez, mais je n'avais que dix-sept ans ; que puis-je vous dire d'autre ?)

Quoi qu'il en soit, nous arrivâmes tôt le dimanche matin, avec trois gallons d'essence dont nous arrosâmes copieusement l'intérieur de la maison. Une seule allumette suffit à enflammer le tout comme jamais. Debout en train d'observer le feu faire son œuvre, je me souviens avoir pensé que tout allait marcher impeccablement – un instant plus tard, le feu embrasait le toit puis gagnait la cime des arbres alentour avant d'atteindre une ligne d'alimentation électrique en hauteur. Inquiets de voir les flammes monter à des hauteurs menaçantes, les voisins appelèrent les pompiers, juste avant que tout le quartier ne fût soudain privé de téléphone et d'électricité, dans un rayon de six pâtés de maisons. Les pompiers arrivèrent. Ils se battaient déjà avec l'incendie lorsque la température atteinte à l'intérieur de la maison enflamma brusquement le gaz des égouts, lequel explosa dans la seconde. Ce qui eut pour effet de pulvériser les toilettes de tout le voisinage. Des plaques de regard furent projetées à plus de cinquante mètres en l'air. Pas bon, pas bon du tout.

Et voilà où je veux en venir, lorsque ce type nous mit au défi de « fiche en l'air » sa bicoque pour deux cent cinquante dollars, il ne nous donna pas la *définition opérationnelle* de ce qu'il entendait par là. S'il avait été assez précis pour définir *opérationnellement* ce qu'il voulait de nous, il n'y aurait jamais eu d'incendie. Il n'avait pas soupçonné le potentiel créatif d'un garçon de dix-sept ans mû par la stupidité. Si cet homme avait mesuré mes capacités et défini opérationnellement cette entreprise de démolition, il aurait préconisé ceci :

1 – Enlever le toit avec des barres de levier et le faire tomber au sol afin d'en charger les morceaux et les transporter.

2 – Retirer la charpente et la stocker dans la camionnette afin de s'en débarrasser.

3 – Arracher les planchers, les éléments porteurs et les poutres, les charger et les transporter.

Et l'on aurait pu continuer longtemps ainsi. Faute de quoi, avec mon raisonnement de dix-sept ans, et comme il n'avait pas été clair, j'ai tout bonnement mis le feu au quartier et fait exploser les égouts de six pâtés de maisons.

Cet incident m'a appris que si l'on ne définit pas ses propos, on laisse trop de place à l'erreur et au jugement erroné. Non que vous soyez aussi stupide que je ne l'étais à l'époque, mais je veux éviter tout problème lorsque nous parlons du concept de soi. Je ne veux pas que vous vous lanciez dans l'interprétation personnelle de ce concept. Je veux vous préciser point par point en quoi il consiste, afin de couper court à tout mystère.

J'entends par là mettre à jour non seulement ce qu'est le moi, mais comment il s'élabore peu à peu. Je dois mettre des verbes d'action dans mes phrases pour clarifier ce que vous devez faire afin de provoquer d'importants changements dans votre vie. Je dois également répondre à quelques questions cruciales :

• Quels sont les actes réels, sincères, intimes ou manifestes, que vous avez posés et continuez à poser pour constituer un être à part entière dans ce monde ?

• Quels schémas émotionnels et de pensée influent et résultent à la fois de ce que vous ressentez à propos de vous-même ?

• Quels comportements, actions et réactions ont produit les résultats que vous obtenez dans votre vie quotidienne, résultats qui, une fois passés au filtre de votre interprétation, ont façonné la personne que vous êtes devenue ?

• Quels sont les choix que vous avez faits pour obtenir les résultats que vous expérimentez aujourd'hui ?

• Quels nouveaux choix et comportements comptez-vous adopter pour obtenir des résultats plus productifs ?

Lorsque vous aurez apprécié le sens et la signification de ces questions, et commencé à les appliquer à votre propre vie, vous serez alors engagé dans l'entreprise cruciale que je vous propose : la compréhension de votre **concept de soi**. Ce que je vous dis peut résonner comme du « jargon psychologique ». Aussi, faisons une pause et mettons-nous à l'aise avec ce terme.

Chacun d'entre nous, vous y compris, dispose d'un concept de soi détaillé. Le concept de soi est ce fourre-tout rempli de croyances, de faits, d'opinions et de perceptions sur vous-même qui vous accompagne chaque minute et chaque jour de votre vie. Comprenez bien que vous en avez un, d'ores et déjà. Vous n'allez pas en posséder un sous prétexte que vous lisez ce livre. Le vrai problème est que vous n'êtes peut-être pas conscient de la moitié de ce que contient ce fourre-tout. Je veux dire par là que si je vous demandais de prendre un papier, un crayon, et d'écrire tout ce que vous pensez de vous-même, vous seriez à peine capable d'en énoncer ne serait-ce que la moitié.

Voilà le problème. Cela signifie que vous pouvez très bien entretenir de puissantes croyances sur vous-même sans pouvoir les changer, *parce que vous ignorez jusqu'à leur existence*. Cela veut dire qu'un monceau de faits peut exercer une influence sur vous et votre façon de prendre le monde, et que vous n'en êtes pas conscient. Votre concept de soi peut se trouver en constante évolution ou demeurer, au contraire, aussi immuable que la pierre, mais vous en avez un. Il est là, et il détermine votre vie. Tout ce que vous faites et ressentez, et, plus important, la manière même dont vous le ressentez découlent directement de cette perception de vous-même.

L'importance du concept de soi n'est donc plus à démontrer. Un être dont le concept de soi est rempli de confiance n'abordera pas le monde comme quelqu'un dont le concept de soi est miné par le doute. Vos croyances sur vous-même, et ce que vous tenez pour votre réalité sont d'une importance cruciale pour votre destinée. En fait, tout cela est si déterminant qu'il n'est pas exagéré d'affirmer qu'il existe un lien direct entre le concept de soi et l'issue même de votre vie. Les éléments s'enchaînent comme suit :

• Vous accumulez certaines expériences de vie auxquelles vous réagissez et que vous interprétez.

• Il en résulte un ensemble de croyances sur vous-même : jugements sur vos compétences, votre valeur, votre degré de sympathie et d'acceptabilité, votre force et votre pouvoir.

• Sur la base de cette auto-évaluation, et des attributs que vous vous donnez, vous endossez un personnage pour aborder le monde.

• Fondé sur cet assemblage de caractéristiques conformes à votre jugement et à votre rapport aux autres, vous envoyez un signal au monde et à tout ce qui se produit : chaque succès, chaque échec, chaque résultat en termes d'amour, d'argent, d'accomplissement personnel, de reconnaissance sociale, de paix intérieure ou d'harmonie, découlent de cette identité autodéfinie.

Quand je dis que vous envoyez un message au monde, comprenez ceci : cela signifie que vous envoyez des signaux verbalement, dans votre attitude, émotionnellement, corporellement, spirituellement et en interaction avec votre environnement. Dans une communication, 7 % seulement du message est verbal, et chaque pensée qui vous vient à l'esprit a son correspondant physique. Imaginez ce que peuvent bien hurler les 93 % restants, si votre concept de soi (que vous avez si bien caché) est compromis. Réfléchissez à votre conduite et à votre façon d'aborder le monde. Que dit-elle de vous ?

Comme je l'ai dit à plusieurs reprises, choisir un comportement, c'est aussi en choisir les conséquences. Et il en va de même pour vous. Vous êtes à l'origine des réponses que vous renvoie le monde extérieur. En termes « psy », vous êtes le *stimulus* de ces réponses. Cela signifie simplement que la manière et le style à travers lesquels vous entrez en contact avec les autres vont déterminer leur réponse. Lorsque vous les abordez avec colère, vous aurez tendance à recevoir de la colère en retour. Lorsque vous faites passer un message de « perdant », le monde vous traite comme tel. Lorsque votre conversation, votre posture et votre allure générale vous étiquettent comme « victime », on se lasse vite de vous. Sympathiques au premier abord, les gens finissent par devenir impatients et nerveux. Ce n'est cependant pas la seule façon de les faire fuir à toutes jambes. L'attitude opposée est tout aussi néfaste. Lorsque votre message est : « C'est moi qui commande ici, ce sont *mes* plates-bandes et je me fiche complètement de qui vous êtes et de ce que vous voulez », les gens qui croisent votre chemin se décident assez vite à aller voir ailleurs. Chacun dispose d'un style d'engagement bien particulier. Très peu de gens, cependant, cherchent à connaître le leur et à l'analyser. Et pourtant il s'agit d'une question de la plus haute importance. Pourquoi ? *Parce que lorsqu'on commence à aborder le monde différemment, toutes les réponses et les réactions observées changent en proportion.* Votre style d'engagement engendre une qualité d'échange entièrement différente. En conséquence, voilà un sujet qui nous intéresse tout particulièrement. Vous devez réaliser et accepter cette vérité fondamentale en matière de relation aux autres : vous contribuez ou, au contraire, polluez l'ensemble de vos relations, soixante minutes par heure, vingt-quatre heures par jour et trois cent soixante-cinq jours par an. La neutralité est impossible. Au fil de notre progression, vous devez rester conscient que vous êtes *à chaque instant* dans l'une ou l'autre de ces alternatives.

Et le plus étonnant, dans cette affaire, est que ce processus fondamental et porteur de résultats déterminants dans votre vie se développe presque toujours passivement et inconsciemment. La construction de votre concept de soi, de même que bien des choix que vous avez faits et qui ont contribué à ce concept et à son expression, ont très bien pu avoir lieu sans que vous soyez conscient de leur importance ou de leur gravité. Vous avez pu donner l'impression que vous acceptiez passivement que le monde et les gens qui vous entourent vous assignent un rôle que vous n'auriez choisi pour rien au monde. Et ils l'ont fait. Avec le temps et l'effet de répétition, ces rôles qu'on vous a attribués en fonction du message que vous émettiez, et qui appelaient ce type de réponse, se sont si profondément inscrits en vous qu'ils ont littéralement absorbé votre personnalité.

Par exemple, nous savons tous à quel point l'expérience du rejet peut être douloureuse. Ne pas être retenu dans l'équipe ; ne pas être invité à danser ; se faire poser un lapin ; ne pas obtenir le job qu'on désirait vraiment décrocher ; voir son mariage sombrer dans le rejet et l'échec ; se faire virer… Ces moments sont naturellement difficiles. Mais en réalité, pour la plupart des gens, le rejet est traité comme une *information*. Il devient une donnée qui s'inscrit dans la compréhension la plus profonde de l'identité. Peu importent les circonstances factuelles de cet événement, ou la situation présente, la douleur du rejet en écrase et en déforme la réalité. S'il en va ainsi pour vous, il se peut que vous ayez développé un concept de soi presque entièrement basé sur la réception imaginaire et supposée que les gens auraient de vous, c'est-à-dire sur l'opinion des autres. Il est vrai que la beauté est dans le regard de l'autre. Mais pourquoi diable céder votre pouvoir au premier *regard* venu ? Tout cela parce qu'un garçon ou une fille de l'école ne vous a pas trouvé assez à son goût pour vous inviter à sortir ? Et alors ? La terre ne s'est pas fendue en deux pour autant, que je sache ? Et pourtant, il se peut que vous ayez traîné cette expérience, ou quelque autre du même genre, derrière vous pendant des années et des années, sans jamais réaliser à quel point elle vous avait affecté.

Je vais vous donner un petit indice : je pense qu'il y a une forte probabilité pour que votre identité actuelle soit en majorité le produit d'informations inconscientes et adoptées automatiquement. C'est comme si vous étiez propriétaire d'un bateau – le « soi » – où les gens se permettent de faire un tour et de jeter leurs petites affaires. Supposons que je vous demande d'évaluer chacune d'entre elles, et que vous décidiez de les garder ou de les balancer par-dessus bord. « Oui, cette fois-là, je me suis donné un mal de chien pour réussir à l'école, et j'en suis fier. Je garde. Bon, là, c'est un souvenir de mon père qui n'a jamais eu un seul jour de bonheur ou de paix dans sa vie et qui passait son temps à me critiquer, quand il ne me traitait pas de crétin – je balance, je ne vais pas garder cela. » Mais ce n'est pas comme cela que ça se passe. Les gens ne se demandent pas comment ils en sont arrivés là. Tous ces rebuts hantent leur concept de soi. Ils ne cherchent pas à comprendre ; ils en sont là, point barre.

Cette approche passive est ce que j'appelle la théorie « Je suis ce que je suis ». C'est une approche qui se passe de tout questionnement, comme de toute réponse. Et vous laisse échoué où vous êtes. C'est une attitude que je récuse complètement et que vous devriez refuser vous aussi. Voilà pourquoi je veux **mettre à jour chaque parcelle de votre concept de soi**. Mon but est de vous aider à regarder à l'intérieur de votre vaisseau. Je veux que vous en examiniez le contenu, un élément après l'autre. Découvrons ensemble de quoi il est fait et comment il s'est construit. Si vous vous souciez de votre vie et si vous vous engagez à accomplir le travail requis, ce voyage intérieur vous réserve de fascinantes surprises. Une séduisante façon de vous dire que vous serez étonné d'en ignorer autant sur vous-même et d'être en mesure d'en apprendre tout autant à l'avenir.

En fin de compte, je veux que vous puissiez vous libérer de votre histoire. On entend souvent des expressions du genre : « Vous devez dépasser votre éducation » ou bien « Vous ne pouvez être prisonnier de votre passé »… j'en passe.

Mais ces sentences sont trop générales et abstraites pour être d'une quelconque efficacité. Elles démontrent parfaitement pourquoi j'affirme que la question du moi est souvent abordée, et rarement comprise. Il est peut-être plus aisé d'en appréhender le mécanisme ainsi : *le passé influe sur le présent et programme le futur, à travers vos souvenirs et votre dialogue intime sur ce que vous avez perçu des événements de votre vie.* Je reconnais que c'est un peu long. Mais je ne veux pas que vous vous contentiez d'une vérité si fondamentale à la compréhension de votre concept de soi. Afin de retirer le meilleur enseignement des chapitres à venir, vous allez devoir vous familiariser avec cette formule. La décomposer en éléments successifs vous aidera peut-être à mieux la comprendre et à vous concentrer sur leur sens particulier :

Le passé influe sur le présent

et programme le futur

à travers vos souvenirs

et votre dialogue intime

sur ce que vous avez perçu des événements de votre vie.

En lisant cette formule, vous aurez une idée du parcours que je vous destine. Et vous verrez que si vous voulez vraiment dépasser votre éducation – et si vous passez à l'action plutôt que de vous en tenir à une théorie banale –, il vous faudra être complètement sincère sur la nature même de celle-ci. Vous devrez être franc et exhaustif quant à votre passé. Vous devrez recenser les événements importants – ayant pénétré votre concept de soi – ainsi que le souvenir que vous en gardez. En définitive, vous comprendrez au fil de ces pages que le passé infiltre votre présent à travers vos dialogues intimes : ces dialogues au cours desquels **vous vous répétez ce que les autres ont pu vous dire, de façon si persistante et destructrice, au cours de votre vie.** Ce qui signifie qu'avant de pouvoir sortir de la prison du passé, vous devez identifier très clairement ce que vous vous répétez intérieurement, quand et pourquoi.

Comme tout ceci le laisse penser, il est d'une importance vitale pour vous de connaître votre histoire, et c'est ce sur quoi nous allons travailler. Mais n'oubliez pas le but ultime : connaître son histoire *pour pouvoir s'en libérer*. La seule et unique raison pour laquelle vous devez connaître votre passé est que cela vous permettra de prendre les décisions adéquates pour vous-même dans votre vie actuelle, au service de vos objectifs. Vous ne m'entendrez pas vous dire : « OK, vous avez été un enfant maltraité, vous n'êtes pas responsable de votre solitude ni de votre timidité. Continuez comme ça. Au moins vous savez qui vous êtes et pourquoi ; à présent vous en êtes conscient. » Jamais de la vie. Je considérerai la question et je vous répondrai que vous avez été un enfant maltraité, ce qui peut expliquer pourquoi vous avez adopté une attitude solitaire et timide, mais que, maintenant que vous en êtes conscient, vous allez devoir agir en conséquence. Il n'est pas ici question d'excuse, mais de diagnostic. Ce qui implique que vous reconnaissiez au moins que vous avez plus à attendre de votre vie, et que vous voulez l'obtenir.

Lorsque je parle du moi authentique avec les gens, j'observe souvent un curieux phénomène. Dès que j'évoque à quel point ce moi authentique procure puissance, imagination et passion, certains se mettent à fixer leurs pieds. Ils arborent un sourire penaud et enfouissent méthodiquement leurs orteils dans la moquette. Ils regardent autour d'eux pour identifier à qui diable je peux bien m'adresser. Un peu comme s'ils me disaient : « Puissance ? Imagination ? Passion ? Quelqu'un de célèbre vient-il d'entrer dans la pièce ? » Ils ne peuvent concevoir que je leur parle d'eux. Ils se disent : « Eh, je ne suis pas une star de cinéma. Je ne suis ni un dirigeant, ni un héros voué à redresser les torts du monde. Je me contente de vivre ma vie jour après jour, d'aller au travail ou d'élever mes enfants ; j'essaie de payer mes traites, de contrôler mon poids, je regarde un petit peu la télé et je m'inquiète du lendemain. »

Il se peut que, tout comme les « fouisseurs de moquette » dont je parlais plus haut, vous ne vous perceviez pas non plus comme quelqu'un d'important. Peut-être trouvez-vous exagéré d'évoquer votre vie en employant des mots comme puissance, imagination ou passion, parce qu'après tout, il s'agit seulement de vous, non ? Vous entendez peut-être au fond de vous une petite voix qui vous dit : « Tout ça, c'est pour les autres. C'est juste des mots chic qu'on met dans les livres. Ce n'est pas à moi qu'il s'adresse. »

Mais en étant réellement sincère avec vous-même, n'admettez-vous pas, du moins de temps en temps, d'avoir conscience de la possibilité que vous ayez plus à attendre de votre vie ? Plus de capacités, plus de joie, de paix ? Bon, vous ne deviendrez peut-être pas une star de cinéma ni un dirigeant d'envergure mondiale, mais vous *pouvez* devenir une star : la star de votre propre vie. Vous le pouvez, vous devriez vous y consacrer, et vous le ferez.

Un concept plutôt séduisant, n'est-ce pas ? Aussi grandiose que cela vous paraisse, je suis convaincu que vous appartenez au dessein du monde. Je crois que vous occupez une place particulière dans l'ordre de la vie, et que vous y avez un rôle particulier à remplir. Et oui, il y est question d'imagination, de passion et de puissance. Alors tenez bon et tenez- vous prêt à vous engager beaucoup plus lucidement dans votre propre vie. Ne vous croyez pas égoïste parce que vous voulez plus. Si vous étiez pleinement en contact avec votre moi authentique, vous n'éprouveriez pas le besoin de vous excuser – « Eh, ce n'est que moi, pas de quoi fouetter un chat… » –, vous penseriez alors : « Eh, c'est de ma vie qu'il est question, et j'ai voix au chapitre. Je veux être au centre de ma vie. » Et si vous n'êtes pas encore prêt à le formuler comme cela, alors faites-moi confiance pour l'exprimer à votre place.

En contrepartie, vous devez reconnaître votre responsabilité. Toute avancée comporte sa part d'efforts, et la situation présente ne fait pas exception. Avoir l'opportunité d'améliorer sa propre vie est une affaire d'importance, mais je ne dis pas que vous en avez le droit. Je dis que vous en avez la *responsabilité*. Vous avez la responsabilité de maximiser cette opportunité. En choisissant de vivre en réaction et passivement, plutôt que de prendre l'initiative d'une vie en accord avec un soi authentique, vous vous trahissez vous-même et le monde entier, par la même occasion. Vous trahissez particulièrement ceux qui partagent directement votre vie. En passant à côté de vous-même et en n'exprimant pas la quintessence de votre vie, vous n'offrez qu'une pâle copie de vous-même à vos enfants, votre conjoint ou vos amis – un soi fictionnel.

Vous avez une obligation de fait, tant il est vrai qu'il est beaucoup demandé à ceux qui ont beaucoup reçu. Alors devinez quoi ? On attend beaucoup de vous. Vivre pleinement en harmonie avec son unique et véritable soi vous demande d'optimiser toutes vos qualités.

En résumé, donnez un maximum de vous-même pour un résultat maximum. Votre tâche consiste à découvrir votre vérité intime, puis à vous brancher sur sa fréquence pour vivre en cohérence avec elle. La première étape de ce processus consiste à vous familiariser avec votre propre concept de soi.

Pour vous frayer un chemin plus facile dans cette direction, nous aurons besoin d'un vocabulaire de travail, de termes clés faciles à utiliser qui nous épargnent toute explication superflue. Pour commencer, revenons aux deux grandes catégories que nous avons mentionnées brièvement au chapitre précédent : les facteurs internes et externes. Le concept de soi est le produit d'une interaction entre ces deux catégories.

Comme nous l'avons vu précédemment, les facteurs externes représentent les événements, les expériences et les conséquences qui façonnent le concept de soi de l'extérieur. Une myriade d'événements différents influencent votre perception de vous-même, comme votre approche du monde extérieur. Vous pouvez être touché de façon directe en expérimentant les conséquences de vos propres actes, à travers vos propres engagements, ou par l'intermédiaire de quelqu'un, en observant le résultat du comportement de l'autre et ses conséquences. Par exemple, si vous observez ce qui arrive aux membres de votre famille ou à vos amis lorsqu'ils réussissent ou échouent, leur expérience propre vient s'inscrire dans la liste des vôtres.

Le père d'une patiente que j'ai traitée il y a quelques années de cela avait tenté toute sa vie de « faire un gros coup », de gagner le gros lot, bref de « remporter la mise ». Chacune de ses nombreuses tentatives s'était malheureusement soldée par un désastre financier. Sa femme, la mère de ma patiente, lutta pendant des années avec les frustrations d'un mari qui n'avait rencontré que des échecs. Témoin de tout cela, ma patiente avait résolu de ne jamais nourrir d'attentes ambitieuses et de ne jamais faire confiance aux hommes. L'expérience de sa propre mère gouvernait son comportement d'adulte. En d'autres termes, la souffrance de sa mère, qu'elle vivait par contagion, constitua un facteur externe pour sa vie.

Certains des facteurs externes les plus puissants sont ceux que j'appelle les *moments clés*. Il peut s'agir d'épisodes traumatiques ou tragiques, ou de moments de triomphe et de persévérance. Le fait est que, qui que vous soyez et quel que soit le degré de routine que votre vie ait atteint, certains moments de votre histoire restent inscrits et mis en relief dans votre mémoire, avec une netteté cristalline. Ces quelques moments, étonnamment peu nombreux, peuvent très bien avoir déterminé la suite de votre existence.

Vous avez également fait un certain nombre de *choix déterminants*. Encore une fois, la plupart des choix de votre vie courante sont de peu d'importance et d'une grande banalité. Vous choisissez ce que vous allez porter chaque jour, l'endroit où vous déjeunez et le programme télévisé que vous souhaitez regarder. Tels sont les choix routiniers de la vie quotidienne. Mais en vous penchant sur votre histoire personnelle, vous devriez pouvoir trouver quelques-uns de ces choix déterminants, choix qui ont modelé le reste de votre vie. Tout comme pour les moments clés, ces décisions critiques peuvent vous en apprendre beaucoup sur la personne que vous êtes devenue.

Parallèlement à ces moments clés et à ces choix déterminants qui ont jalonné votre vie, vous avez également croisé sur votre route quelques *personnages essentiels* qui vous ont influencé en bien comme en mal. Pouvoir identifier ces personnes et les rôles qu'elles ont pu jouer dans la formation de votre vérité personnelle et de votre concept de soi constitue un atout déterminant pour la qualité de votre vie future.

Vous devez également vous souvenir que votre concept de soi est affecté par une autre source d'influence : les **facteurs internes**, autrement dit les réactions qui se produisent en vous au contact du monde extérieur. Ces processus spécifiques qui adviennent au cœur de vous-même contribuent à déterminer votre perception de vous-même et la place que vous occupez dans l'ordre hiérarchique du monde, ainsi que votre droit à une vie de qualité. Les facteurs internes englobent les pensées et les croyances que vous entretenez sur vous-même ainsi que tout le dialogue intérieur qui donne forme à votre concept de soi. Ces facteurs internes sont les composants essentiels de votre vérité personnelle.

Il est mieux d'envisager ces facteurs internes comme des comportements, des comportements intérieurs, pour ainsi dire. En principe, un comportement est observable. Mais *vous* êtes le seul témoin du comportement dont il est question ici. Et il s'agit bien de comportements, parce que, même si pas un de vos muscles ne bouge, vous effectuez des choix actifs. Ces choix vous conduisent aussi bien à laisser tomber qu'à obtenir ce que vous désirez et méritez. Ce qui constitue à la fois une bonne et une mauvaise nouvelle. Vous pouvez tout aussi bien faire des choix médiocres et néfastes pour vous, ou faire de bons choix. Cela ne dépend que de vous. Les facteurs internes n'ont que faire de la réalité : ils sont le fruit de vos perceptions intimes. Vous vivrez en fonction de ce qui est vrai pour vous, dans votre tête. Si vous vous croyez inférieur, incompétent et sans valeur, vous vivrez en fonction de cela. Si vous pensez tout le contraire, vous vivrez une réalité positive. Ce vieux dicton l'illustre très bien : « Que tu t'en sentes capable ou non, c'est toi qui as raison. » Comme je l'ai dit, nous possédons tous notre propre vérité personnelle, et nous vivons en fonction d'elle.

Comme nous nous apprêtons à alléger votre « vaisseau » de son trop-plein, et à en examiner chaque « bagage », permettez-moi d'approfondir un peu l'analyse de ces facteurs internes. Votre parcours à travers les prochains chapitres sera beaucoup plus facile une fois que vous serez familiarisé avec cette notion.

Appel de la tour de contrôle : « Où est la source de ma puissance ? D'où s'exerce la responsabilité des événements qui se produisent dans ma vie ? » La manière dont les gens perçoivent leur propre zone de contrôle détermine très largement leur interprétation des événements et les réponses qu'ils y apportent. En général, leur zone de contrôle est soit *externe*, soit *interne*. Si la vôtre est *externe* :

> *Vous ne vous sentez pas responsable de ce qui vous arrive,*
> *Qu'il s'agisse d'une bonne ou d'une mauvaise chose.*

Au contraire, une personne dont la zone de contrôle prend sa source en interne (dans le concept de soi) vous dira :

> *Tout ce qui m'arrive de mauvais est de ma faute,*
> *Tout ce qui m'arrive de bien est mérité.*

Le dialogue intérieur

Le dialogue intérieur est la conversation que vous vous tenez à vous-même à propos du moindre événement se produisant dans votre vie. Vous venez de lire une phrase de ce livre ; ce que vous êtes en train de penser constitue votre dialogue intérieur. Si vous refermiez ce livre, votre dialogue intérieur pourrait fort bien se poursuivre sur le même thème, ou bien dériver sur quelque chose d'entièrement différent, mais *il ne s'arrêterait pas*. Voici les trois caractéristiques fondamentales propres au dialogue intérieur qu'il vous faut bien comprendre, dès à présent :

1 – Votre dialogue intérieur est constant.

2 – Votre dialogue intérieur a lieu en temps réel : il se déroule à la même vitesse que si vous vous exprimiez tout haut.

3 – Votre dialogue intérieur provoque un changement physiologique : une réaction physique accompagne en effet chacune de vos pensées.

Nous nous pencherons de nouveau sur chacune de ces caractéristiques ainsi que sur leurs conséquences sur votre vie. Prenez simplement conscience que ces trois aspects sont à l'œuvre dans la construction et la compréhension de votre identité profonde.

Les étiquettes

L'être humain éprouve le besoin d'organiser son monde, y compris ses semblables, à l'aide de groupes, de sous-groupes, de classes, d'équipes, de fonctions et autres. Nous avons tendance à nous classer nous-mêmes et les autres, sous certaines catégories ou étiquettes. Je le répète : nous attribuons ces étiquettes non seulement aux autres, mais à nous-mêmes. Que ces étiquettes soient vraies ou fausses, justes ou injustes, elles exercent une puissante influence sur la perception de soi. Comme vous le verrez bientôt, nous vivons en fonction des étiquettes que nous nous appliquons à nous-mêmes.

Les enregistrements en boucle

Il s'agit des croyances si profondément ancrées et inscrites au fond de vous qu'elles sont devenues des automatismes. Ces *bandes* enregistrées témoignent des valeurs, des croyances, et des attentes qui passent et repassent constamment dans votre tête et vous programment à agir d'une façon particulière. Elles influent souvent sur votre comportement sans que vous en soyez conscient, parce qu'elles sont si bien enregistrées qu'elles se déclenchent d'elles-mêmes à une vitesse incontrôlable. À la différence des étiquettes (« je suis un perdant »), la *bande* joue dans un contexte : alors que vous vous rendez à un entretien d'embauche, vous vous dites *in petto* que vous ne décrochez jamais le bon boulot. Lorsque vous tentez d'amener quelqu'un de séduisant à sortir avec vous, vous vous dites que vous n'y parviendrez jamais, parce que vous n'avez aucun intérêt. Il est donc évident que le danger particulier que génèrent ces *bandes* est qu'elles *ont le pouvoir de vous programmer en vue d'un certain résultat.* Résultat souvent déterminé par l'ensemble des croyances, pensées et règles mentales qui vous confinent dans un espace trop étroit. Je regroupe ces règles sous l'appellation de *croyances figées ou restrictives.*

Les croyances figées ou restrictives

Les croyances figées sont des convictions que vous nourrissez sur vous-même, les autres et certaines circonstances de votre vie, et qui se sont répétées si souvent qu'elles en sont devenues inébranlables ; elles sont hautement résistantes au changement. Les croyances restrictives que vous entretenez sur vous-même ont pour effet de vous limiter dans vos aspirations et, par conséquent, dans vos accomplissements. L'ennui avec ces croyances, c'est qu'elles vous ferment des portes. Par exemple, ayant grandi dans un foyer hostile et violent, vous pourriez en tirer une conclusion du type : « Je ne suis qu'un minable. » Et vlan ! Une porte se referme sur toute information contradictoire. Le mécanisme à travers lequel vous recevez de nouvelles informations est doté d'un « protocole de confirmation » qui filtre et ne sélectionne que celles qui sont conformes à ce que vous croyez – « Je suis un minable ». Vous n'écoutez pas les informations positives et contraires, *parce qu'il vous est tout simplement impossible d'y croire.*

Pour vous aider à transposer ces concepts en éléments concrets, je m'appuierai, si vous le permettez, sur un épisode de ma vie familiale. Après la mort de mon père, il y a de cela quelques années, mon épouse Robin et moi-même avons invité ma mère à venir vivre avec nous. Immédiatement après le décès de mon père, « Mamie », comme nous l'appelions, était évidemment dévastée par le choc. Elle ne savait plus où elle en était, elle avait peur et se retrouvait seule à vivre dans une maison vertigineusement vide, après cinquante-cinq ans de mariage. Ma femme et moi-même étions justement en train de nous faire construire une nouvelle maison. Quelques petits changements nous permirent de lui aménager un foyer bien à elle à côté de chez nous, ce que nous fîmes avec détermination et enthousiasme. Nos deux garçons faisaient des bonds de joie à l'idée que leur Mamie vienne habiter à la maison. Elle allait ainsi pouvoir les gâter à plein temps ! Nous l'aidâmes à vendre une partie du mobilier qu'elle avait accumulé avec mon père au fil des années, confiâmes le reste au garde-meuble puis l'installâmes dans une aile de notre nouvelle maison.

Tout avait été arrangé au mieux pour elle. Robin et moi avions décidé qu'après une vie entière passée à tenir sa maison, soigner son jardin, surveiller les enfants dans un dévouement total, Mamie allait être traitée comme une reine. Une employée de maison venait chaque jour faire son lit. Le petit déjeuner, le repas de midi et le dîner lui étaient préparés sans qu'elle ait à lever le petit doigt. De sa fenêtre, elle pouvait voir le soleil se lever sur un paysage enchanteur tapissé de fleurs, dont le frais gazon était tenu impeccable par le jardinier. Elle serait aux premières loges pour voir grandir ses petits-enfants. Elle n'avait plus qu'à en profiter et à nous faire part de ses besoins. Enthousiaste et toute disposée à ce projet, elle emménagea sur-le-champ.

Au bout d'un an à ce régime, il m'apparut évident qu'elle n'était pas heureuse. Se yeux ne pétillaient plus. Elle errait, apathique, de pièce en pièce, et semblait dépérir. Elle avait l'air d'une vieille dame...

Je finis par lui demander : « Mamie, ça n'a pas l'air d'aller. Quelque chose te dérange ? »

Les larmes lui vinrent aux yeux. Il y eut un terrible silence, tandis qu'elle cherchait ses mots. Finalement, elle leva son regard vers moi et me dit : « Comment puis-je dire à mon fils et à ma belle-fille, qui ont été si gentils, que je ne souhaite plus vivre dans leur chaleureux et merveilleux foyer ? »

Je l'encourageai à me confier ce qu'elle avait sur le cœur. Elle me répondit : « Ma maison me manque. Je n'ai ni lit à faire, ni moquette à aspirer. Je n'ai pas de gazon à tondre ni de jardin à entretenir. Ma vie est sans but. Je n'ai pas de raison d'être, ici. »

Lorsqu'elle fit allusion à « sa raison d'être ici », il me parut clair qu'elle mettait en question sa raison *d'être au monde*.

Nous remédiâmes à la situation, illico. Une fois encore, nous nous retrouvâmes pour l'aider à réinvestir sa chère petite maison de poupée, proche d'un quartier des plus animés. Vous pouvez toujours tenter de passer la voir, mais la visite sera courte : Mamie sera trop occupée à passer la tondeuse fumant à plein régime sur son petit gazon, à moins qu'elle ne soit en train d'arracher les mauvaises herbes qui ont osé envahir ses parterres de fleurs. Son jardin est à présent aussi luxuriant et impeccable que n'importe quel green du Club National d'Augusta, et sa maison est un véritable bijou : un petit nid parfaitement agencé et confortable. Elle entreprend tant de nouveaux projets qu'on a du mal à la suivre. Les voisins passent en toute occasion prendre un café ou faire la conversation, et les enfants aiment à venir jouer dans son jardin et devant chez elle, parce qu'elle leur réserve toujours un grand sourire ou un mot gentil.

Toute cette activité ne fait que traduire son changement d'état d'esprit. Ma mère est devenue une personne complètement différente. Entendons-nous bien : elle serait la première à dire que mon père continue à lui manquer et qu'elle apprécie du fond du cœur que mon épouse et moi-même lui ayons ouvert notre maison lorsqu'elle a dû affronter cette perte cruelle. Mais en même temps, elle s'est façonné une vie qu'elle adore. Elle a rajeuni de vingt ans, ses yeux brillent, elle a le pas vif. Je pourrais jurer que son QI a fait un bond en avant depuis qu'elle refait des projets, et elle a indéniablement retrouvé son sens de l'humour. Son retour chez elle l'a complètement transformée.

L'expérience de ma mère est une illustration des modes de fonctionnement que nous avons évoqués plus haut, avec lesquels vous devez **vous** familiariser avant que nous ne commencions à examiner puis réorganiser votre concept de soi.

La première chose à observer est le *moment clé* intervenu dans la vie de ma mère : son mari est mort. Cet événement allait devoir affecter la vie de ma mère en profondeur. Peu d'événements dans une vie provoquent un bouleversement aussi grand que la perte d'un conjoint.

En second lieu, une fois que ce moment clé s'est produit, les *facteurs internes* inhérents à sa vie ont commencé à travailler, via son processus d'interprétation des faits. Son dialogue intérieur devait à peu près être le suivant : « Joe est parti. Il était mon compagnon et mon soutien. Je ne peux pas y arriver toute seule. J'ai été dépendante pendant si longtemps que j'ai peur de ne pas en avoir la capacité. J'ai soixante-douze ans. Je n'ai pas travaillé depuis trente ans. Je suis dans l'impossibilité de me prendre en charge. »

Puis elle a fait un *choix déterminant*. Ayant fait l'expérience d'un moment clé et entamé un dialogue intérieur, elle en est arrivée à cette décision : « Je m'autorise à être prise en charge. C'est ce que tout le monde veut ; c'est ce qu'ils attendent. Ils m'aiment et ils sont bienveillants. Ils savent probablement ce qui est le mieux pour moi, à mon âge ; je ne veux pas vraiment renoncer à mon indépendance, à mon foyer et à tout ce que j'ai mis une vie à acquérir, mais je n'ai pas le choix. Je regretterai mes meubles, mes photos, mon intimité, mais je n'ai pas le choix ; je le ferai. » Cela lui paraissait constituer un bon choix, à l'aune de son concept de soi. Les dés étant jetés, et ma mère ayant emménagé chez nous, il y a fort à parier que son dialogue intérieur a repris de plus belle. À chaque fois qu'elle se sentait nerveuse ou mal à l'aise, sa voix intérieure ne manquait pas de lui rappeler tout ce qui lui manquait. Elle n'était pas capable de prendre soin d'elle. Sa famille avait raison. Il fallait essayer d'avoir l'air heureux, sinon elle allait blesser tout le monde. Elle devait juste continuer comme ça pour s'en sortir.

Et pour arriver à quoi ? L'enchaînement de cette séquence – moment clé, dialogue intérieur, choix déterminant – n'a engendré qu'une déprime profonde : des mois et des mois de confusion, de mal-être et de perte de confiance en soi. En l'absence d'une claire conscience – de sa part comme de la nôtre – du trouble qui l'agitait, ma mère devint de plus en plus malheureuse. Personne ne la retenait prisonnière, et elle se sentait prise au piège d'une cage dorée. Elle s'appuyait sur le moi fictionnel qu'elle s'était forgé et imposé avec les meilleures intentions, par le biais d'une famille aimante et de son propre dialogue intérieur.

À présent, réfléchissons. Si, dans les premiers mois de son emménagement chez nous, on lui avait demandé comment elle se sentait, je suis absolument certain qu'elle aurait répondu que tout allait bien, en se forçant à sourire. Et elle n'aurait pas menti. Car pour cela il eût fallu qu'elle puisse distinguer clairement son moi authentique ; qu'elle puisse reconnaître que cela ne tournait pas rond et qu'elle disait le contraire. Alors qu'elle pensait seulement pouvoir faire confiance aux informations qu'elle recevait d'un moi fictionnel : elle était vieille, elle était veuve, elle avait besoin d'être prise en charge, et l'on s'occupait d'elle avec amour. Elle *devait* donc aller bien.

Tel est le pouvoir du moi fictionnel. La vie peut s'avérer cruelle et déroutante, et créer la confusion chez les personnes les plus équilibrées, les plus déterminées et les mieux disposées. On peut avoir vécu avec passion et enthousiasme, pleinement conscient de ses forces, de ses valeurs, de ses atouts et autres traits uniques, et perdre sa clairvoyance à l'épreuve de l'existence.

Toutes sortes de choses peuvent avoir affecté votre perception de soi. Il ne s'agit pas forcément du décès d'un être aimé. Une expérience douloureuse et tragique dans votre enfance aura pu effacer chez vous toute trace d'espoir, d'innocence et d'optimisme. L'incident aura pu se produire plus tard dans votre vie, lorsque celui ou celle que vous aimiez et dont vous recherchiez la compagnie vous a rejeté. Peut-être est-ce arrivé encore plus tard, lorsque, en dépit de vos efforts acharnés, vos affaires ou votre mariage sont tombés à l'eau. Il se peut également que vous ayez perdu vos repères spirituels sous le coup d'un événement tragique, qui a surgi inexplicablement dans votre vie.

Or la vie n'est malheureusement pas faite que de succès, et il arrive que ces résultats indésirables ébranlent notre confiance et nous fassent douter de ce que nous sommes, et même de la raison pour laquelle nous sommes là. Il se peut que les événements de votre propre vie, accumulés au fil du temps, aient insensiblement érodé votre sentiment de confiance et d'identité. Ou, au contraire, que des circonstances négatives vous aient brusquement ouvert les yeux. Il se peut aussi que des années de doute par rapport à vous-même aient débouché sur une crise d'identité, et sur un compromis douloureux avec vos rêves et vos projections. Vous pouvez aussi faire partie de ceux pour qui les choses sont plus floues. Vous avez simplement pris conscience que vous pouvez et désirez plus, que vous voulez améliorer une existence déjà satisfaisante sous bien des aspects. Une part de vous-même pense que tout va bien, tandis que l'autre, subtilement mais imperturbablement, lui rétorque : « **Tout va bien – certes. Mais selon quels critères ?** »

Quoi qu'il en soit, que le besoin en soit pressant ou subtil, se satisfaire d'une vie sans plénitude ni passion revient à s'abandonner aux cahots de l'existence. À renier un moi authentique. Permettez-moi encore d'insister : même si vous en doutez, un moi authentique se cache au cœur de votre vie. Vous pouvez en avoir une vision imprécise, et les incidents ont pu s'accumuler au point d'ensevelir tout ce qui vous rend unique ; mais ce moi authentique est bien là. Et que vous l'acceptiez déjà ou pas, j'espère que vous comprendrez au moins l'affirmation précédente : vous êtes partie prenante dans votre concept de soi actuel. Comme nous l'avons dit, vous avez sans doute vécu un certain nombre de moments clés. Et ces facteurs externes sont pour beaucoup dans la définition de votre personnalité d'aujourd'hui. Mais, chose au moins aussi importante, vous avez réagi à ces expériences et vous les avez interprétées. Vous y avez répondu à travers une série de déterminations internes que vous devez vous résoudre à examiner au microscope.

Voici la clé du problème : le savoir est un pouvoir. Je souhaite que la lecture de ce livre soit un premier grand pas dans la connaissance de vous-même. Je vais vous confronter très bientôt à toute une série de questions qui provoqueront, je l'espère, une remise en question de vos schémas de pensée. Elles sont formulées pour vous remettre en contact avec votre moi authentique. En répondant à ces questions honnêtement et consciencieusement, vous allez faire l'expérience du véritable pouvoir que procure le courage de la sincérité. Vous allez apprendre que vous ne pouvez être *qui vous êtes* sans prendre une part active, tant sur le plan interne qu'externe, à votre définition. Une fois que vous aurez pris le contrôle de mécanismes comme votre dialogue intérieur (vous n'allez pas croire les nullités que vous avez pu vous raconter !) ou vos réflexes interprétatifs, vous allez apprécier votre nouvelle capacité à modeler votre expérience selon vos souhaits.

L'exercice va probablement requérir toutes vos énergies, parce qu'il implique que vous abandonniez de puissants réflexes installés de longue date. Souvenez-vous : vous devez être prêt à remettre en question chaque pensée, attitude, modèle de comportement ou situation se présentant à vous.

En résumé : vous possédez un concept de soi et je veux que vous sachiez comment il s'est construit. Il n'est pas arrivé comme ça. Vous êtes venu au monde avec certaines qualités et caractéristiques fondamentales, mais votre environnement a presque immédiatement commencé à imprimer sa marque en vous. Vous avez participé activement et passivement à sa définition. Dans une certaine mesure, votre concept de soi s'est construit sous la contrainte des autres et, dans une autre mesure, vous vous êtes contenté de l'accepter sans réfléchir, voire de le déduire purement et simplement de leur jugement. Quoi qu'il en soit, vous voilà aujourd'hui tel que vous êtes et j'ai l'intention de vous montrer comment prendre le contrôle de vous-même, dans cette entreprise de modelage du soi, ici et maintenant. Lorsque nous aurons terminé, vous serez capable de faire pièce à votre passé ainsi qu'à vos vieux réflexes.

Découvrons ensemble ce que contient réellement votre concept de soi. Remettons en jeu chaque message que l'on vous a fait passer sur vous-même, et laissons tomber ceux qui sont nocifs. **Et donnons-nous l'objectif suivant : à partir de maintenant, vos facteurs externes et internes seront sous votre influence, pas sous celle des autres.**

Introduction
aux facteurs externes

« Face à une crise, l'homme de caractère replonge en lui-même. »

Charles de Gaulle

Vous savez que votre concept de soi existe au cœur même de votre expérience de vie. L'apathie, la souffrance, la peur, la frustration, la colère et la sensation d'être déconnecté de sa propre vie sont le prix à payer pour avoir perdu le contact avec le moi authentique. On n'en arrive certainement pas là de son plein gré. Votre vie ne suit peut-être pas le chemin désiré, mais vous ne l'aviez sûrement pas prémédité. Vous possédez suffisamment de bon sens pour distinguer la douleur du plaisir. Si le choix était clair, nous mènerions tous (et cela vous concerne aussi) une vie en accord avec notre véritable moi. Votre vie serait passionnante, épanouie et pleine de sens. Jamais vous ne vous lèveriez le matin en anticipant la liste de corvées et de services dont vous allez devoir vous acquitter dans la journée (et une journée de congé, en plus !). Vous ne vous retrouveriez pas ainsi épuisé et malheureux, vivant une vie dénaturée et frustrante et vous démenant pour tout le monde, tout en négligeant ce qui vous concerne.

Comment en arrive-t-on là ? Comment un être finit-il par se perdre dans une existence déconnectée de son véritable désir ? Pour optimiser votre qualité de vie, il faut comprendre précisément le processus par lequel votre moi authentique a été transformé, enfoui et ignoré. Ce processus s'enclenche à partir des *facteurs externes* que nous avons brièvement évoqués au premier chapitre. Car l'être humain est un animal social. Sans doute est-ce à la fois un bien et un mal, car si les autres peuvent nous être utiles lorsque nous sommes seuls, ils peuvent aussi devenir une source de gêne monumentale. Et lorsqu'ils cessent de nous soutenir et deviennent source de souffrance, ils peuvent influencer notre personnalité de façon spectaculaire, en fonction du pouvoir qu'ils exercent sur nous ou de la relation que nous entretenons avec eux. Écoutez bien ce que je vous dis : « Les autres ont le pouvoir de *changer* notre personnalité. » Ce qui advient à l'extérieur peut nous atteindre à l'intérieur. Une fois intériorisés, les événements extérieurs laissent en nous des cicatrices qui vont déterminer la suite de notre existence. La vie est parfois cruelle et, dans ce cas, votre moi authentique – qui aurait parfaitement réagi dans d'autres circonstances – s'en trouve altéré, ce qui est très néfaste.

Au début de votre existence, votre moi authentique était probablement intact et solide, un peu comme une voiture neuve dans un hall d'exposition – éclatante, rutilante, bien conçue, exempte de la moindre éraflure. Si ce véhicule parfait était demeuré en sécurité dans cet environnement protégé, année après année, il aurait pu conserver cet état neuf pendant cinq, voire dix ans. Mais dès que vous sortez votre voiture et qu'elle est confrontée aux conditions extérieures, elle est soumise à des forces et des exigences qui laissent des traces. Elle arbore bien vite des « cicatrices de guerre » et revêt classiquement l'aspect d'un véhicule exposé à des conditions extérieures.

À force de subir les claquements de portière, l'ardeur du soleil, le heurt des nids-de-poule, les torsions de pare-chocs et autres collisions susceptibles de l'endommager, on imagine difficilement votre véhicule actuel sous l'aspect de la voiture flambant neuve que vous admiriez chez le concessionnaire. Et pourtant c'est bien elle. Or, même une vieille guimbarde trentenaire et cabossée peut retrouver son aspect originel. Je ne dis pas que c'est simple, mais il est possible d'y arriver.

Vous pouvez même ressembler à un taxi new-yorkais aux portières cabossées, aux pare-chocs en miettes et à la peinture éraflée, et parvenir à vous en remettre. Vous avez peut-être rencontré des milliers d'ornières sur votre route, et même connu un grave accident, mais le savoir est un pouvoir, et nous allons aller si loin dans l'analyse de votre vie que vous saurez exactement quand et où votre moi authentique a pris ces coups.

Ne soyez pas accablé à l'idée de devoir passer au crible et analyser votre vie entière, car il n'est pas question de cela. À l'aide de quelques exercices simples mais efficaces, nous allons nous concentrer sur une série précise de facteurs externes, qui nous donneront le schéma fidèle de votre concept de soi actuel.

Comme je viens de le dire, nous n'examinerons pas votre vie de fond en comble, mais nous attacher à trois types d'événements. Notons ici un détail intéressant : les sociologues nous expliquent que l'origine de notre concept du soi, et donc de la matrice de notre personnalité à venir, peut être entièrement comprise à partir de quelques moments clés et des actes de quelques personnes essentielles. Je vais vous dire : vous avez vécu des milliers de moments, rencontré des milliers de gens, mais la base de votre vie, ce qui vous a fait ce que vous êtes, se résume à la formule suivante :

- **Dix moments clés.**
- **Sept choix déterminants.**
- **Cinq personnages essentiels.**

Songez-y un instant, ce n'est pas aussi scandaleux qu'il y paraît. Un pilote de ligne décrivait son travail comme une succession monotone d'heures d'ennui total, ponctuées de moments d'intense frayeur. N'est-ce pas la définition même de la vie ? Des jours et des jours de routine et de monotonie, sans grand impact, ponctués d'événements critiques précis, qui ne durent parfois que le temps d'un battement de cil. C'est effrayant, je le sais, mais quoi qu'il en soit, c'est comme cela que ça se passe. Et il faut en être pleinement conscient pour comprendre et maîtriser de nouveau votre concept de soi.

Certains de vos dix moments clés, de vos sept choix déterminants et de vos cinq personnages essentiels ont donné des impulsions positives à votre concept de soi, vous permettant de développer et d'affirmer votre vraie personnalité. D'autres en ont empoisonné l'authenticité et altéré le regard que vous portez sur vous-même. Vous serez étonné de la clarté de vos perceptions lorsque vous aurez identifié ces facteurs clés. Quand vous serez retourné en arrière mentalement et émotionnellement et que vous pourrez envisager une existence dont la routine aura tout simplement disparu et où vous n'accorderez d'importance qu'aux êtres et aux événements décisifs.

Ce sera un peu comme regarder dans un kaléidoscope, tandis qu'une myriade de touches colorées compose une image à découvrir, paraissant incrustée à l'intérieur. (Je déteste l'admettre, mais je n'ai jamais pu voir cette fichue image sans l'aide de quelqu'un.) Quand vous avez écarté les petits détails du passé qui camouflaient l'image centrale, celle-ci se dévoile, aussi claire que le cristal. Quand vous vous concentrez uniquement sur ces expériences clés, l'origine de votre concept de soi vous est révélée avec une extrême limpidité.

Je veux que vous portiez spécialement attention à un type particulier d'expériences ainsi qu'à leurs conséquences, qui peuvent avoir fortement marqué votre vie et votre concept de soi. Je veux parler ici de ce que j'appelle la « défiguration psychique ». Ce concept éclaire comment un événement survenu lorsque vous étiez en septième peut encore vous affecter à quarante-deux ans. S'il est possible que cela détermine votre concept de soi, alors il est temps de s'y intéresser de plus près.

Pour mieux comprendre ce qu'est la défiguration psychique, nous pouvons la comparer à une brûlure de la peau. Une brûlure traumatique est souvent la conséquence d'un incident très bref. Il peut ne s'écouler que quelques millisecondes entre l'instant du contact de la peau avec la flamme, l'acide ou un autre agent, et le moment où l'épiderme et les tissus sous-cutanés sont détruits. De ce point de vue, on peut dire que le traumatisme a eu lieu, que la brûlure est en quelque sorte *finie*. Et pourtant, nous savons que la blessure est encore loin d'appartenir au passé. Quelqu'un qui a eu la malchance d'être atteint au visage et en garde des marques vous dira à quel point cela affecte son estime de soi. Ces blessés osent difficilement sortir au grand jour. Autrement dit, l'atteinte physique a également affecté leur psyché. « Je ne peux pas et je ne veux pas sortir et me montrer ainsi. »

Imaginons maintenant quelqu'un qui a souffert d'une blessure traumatique, sans cicatrices physiques : une personne de confiance peut l'avoir violenté, ou il peut avoir été agressé verbalement par un parent ou, encore, trahi par quelqu'un qu'il considérait comme un ami. Peut-être a-t-il, enfant, assisté à une horrible tragédie qui s'est déroulée sous ses yeux, sans pouvoir intervenir. Là aussi, l'incident peut n'avoir duré qu'un instant. L'élément traumatisant n'a peut-être duré que le temps d'un claquement de doigts. Mais qu'arrive-t-il ensuite au concept de soi de cet individu, à sa psyché ? Ils restent blessés, marqués, défigurés.

Si vous avez subi ce type d'événement traumatique, peut-être vivez-vous comme si vous aviez subi une brûlure. Contrairement à une cicatrice physique, la défiguration psychique n'est perçue que par vous, et vous seul. Mais vous pouvez réagir à cette blessure cachée comme si elle était visible : en évitant le monde, en ayant peur de la compétition ou du contact avec l'autre, en vous réfugiant dans la crainte. En vivant dans le découragement et la passivité.

La défiguration psychique peut être tout aussi mutilante et invalidante que la défiguration physique. Si votre concept de soi est en lambeaux, il est peut-être temps de voir si vous n'auriez pas subi, vous aussi, une défiguration psychique. Les chapitres suivants, consacrés à l'analyse des facteurs externes, vous y aideront. Les exercices proposés vous mettront en relation directe avec cette partie de votre histoire et vous pourrez commencer à vous dégager des ombres du passé, à revenir à votre moi authentique.

Il faut en convenir, d'autres facteurs influencent le concept de soi, en particulier les facteurs internes dont nous parlerons dans une prochaine section du livre. Vous devez savoir, cependant, que toute chaîne commence par un premier maillon. Et le premier maillon d'un concept de soi en évolution est presque à coup sûr le produit d'une *interaction externe*. Attendez-vous donc à des découvertes, lorsque vous vous pencherez sur les premiers maillons de votre « chaîne » de vie.

La chaîne de vie

Puisque je vous demande de noter les moments clés de votre vie, j'aurais dû aussi convenir d'un point de départ. Un événement des plus puissants, aux circonstances déterminantes, s'est déjà produit dans votre vie, et vous en êtes dépositaire. Vous n'avez pas été consulté, vous n'aviez pas le choix, et pourtant, oui, l'enjeu était énorme, je vous l'assure. Avant de vous triturer plus avant les méninges, pensez simplement au hasard qui a déterminé votre lieu de naissance, votre famille, votre entourage durant l'enfance. En d'autres termes, et sans conteste, le moment de votre naissance constitue un moment déterminant de la plus haute importante et de la plus grande signification. Vous n'avez pas eu voix au chapitre. Un beau jour, voilà, vous êtes arrivé ! Tous les choix étaient faits pour vous. En grandissant, vous n'étiez sans doute pas conscient du fait que la vie pouvait vous offrir autre chose. Vous étiez simplement devenu un élément de la longue chaîne dont vos parents, vos grands-parents, vos frères et sœurs étaient les maillons. Vous ne connaissiez, et n'aviez alors pour horizon que vos parents, vos frères et sœurs, votre famille étendue, et la situation sociale qui était la vôtre.

Voyez l'impulsion donnée par cette chaîne : les messages et les espérances ont été transmis à travers les générations, d'un maillon à l'autre. Et quantité de destins se sont ainsi trouvés scellés, tout comme le vôtre. Par exemple, admettons que vous ayez grandi avec une mère et un père convaincus qu'ils n'étaient, que vous n'étiez, que l'ensemble de votre famille n'était que des citoyens de seconde zone, qu'ils devaient s'incliner, se taire et ne jamais faire de vagues, vous aurez sans doute appris à être déjà bien content d'avoir le droit d'être au monde. En d'autres termes, vous avez sans doute grandi sur la croyance que la vie n'était qu'une loterie. En effet, avant d'ouvrir ce livre, vous n'aviez pas eu la moindre opportunité de choisir les éléments de votre « chaîne » de vie. Désormais, vous le pouvez. Vous avez le choix de votre avenir, à défaut d'avoir pu choisir votre passé.

Cessez de vous considérer comme une victime dans cette histoire. Il est aussi très important que vous compreniez la chose suivante : vous êtes sans doute devenu aujourd'hui l'acteur principal du « verrouillage » de votre propre chaîne de vie. Vous jouez un rôle actif dans cette partie car, comme tout un chacun, vous *intériorisez* vos expériences. Et quand vous intériorisez une information, une date ou un événement, votre concept de soi s'en trouve immédiatement conforté ou altéré. D'abord, ces forces extérieures ont un impact sur vous, puis presque immédiatement vous commencez à réfléchir et à *interpréter* ce qui se produit. Dès que vous examinez l'incident, dès que vous l'intégrez à votre système de pensée, vous augmentez sa force d'impact. Votre « système de navigation perceptif », avec son radar et sa boussole, vous oriente *exclusivement* dans la direction qui correspond à ce que vous pensiez déjà.

Il est clair que votre chaîne de vie programme très précisément tout ce que votre *radar* détecte. Et l'information que vous glanez demeure fidèle à ce que cette programmation vous a inculqué sur vous, sur vos manques et vos capacités. Par exemple, si vous êtes renvoyé de votre travail et imputez cela à une faille personnelle, vous allez désormais intérioriser cette interprétation et avoir tendance à capter les messages négatifs similaires, en passant à côté de ceux qui véhicule-raient de vous une image de succès. Le radar qui balaie le paysage de votre vie ne fonctionne que sur le mode « confir-mation », il cherche les informations qui vous conviennent, même si cela vous rend malheureux. En conséquence de quoi, vous vous limitez dans vos objectifs – attitude aussi tragique pour vous que difficile à perdre…

Selon les chercheurs, cette tendance à la limitation se décèle chez tous les organismes. Certains ont réalisé l'étude suivante sur des puces. Si votre chien s'est jamais retrouvé infesté, vous avez dû apercevoir ces fichues bestioles sauter sans vergogne au beau milieu de la pièce, aussi longtemps que vous n'avez pas le cœur de faire sortir de la maison votre chère boule de poils. Ces scientifiques ont donc placé un groupe de puces dans un récipient fermé par un couvercle. Évidemment, les puces ont sauté si haut qu'elles se sont heurtées au couvercle, encore et encore. Or, même les puces se lassent de se cogner la tête (et celles-ci, plutôt malignes, avaient dû prospérer sur le dos d'un chien savant). Elles ont donc *appris* qu'en sautant à une certaine hauteur, elles se cognaient invariablement au couvercle. Elles se sont alors contentées d'atteindre une hauteur inférieure à celui-ci de quelques centimètres. Même les puces sont façonnées par leur environnement. Mais j'en arrive au point intéressant : au terme de l'expérience, si l'on ôte le couvercle, les puces ne s'échappent plus. Elles continuent à sauter *en dessous* du niveau. Marquées par cette expérience liée à leur environnement, elles posent désormais une limite à ce qu'elles se permettent de faire.

Est-il si difficile, par conséquent, d'imaginer comment les coups que vous avez reçus sur la tête, et vos conditionnements, ont pu vous conduire à renoncer et à limiter vos élans ? Quel qu'il soit, vous avez bien appris votre rôle. Il vous a été assigné avec une grande clarté, la vie a pesé et martelé pour modeler votre vérité personnelle et votre concept de soi. Jusqu'à maintenant, tout cela s'est sans doute fait inconsciemment. Comme les puces une fois le couvercle enlevé, vous ne saviez peut-être pas que vous aviez le choix. À présent, je vous dis que vous l'avez, ce pouvoir, et que vous pouvez en user ; vous ne pouvez plus l'ignorer.

Vous n'avez pas à suivre sans réfléchir cette chaîne de vie dont vous avez hérité et que vous avez, de façon passive, également contribué à forger. Vous pouvez commencer à en façonner les maillons, activement et consciemment. Vous avez besoin d'outils, de directives vous indiquant quoi faire et par où commencer et, avec un peu d'aide, vous y arriverez. Vous le méritez et vous en êtes capable !

Mon premier conseil sera de vous astreindre à observer comment l'environnement envahit votre pensée et transforme votre concept de soi, solide et authentique, en une image moins confiante et plus floue de vous-même. Allons voir comment le monde conspire avec vous pour altérer votre jugement intime. Nous examinerons aussi de près les maillons qui composent la chaîne de votre vie. Ceci fait, quand vous aurez renoué le contact avec un moi enseveli sous un monceau d'expériences et d'autocritique, faites une pause. Faites-la, parce que vous n'allez pas croire à ce qui arrive lorsque vous retrouvez le pouvoir de cultiver votre vérité, votre force et vos qualités personnelles.

Mon propos n'est pas de vous délivrer une « nouvelle » vérité personnelle ou un concept de soi « authentique ». C'est inutile. Tout ce dont vous avez besoin est là, et a toujours été là ; mais enfoui si profond que vous ne saviez pas comment y accéder. Votre vérité personnelle, votre concept de soi, a juste besoin d'être « nettoyé » et débarrassé de tout ce bric-à-brac de fausses informations que vous avez faites vôtres durant toutes ces années. Vous saurez bientôt exactement comment procéder. Je vous l'ai souvent dit : « À vous de comprendre ! » Et le moment est venu. Il s'agit d'abord de prendre conscience du fait que si vous décidez *actuellement* du cours de votre vie en vous référant à votre expérience ainsi qu'aux messages et aux résultats que vous avez engrangés, vous vivez tourné vers le passé.

Et s'il est vrai qu'au fil de ce livre, nous allons nous pencher sur votre histoire, ce sera seulement afin d'éliminer les expériences invalidantes du passé. Celles-ci constituent des poisons dont vous devez débarrasser sur-le-champ votre concept de soi, pour mener une existence authentique, un parcours de vie tel que vous le désirez. Puis nous pourrons ensuite regarder vers l'avant et nous concentrer sur votre avenir. Votre avenir représente pour moi une question de grande importance, dans la mesure où je travaille à influencer votre concept de soi et la somme de vos expériences de la vie.

C'est ce regard vers l'avant qui vous donnera la force de créer davantage et en adéquation avec votre moi profond. Je suis certain que vous perdez bien trop d'énergie vitale à vous inquiéter et à tenter de maîtriser le passé. Pourquoi ? Parce que les maillons de votre chaîne appartiennent au passé, et qu'il faut faire avec. Ces événements sont loin derrière vous, désormais, et leur retentissement est faible. Si vous observez une fusée qui décolle de Cap Canaveral, tout ce que vous voyez à sa traîne, la flamme, la fumée, la vapeur, tout ce qui est *derrière* la fusée, représente de l'énergie « dépensée ». L'énergie consumée n'a plus de valeur. Elle vous a amené où vous êtes aujourd'hui, mais elle n'a strictement plus aucune valeur ici et maintenant. C'est fini, c'est fait, bien ou mal. Partant de là, il dépend de vous de décider où vous allez. Peu importe en quel état sont les maillons de votre chaîne. Peu importe ce qu'il y a eu ou pas pour propulser la fusée. Seul le présent nous intéresse, et le choix vous en appartient.

Je ne suis pas en train de vous dire de vous « libérer » du passé – ce qui n'est pas vraiment un scoop. Je vais plutôt vous aider à identifier, exactement et précisément, quels effets découlent de quelles expériences passées.

Je vous montrerai ensuite dans le détail comment maîtriser tout cela, ici et maintenant, afin de recouvrer vos forces. Ce n'est qu'à partir de ce moment-là que vous cesserez enfin d'être un passager de votre vie, que vous en prendrez le volant… et avec passion.

CHAPITRE 4

Vos dix moments clés

« S'il n'y a pas de vent, rame. »

Proverbe latin

DIX MOMENTS CLÉS

Quand j'étais en classe de sixième, je vivais avec ma famille dans une petite commune proprette des environs de Denver au Colorado. Personne ne faisait partie de l'élite dans notre rue aux maisonnettes préfabriquées, mais l'environnement était calme et paisible : une école neuve, des gens qui bavardaient devant chez eux après le dîner. Toutes les maisons étaient construites sur le même modèle : trois chambres, une salle de bains et un garage pour la voiture. Cela marchait plutôt bien à l'école pour moi. J'avais mon petit groupe de copains, je travaillais bien et me passionnais pour l'athlétisme. En fait, le sport était devenu très important pour moi, j'avais découvert que la compétition me plaisait. Cette année-là, on m'avait nommé « Athlète de l'année » et j'avais aussi reçu le prix de l'esprit sportif. Événements très valorisants, car c'était la première fois que je gagnais quoi que ce soit. Le moins qu'on puisse dire était que, dans l'ensemble, je me sentais particulièrement bien à l'école. Quand je revois cette époque, je me dis que c'était pour moi le temps de l'innocence. Je ne rencontrais aucun problème pour m'exprimer. J'étais content de moi, content de vivre dans cet endroit, content de ce que je faisais. Tout était simple et l'image que j'avais de moi-même était nette et claire. Or, tout allait changer, sans drame ni éclat, mais de manière déterminante pour moi, car le cours de ma vie y serait impliqué.

J'ai découvert peu à peu que, pour la plupart, les événements qui modèlent nos vies présentent peu d'intérêt et sont rarement tragiques. Mais quand s'y mêle ce facteur personnel, ils peuvent n'avoir aucun impact sur le reste du monde, ils n'en demeurent pas moins pour nous d'une importance considérable. Souvenez-vous : si c'est important pour vous, alors ça l'est, un point c'est tout. Ce qui allait m'arriver aurait difficilement pu sauter aux yeux de quelqu'un d'extérieur et constituerait pourtant une partie de mon concept de soi.

Fidèle aux conseils maternels, je n'avais jamais provoqué de bagarre, jamais. Or, parmi les élèves de notre petite école, il y avait cette année-là quelques enfants issus d'un quartier difficile, à quelques rues de notre maison. Ils étaient en cinquième, avaient un an de plus que moi, ils étaient donc plus grands et plus costauds. Un jour à la récréation, ces « cinquièmes de l'enfer », comme nous les appelions entre nous, commencèrent à harceler une bande des plus petits dont je faisais partie, avec deux de mes copains. Les insultes se mirent à pleuvoir, puis deux d'entre eux attrapèrent mon ami Michael par le cou, lui tirèrent les cheveux et le jetèrent au sol, tout en nous repoussant. Après cela, je ne me souviens plus de grand-chose. Je me revois juste en train d'en cogner un de toutes mes forces au visage avec un ballon de basket et d'envoyer un coup de poing à un autre. (Mon père disait toujours : « Fils, s'ils sont plus forts que toi, repère leur faiblesse, et sers-t'en pour rétablir un peu l'équilibre. ») Cela dégénéra et la cour de récréation fut le théâtre de la bagarre la plus confuse que vous puissiez imaginer. Aucun des participants n'était assez fort pour provoquer de réels dommages, mais ce fut épique. Je n'avais pas commencé cette bagarre, mais je me rappelle encore la rage que j'avais de la finir.

Suite à cet incident, nous fûmes convoqués dans le bureau du directeur et mon professeur principal fut appelé. Tandis que j'étais sur la sellette, le nez en sang, la chemise déchirée, des graviers encore incrustés dans la joue et un énorme bleu sur le front, je me souviens avoir éprouvé un sentiment de soulagement. C'est sans doute ce que ressent un soldat encerclé qui apprend que les renforts vont arriver. J'étais soulagée que Madame Johnson qui, de tous les adultes de l'école, était celle qui me connaissait le mieux allait venir à mon aide. Elle me protégerait et serait mon avocat.

Elle connaissait mon caractère, mon esprit de sportivité, ma loyauté envers mes amis et ma nature pacifique, il ne faisait aucun doute qu'elle irait droit au cœur des choses et prendrait ma défense devant le directeur. Inutile de réfléchir, je le sentais, et cela m'apaisa. Madame Johnson allait venir et tout arranger.

Ce qui arriva ensuite constitua un moment clé de ma vie. Mon professeur entra, elle regarda le directeur, puis baissa les yeux vers moi et se mit en rage. D'abord, je ne parvenais même pas à comprendre ce qu'elle disait. J'étais pétrifié. Il semblait qu'elle fût humiliée qu'un de « ses » élèves se soit bagarré. Les insultes que je venais d'entendre dans la cour n'étaient rien en comparaison de ce dont elle m'accablait. Elle n'arrêtait pas de demander une explication, mais il était clair qu'elle s'en souciait peu. Elle ne faisait que m'ensevelir sous un torrent de mots dictés par la colère.

Je n'oublierai jamais certains d'entre eux. « Alors, tu es un dur, hein ! Tu n'en as rien *à fiche* de personne ? » N'avait-elle pas compris que les autres étaient plus grands ? Ignorait-elle ce qu'ils avaient fait ? N'aurait-il pas été normal qu'elle me demande ce qui s'était passé ?

Je fus d'abord stupéfait et blessé à la fois. Puis se produisit comme un déclic en moi. Il fut soudain clair que Madame Johnson n'était absolument pas mon alliée. Loin de me protéger des brutes et de démêler la vérité, ce qui était sa responsabilité, elle se protégeait elle, d'abord. Sa priorité ne tenait pas compte de ma sécurité et de mon besoin d'être en accord avec moi-même et mes amis. Le message était clair : « Ne fais pas de vagues dans mon univers, mon petit. Fais ce dont j'ai besoin et ce que je te demande pour ne pas compliquer *ma* vie, au diable la tienne ! »

Je compris tout cela en une fraction de seconde, là, dans le bureau du directeur. Désormais, je ne pouvais plus penser que la vie était belle. Elle ne l'était pas et elle n'était pas juste. Je ne devais plus compter que sur moi. Je pensai : « Mais qu'est-ce que vous racontez, Madame Johnson, vous êtes devenue folle ? » Mais je dis : « Vous avez raison, je me fiche de tout le monde, vous y compris ! » Le directeur me renvoya immédiatement pour trois jours, et je le mis donc lui aussi sur la liste de mes ennemis.

Cet événement singulier, ce moment déterminant, cette « trahison » étaient parvenus à me transformer. Appelez cela la mort de l'innocence, de la naïveté, ou simplement le signal qui m'apprit que le monde n'était pas un paradis, en tout cas cela me changea intérieurement. En cinq minutes, le monde m'avait marqué de son empreinte. L'affaire était-elle si importante ? Sans doute pas aux yeux du directeur, de Madame Johnson ou de ces grands qui passèrent la moitié de l'année scolaire en retenue, mais pour moi, ce l'était. Pour moi, c'était un moment clé.

Avançons d'à peu près un an, dans cette même école. J'avais alors un autre professeur, Monsieur Welbourne, un grand homme imposant qui enseignait, entre autres, les arts plastiques – ce qui me paraissait être un truc de filles, de mon point de vue de cinquième –, ce qui ne cadrait pas du tout avec son allure générale et ses mains larges comme des battoirs. Un matin où il avait beaucoup neigé, de nombreux élèves et professeurs arrivèrent en retard. Nous nous install-lâmes dans la salle de dessin en attendant l'arrivée de « Grosses pattes ». Les minutes s'écoulaient. Il y avait sur les tables des blocs d'argile ; las de regarder la pendule, une chose en entraîna une autre, et évidemment nous commençâmes à nous lancer des petits morceaux d'argile. Prendre un peu de terre, la rouler et la lancer, nous devînmes vite assez bons à ce jeu. En un clin d'œil, l'air se remplit de petits projectiles qui traversaient la pièce en sifflant. J'étais particulièrement fier d'avoir réussi deux tirs directs dans les cheveux de Vicky sans qu'elle s'en aperçoive.

C'est alors que Monsieur Welbourne fit son entrée et explosa de colère. Nous ne pouvions nier la réalité des faits, nous étions coupables. Je m'attendais évidemment à un sermon, à devoir tout nettoyer et peut-être même à être collé. Mais Monsieur Welbourne se déchaîna, et pas qu'un peu ! Il devint véritablement fou furieux ! Pour mon malheur, j'étais assis juste à côté de lui quand il eut sa crise et, avant que je puisse comprendre quoi que ce soit, il m'arracha de mon siège, me secoua comme un pantin, me saisit par le bras et la jambe droite et me brandit au-dessus de sa tête comme un haltère en hurlant : « Et si je te jetais par terre maintenant ? Je pourrais te fracasser la tête et te casser le cou, espèce de petit malin ! »

Prisonnier de son étreinte, je voyais la pièce tourner autour de moi, persuadé qu'il allait mettre sa menace à exécution. Welbourne semblait possédé. Ses ongles s'enfonçaient dans mon bras et je saignais. Il allait me briser le dos en moins de rien. Il avait des yeux de sauvage, il bavait, crachait… Pour la première fois de ma jeune vie, je pensai que j'allais mourir.

Dans ma terreur, je me souviens que je regardais désespérément vers la porte. « S'il vous plaît, aidez-moi. » Je parvins enfin à mettre en mots audibles ce que j'étais en train de penser : « Je vous en prie, délivrez-moi de ce fou, faites quelque chose ! » De manière bien compréhensible, toute la classe était figée sous le choc, n'en croyant pas ses yeux

Après ce qui me sembla une éternité, un autre enfant, Karl, quitta la salle en courant, sans doute plus pour échapper au danger que pour chercher de l'aide. Par chance, il se heurta à un professeur, lui aussi en retard, qui réussit à décrypter sa panique et ses pleurs. Le tumulte ameuta plusieurs enseignants qui arrivèrent à toute vitesse. Après bien des cris et des hurlements, Monsieur Welbourne fut « maîtrisé » et je fus libéré, choqué mais sans blessure, si ce n'est quelques écorchures. Je me souviens de Monsieur Welbourne assis par terre, le regard perdu au loin, tandis qu'on m'emmenait à l'infirmerie. Nous ne le revîmes jamais, le directeur adjoint assura ses cours avec quelques remplaçants jusqu'à la fin de l'année. Il avait sans doute été renvoyé et expédié dans un établissement spécialisé pour enseignants déséquilibrés. Personne ne m'en a jamais rien dit, et franchement je m'en fichais bien, du moment que ce n'était pas près de chez moi.

Une fois encore le monde était sorti de ses limites et m'avait marqué de son empreinte. J'ai cinquante ans et ces deux moments sont pour moi aussi réels et présents que tout ce que j'ai jamais vécu, ce sont deux moments déterminants de ma vie. Aucun n'a fait la une des quotidiens, il n'y avait aucune raison. Ils n'ont rien de tragique, bien que le second eût fait un sujet intéressant. On m'a relaté des milliers d'épisodes bien plus traumatisants, survenus dans la vie de gens de mon entourage ou parmi mes patients. Vous en connaissez aussi. Si je parle ici de ceux-ci, c'est qu'ils ont été très importants pour moi. Ils ne sont pas en tête de ma liste des dix moments déterminants mais ils en font partie et je veux attirer votre attention sur ce point : il suffit que des événements de votre vie soient importants à vos yeux, qu'ils vous aient transformé, pour que nous les qualifiions de « déterminants » et qu'ils méritent toute votre considération. Ceux que je vous ai présentés peuvent paraître banals, mais ils m'ont changé, ils ont altéré mon concept de soi et la façon dont j'ai appréhendé la vie à partir de ce jour-là. Je n'ai pas à me défendre ni à expliquer comment et pourquoi, mais à exposer simplement ce qui s'est passé. J'ai fréquenté cette école durant trois ans, puis j'en ai connu d'autres. J'ai suivi des milliers de cours, j'y ai passé des centaines de milliers d'heures, mais ces deux incidents, qui à eux deux n'ont probablement pas duré plus de cinq minutes, se distinguent des autres avec une clarté sans équivoque.

Comme je l'ai dit plus tôt, ce n'est pas le cas de tous. Pourtant, tout comme moi, vous avez vécu des situations qui ont défini et déterminé la personne que vous êtes. L'événement pénètre alors votre conscience avec une telle force qu'il va au cœur de qui vous êtes et qui vous pensez être. Il n'est pas exagéré de dire que, avant un tel événement, votre concept de soi est A, et qu'après il est B. Une part de vous a été remplacée ou modifiée par cet élément de votre histoire, c'est une donnée nouvelle qui ne vous quittera plus. Vous vous définirez toujours, désormais, plus ou moins, d'après cette nouvelle expérience. Ce sont ces événements, ces moments de votre vie que nous devons maintenant identifier et évaluer.

Mettons que vous ayez quarante ans aujourd'hui, vous avez vécu 14 610 jours. Vous ne pouvez certainement pas reconstituer dans votre esprit ces 14 610 journées. Il suffit de dix d'entre elles. Ces moments particuliers se distinguent du reste, comme dans un tableau une maison se détache de l'arrière-plan.

Un célèbre psychologue, Alfred Adler, a observé cette tendance à former des images mentales de soi, en se basant sur des épisodes passés. Il s'est aperçu que nous cristallisions toutes nos expériences autour de ces moments clés. Une de ses techniques favorites consistait à demander à son patient de lui raconter son plus ancien souvenir. Quelle que fût la réponse, Adler terminait par : « Ainsi va la vie ! » Il pensait que ce petit fragment de la vie de son patient était essentiel pour sa perception actuelle de soi. Il était persuadé que ces souvenirs étaient au cœur de la vérité intime de chacun. Et il avait raison.

Il en va de même de cette femme qui, rapportait-il, avait été pourchassée par deux chiens lorsqu'elle était enfant. Elle leur avait échappé et, bien qu'elle n'ait pas été blessée, la peur était encore vivante en elle. Cette expérience appartenait au passé, mais des années plus tard, elle racontait qu'elle voyait le monde comme un lieu sombre et hostile. Elle pensait être assez fine et compétente pour composer, mais n'en demeurait pas moins effrayée. Adler comprit que cette femme parlait d'un épisode de son enfance qui en était arrivé à irriguer toute sa vie. Et c'est à ce titre qu'il la troublait encore très profondément, d'un point de vue émotionnel. Cette histoire était pour elle, très clairement, un moment clé. Comme disait Adler : « Ainsi va la vie ! »

Lorsque je jette un œil sur les événements que j'ai vécus à l'école primaire, il est clair qu'ils ont altéré mon concept de soi. Je peux voir les répercussions concrètes sur ma vie. D'abord, vous ne serez pas étonné d'apprendre que j'ai toujours été méfiant vis-à-vis de ceux qui représentaient une autorité quelconque. C'est devenu un élément de ma personnalité. Que ma perception et mes interprétations de ces événements soient justes ou non, tout cela n'en est pas moins réel pour moi. On peut arguer que j'avais mérité ce qui m'est arrivé. Mais je ne voyais pas cela ainsi à l'époque (ni maintenant du reste) et si c'est ainsi pour moi, alors c'est la réalité. Comprenez bien : j'ai été apprécié par des professeurs formidables tout au long de ma scolarité et j'ai toujours tenté de ne pas faire payer aux autres enseignants ou figures d'autorité les failles de Madame Johnson ou de Monsieur Welbourne. Quand on me demande : « Qui sont vos héros ? », je réponds sans hésiter : « Les enseignants qui font bien leur travail. » Pourtant, depuis ces deux incidents de Denver, je ne me suis jamais senti véritablement à l'aise dans un environnement académique ou devant quelque autorité que ce soit. Cela fait désormais partie de mon concept de soi.

Conclusion : entre la paranoïa d'un côté et la naïveté de l'autre, je suis loin d'être paranoïaque mais tout aussi loin d'être naïf et confiant. Je pense avoir été violenté émotionnellement et physiquement, cela m'a amené à n'avoir confiance qu'en moi, à me protéger moi-même et à faire en sorte que cela ne m'arrive plus jamais. Je refuse d'être sans défense et n'accorde à personne le « bénéfice du doute ». Je suis pleinement conscient que cette attitude est en relation directe avec ce qui est m'arrivé à l'école. Ces deux incidents font bien sûr partie de mes dix moments déterminants. Sont-ils des exemples positifs ou négatifs ? Je ne suis pas certain de la réponse, mais je sais qu'ils ont été déterminants. Sur le moment, ils étaient clairement négatifs, mais je ne suis pas certain qu'ils n'aient pas été aussi de très efficaces signaux d'alarme. Je ne souhaite à aucun enfant de ma connaissance de vivre de tels moments, mais je pense en avoir tiré profit. Les avis peuvent différer à ce sujet, mais ce dont je suis sûr, c'est que ce qui est arrivé m'a transformé.

Certains de nos moments clés sont de toute évidence négatifs, d'autres carrément positifs. Ces derniers consolident fortement notre moi authentique et nous font prendre conscience de nos capacités. Nous en tirons l'énergie émotionnelle et psychique qui nous soutient dans la vie.

Je me souviens d'une autre histoire de classe que m'a confiée une amie très proche un jour où je lui parlais de ce chapitre de mon livre. Je lui racontais mes expériences de classe de sixième et de cinquième lorsqu'elle me confia avoir été, elle aussi, très marquée par un événement en classe 3, mais de façon complètement opposée. Son histoire me toucha tant que je lui demandai si elle accepterait de la partager avec vous. Voici ce qu'elle a écrit pour que je le publie ici :

« J'ai toujours aimé l'école, c'était le seul endroit, avec l'église, où je me sois sentie valorisée en grandissant. J'adorais les livres. Ils étaient pour moi un moyen d'évasion, de croire que je pouvais devenir quelqu'un et faire quelque chose de ma vie. Les livres m'offraient cette perspective. Aussi quand Mademoiselle Driver, ma maîtresse de neuvième, nous demanda de lire *Honestly Katie John* (un livre de sixième, j'aime autant vous le dire), j'étais terriblement impatiente de relever le défi. Nous avions deux semaines pour le lire et rendre un devoir dessus ; j'avais terminé en moins d'une semaine ! Mademoiselle Driver était tellement fière de moi et de mon travail qu'elle me félicita devant toute la classe. Bien sûr, cela contraria mes camarades qui m'en voulurent, estimant que je les rabaissais. Mais Mademoiselle Driver ne s'en tint pas là, elle en parla *à tout le monde*, y compris aux enseignants en salle des professeurs. L'année suivante, ma nouvelle maîtresse, Madame Duncan, m'accueillit par ces mots : "Oh, je te connais, c'est toi qui lis et rends son travail en avance." Un de ces instants dans la vie qui changent tout. Je fus, sur-le-champ, transformée. C'était une révélation, je compris que quand on travaille dur et bien, les gens le remarquent, s'en souviennent et vous apprécient. Dans mon esprit d'enfant, je compris également que c'était parce que j'avais adoré ce livre qu'il avait été facile pour moi de rendre ce travail avant l'heure. Et je voulais tellement ressembler à l'héroïne qu'en rentrant chez moi, je tentai de semer ma peau noire de taches de rousseur ! »

Voici donc un *autre* moment clé dont le sous-texte serait : « Faites ce que vous aimez, ce qui vous passionne et tout sera beaucoup plus facile. »

L'amie qui m'a raconté l'histoire limpide de cette petite fille de neuvième s'appelle Oprah Winfrey. Elle explique aujourd'hui qu'il s'agit d'un des moments de sa vie les plus décisifs, dont elle s'est sentie le plus fière. L'envie d'apprendre l'avait conduite à se définir en relation étroite avec sa vérité personnelle qui s'était enracinée dans cette salle de classe. À partir de là, elle fut convaincue qu'elle arriverait à tout, en travaillant dur. Elle avait compris qu'un travail assidu et une authentique créativité pouvaient susciter le respect et donner de grands résultats. Durant les années qui ont suivi, elle a été soutenue et dynamisée en permanence par le souvenir de ce jour. Quand certains lui demandent comment une femme noire du Sud profond a pu ne serait-ce qu'envisager de faire une carrière de journaliste de télévision, elle se souvient de ce moment. Quand elle eut l'opportunité de présenter une émission matinale, certains dirent : « Elle ? Une grosse femme noire quasiment sans expérience ? C'est impossible. » Mais elle se rappelait la petite voix qui chuchotait à l'oreille de la petite fille de neuvième quand elle s'était assise pour écrire : « Je peux le faire parce que j'aime ça. » Et elle n'a jamais oublié la leçon : déterminée à mettre le talent qui lui a été donné au service de son travail et à y consacrer toutes ses forces, elle pourrait accomplir n'importe quoi.

Quand vous pensez à votre mémoire, vous y voyez sans doute à la fois un don et une malédiction. Nous sommes de bien piètres historiens des faits, mais nous brillons en histoire émotionnelle. La mémoire nous permet de voyager dans le passé, mais elle est loin d'être précise. Par contre, nous revivons les *sentiments* liés à un événement avec une acuité extraordinaire. Par exemple, rappelez-vous un Noël de votre enfance, je parie que non seulement vous vous souvenez de l'émotion ressentie sur le moment, mais que vous pouvez ressentir de nouveau la même émotion aujourd'hui ! Si vous brûliez de recevoir une bicyclette en cadeau, vous ressentirez de nouveau cette impatience. Si, le lendemain de Noël, le vélo n'était pas au pied de l'arbre, vous allez revivre la déception qui était la vôtre ce matin-là. Qu'on le veuille ou non, c'est ainsi que nous fonctionnons et il en va de même avec le souvenir que nous conservons de nos moments clés.

J'ai eu un patient de cinquante-deux ans qui évoqua devant moi un moment décisif pour lui, qui s'était produit quand il avait six ans. Richard traversait le pays en train avec sa mère quand il eut besoin, au tout début du voyage, d'aller aux toilettes. Ayant convaincu sa mère qu'il était un grand garçon et qu'il pouvait y aller tout seul, il se dirigea vers l'autre bout du wagon. Après être entré dans le petit local, il tourna le verrou ; malheureusement, quand il voulut sortir, il ne parvint pas ouvrir la porte. Il eut beau frapper de toutes ses forces, elle ne bougeait pas d'un pouce. Couverts par le vacarme du train, ses cris restèrent sans réponse. Nul ne pouvait l'entendre.

Après ce qui lui sembla durer des heures, Richard trouva enfin moyen de forcer la porte et revint tout tremblant vers sa mère. Des années plus tard, en parlant de cet incident, Richard décrivait avec éclat la peur et la colère qu'il avait ressenties et continuait à ressentir. Il se rappelait à quel point il avait été contrarié que sa mère ne vienne pas à son secours. Et c'est ainsi que furent jetées les prémices d'une vie faite d'isolement quasi total : Richard ne fit jamais plus confiance à personne et n'accepta pas plus l'aide qui pouvait lui être proposée. Aujourd'hui, il est claustrophobe et est pris de sueurs froides dès qu'il se trouve dans un espace clos comme l'ascenseur ou les toilettes.

La terreur que Richard avait éprouvée, *enfant*, ne s'était sans doute pas prolongée au-delà de dix minutes, mais, *adulte*, Richard éprouvait toujours le besoin de hurler. Il me dit avoir encore un goût de sel dans la bouche en y repensant.

S'il est vrai que cet incident aurait pu arriver à n'importe quel moment de la vie de Richard, qu'est-ce donc qui en fait pour lui un incident critique de son histoire ? Il est impossible de savoir avec certitude ce qui dans ses expériences passées – trahison, perte de contrôle – a pu se combiner avec cet épisode du train. Peut-être quelques sujets mineurs de peur, ou d'abandon, se sont-ils insinués en lui avant qu'il n'entre dans les toilettes. Mais, pour une raison ignorée, c'est ce moment précis qui, quand il l'évoque, le panique au point de lui donner la nausée. Avec une force accablante, cet épisode a concentré toute son énergie émotionnelle, toute son attention, toutes ses terminaisons nerveuses. En d'autres termes, l'aventure de Richard peut paraître tout à fait mineure par rapport à une vie où régnerait l'insécurité. Mais peut-être est-elle l'expression de toutes ses autres angoisses. Elle représente pour lui un moment clé qui a conditionné quarante-quatre ans de sa vie. Quoi qu'il ait vécu auparavant, l'incident des toilettes en demeure le point culminant. *Et cela a déterminé tout ce qui lui est arrivé depuis lors.*

Vos moments clés, tout comme les miens, sont les lignes de force de nos vies. Si nous n'y prêtons pas attention, nous sommes aveugles à nous-mêmes. Tant que nous ne les avons pas cernés, la vie demeure imprévisible, irrationnelle, inutilement confuse. Nous nous interrogeons à propos de notre comportement et espérons de meilleurs lendemains. Nous savons pourtant que nous avons vécu toute une gamme d'événements intéressants, et bien que leur souvenir émerge régulièrement, ce phénomène nous semble être le fruit du hasard et les souvenirs nous paraissent sans relation les uns avec les autres, ni avec notre présent. Nous pensons simplement : et alors ?

DES MOMENTS QUI NOUS CONDITIONNENT

Les récompenses et les punitions nous enseignent ce qu'il faut faire et ne pas faire, mais ce sont les moments déterminants qui modèlent notre attitude intérieure. Ils ancrent nos réactions émotionnelles au monde. Ils déterminent nos sentiments et nos réactions au stress auquel nous sommes inévitablement soumis. Ils sont si essentiels que, dans bien des cultures, ils ont été délibérément institués en rituels.

En Égypte ancienne, par exemple, on plaçait un individu sous terre dans un récipient rempli d'eau, lui laissant à peine la place de respirer. Au bout d'un jour, voire plus, la personne était libérée, la théorie étant que les expériences mentales qu'en garderait la personne seraient constituées des moments significatifs, des moments clés de son histoire. De nombreuses tribus d'Indiens d'Amérique envoient leurs adolescents dans le monde sauvage pour les confronter à un jeu avec la vie et la mort, comme tuer un ours ou passer la nuit sans abri, ni nourriture, tout en haut d'une montagne. Les danses du soleil et le séjour prolongé en chambres de sudation reproduisent ces conditions dangereuses et permettent aux participants de saisir le sérieux de la situation et de prendre pour eux-mêmes des décisions dont ils se souviendront plus tard.

Par contre, notre culture ne se soucie guère de ces moments déterminants. Pour le meilleur ou pour le pire, nous laissons le destin ou la chance s'en occuper et nous héritons d'une société où la plupart des individus sont modelés et menés par des événements dont ils ne savent rien.

Conclusion : qu'ils aient été planifiés ou non, ritualisés ou non, il y a eu dans votre vie des moments clés et vous devez les identifier, si vous voulez vous relier à votre moi authentique et maîtriser ce que vous désirez être et créer. Ils seront peut-être la porte qui mène à votre vrai moi. Je veux dire par là que ces expériences ont suscité une réponse en vous qui n'est peut-être pas authentiquement vous-même. En fait, ces moments déterminants peuvent avoir occulté vos forces en suscitant des émotions négatives qui vous ont accablé. Elles ont peut-être aussi engendré la peur de vous-même et du monde. Il est temps de mettre à jour vos moments clés, d'avoir une vision claire et profonde de ce qui vous a amené à ce que vous êtes et à ce que vous pensez de vous-même.

LES ENJEUX

En termes psychologiques, vous êtes sur le point d'entreprendre une « remémoration ». Se remémorer, c'est se souvenir de quelque chose sous deux aspects différents : l'événement et son incidence. Vous vous souvenez être tombé (événement) et la seconde chose dont vous vous souvenez, c'est de votre mère vous tenant dans ses bras (incidence) ; vous vous rappelez le chien en train de vous mordre, puis vous avez crié ; ou encore, vous avez fait un dessin et le maître vous a félicité.

Par nature, les souvenirs sont éphémères. Je doute que vous vous souveniez de votre premier papillon, de votre premier vélo, du goût de votre première glace. Mais lorsqu'un fait a eu des conséquences, il devient un événement de votre vie. Ce sont ces *conséquences*, la relation entre l'événement et son incidence, qui font tout l'intérêt des souvenirs. Ils deviennent de petites histoires auxquelles vous vous référez dans la suite de votre vie. Vous vous sentez en danger, et soudain vous vous souvenez être tombé. Vous souffrez de la solitude et vous vous souvenez avoir été mordu par un chien et de votre peur que personne ne vous vienne en aide.

L'exercice suivant est conçu pour découvrir quels sont ces moments importants pour vous. Ces questions vont vous aider à vous les remémorer. Pour vous faciliter la tâche, je les ai regroupées par tranche d'âge, mais il est bien clair que les moments déterminants ne dépendent pas de l'âge : ils modèlent votre relation au monde, quel que soit le stade où ils surviennent.

Pour plus d'efficacité, vous devez vous forcer à rassembler un maximum de détails à propos d'un souvenir, à être très minutieux. Décrivez les personnages, les faits, les circonstances, les émotions aussi clairement que possible ; vous avez besoin de toutes ces informations pour toucher au cœur de l'événement. Je vous interrogerai, par exemple, sur des détails physiques, tels que : où étiez-vous ? Quelles odeurs, quels goûts sentiez-vous ? Comment teniez-vous vos bras ? Comment respiriez-vous ?…

L'enjeu pour vous est aussi de vous souvenir de votre état émotionnel et mental. Préparez-vous donc à des questions comme : « Quels émotions ou changements intérieurs avez-vous éprouvés à ce moment-là ? », « Étiez-vous perdu ou en colère lorsque c'est arrivé ? », « Pensiez-vous que vous alliez mourir ? », « Étiez-vous en pleine confusion mentale, ou parfaitement lucide ? », « Avez-vous ressenti de l'amour ou de la haine ? »…

Ne vous en faites pas si vous ne vous remémorez pas de moments déterminants pour chaque tranche d'âge de votre vie. Ils se produisent à différentes périodes, on en rencontre souvent plusieurs sur des laps de temps très courts, en fonction des circonstances et de ses défis personnels à cette époque. Ne vous sentez pas paralysé par ces observations générales qui peuvent ou non s'appliquer à votre expérience personnelle.

Munissez-vous maintenant d'un cahier épais pour inscrire le détail de votre travail personnel – lequel est supposé rester TOTALEMENT CONFIDENTIEL ET SECRET.

Comme pour les autres exercices de ce livre, il ne s'agit pas de prendre des heures pour répondre à toutes les questions à la fois. On peut les effectuer petit à petit, une étape après l'autre, quand on en a le temps. Mais ils exigent une concentration totale. Choisissez un endroit tranquille où vous ne serez pas dérangé, un siège confortable, et le moment propice où vous ne risquez pas d'être interrompu. En d'autres termes, éteignez cette maudite télévision et envoyez les enfants au lit ou jouer dans leur chambre.

De 1 à 5 ans

En général, les événements propres à cette tranche d'âge et leur incidence sont essentiellement en relation avec les autres membres de la famille ou les premiers apprentissages, tels que les jeux, le premier jour de maternelle ou encore dormir dans le noir. La découverte du processus de vieillissement, que certains sont âgés et d'autres jeunes, peut aussi avoir été un pas important. Commencez à présent à noter ce qui, de ces années, est resté dans votre esprit et dans votre cœur. Ce sont des moments précis que nous recherchons, alors si vous avez en tête un événement, notez-le et commencez à répondre aux questions ci-dessous. Vous pouvez aussi être surpris et découvrir un moment que vous aviez oublié ou refoulé. Prenez soin de noter tous les détails possibles, au travers des questions que je vais vous indiquer. Observez ces événements comme un tiers, un journaliste qui établirait les faits avec votre aide, cela vous facilitera la tâche.

Prenez le premier moment que vous avez choisi, détendez-vous et repassez dans votre tête tous les détails qui le concernent. Revivez l'incident et laissez vos cinq sens jouer leur rôle dans la collecte d'informations.

Réfléchissez à ces questions :

1 – Où êtes-vous à ce moment-là ?

2 – Quel âge avez-vous et à quoi ressemblez-vous ?

3 – Qui est avec vous ou qui est censé l'être ?

4 – Pourquoi ce moment est-il tellement significatif ?

5 – Quelles émotions ressentez-vous à ce moment-là ? Solitude ? Colère ? Peur ? Trouble ? Joie ? Force ? Abandon ?

6 – Si cela était possible, comment voudriez-vous transformer cette situation ?

7 – Que ressentez-vous mentalement et physiquement ? Êtes-vous dans le brouillard ou est-ce très clair ? Que sentez-vous comme parfum, comme goût ? Quel sentiment éprouvez-vous ? Êtes-vous gai ou triste ? Avez-vous mal ? Êtes-vous affaibli, paralysé ?

8 – À qui voudriez-vous parler à ce moment-là si vous le pouviez ?

9 – Que vous dites-vous ?

10– De quoi avez-vous besoin immédiatement, plus que tout au monde ?

Une fois que vous aurez répondu, à propos d'un incident de votre vie, passez à un autre. Prenez le temps nécessaire pour rassembler et décrire le plus grand nombre de moments possible. Ensuite, pour chacun d'entre eux, répondez toujours par écrit à ce qui suit :

1. Comment vous sentez-vous *maintenant* ?

2. Quelles émotions éprouvez-vous *maintenant* ?

3. Que pensez-vous de ces événements *aujourd'hui* ?

4. Quelle force et quelle indépendance avez-vous perdues à travers cet événement, s'il est négatif (s'il est positif, qu'avez-vous appris ou gagné ?) ?

De 6 à 12 ans

Ce sont les années de classe, où l'enseignant prend pour la première fois la place des parents et où vous rencontrez plein de nouveaux enfants. Vous étiez la petite merveille dans votre famille, maintenant vous devez vous affirmer face à ce nouveau groupe. Y a-t-il eu des moments déterminants pour vous durant ces années-là ? Reprenez les dix questions précédentes et répondez-y pour cette tranche d'âge.

Souvenez-vous de bien noter le maximum de détails. Puis, répondez avec soin et précision à ce qui suit :

1. Comment vous sentez-vous *maintenant* ?

2. Quelles émotions éprouvez-vous *maintenant* ?

3. Que pensez-vous de ces événements *aujourd'hui* ?

4. Quelle force et quelle indépendance avez-vous perdues à travers cet événement, s'il est négatif (s'il est positif, qu'avez-vous appris ou gagné ?) ?

De 13 à 20 ans

Les tourments et la frustration sont caractéristiques de l'adolescence. Nous apprenons à devenir adulte, à rompre avec notre famille et à découvrir la grande affaire qu'est le sexe. De nouveaux désirs apparaissent dans notre vie. Par exemple, s'alimenter devient moins important que les relations sociales. Le désir de vous intégrer à un groupe peut se révéler déterminant pour vous. L'amour aussi peut être source de grande confusion. Certaines formes d'initiation comme les « rites de passage » peuvent marquer l'accession à l'âge adulte. À des degrés variés, vos pensées sont tournées vers l'avenir.

Quels ont été les moments déterminants de cette période ? Rassemblez-les dans votre souvenir, puis notez-les, en stimulant votre mémoire par les dix questions précédentes. Cherchez tous les détails possibles. N'oubliez pas d'identifier les gens qui y sont impliqués.

Une fois que vous vous serez replongé dans cette période, de nouveau demandez-vous :

1. Comment vous sentez-vous *maintenant* ?

2. Quelles émotions éprouvez-vous *maintenant* ?

3. Que pensez-vous de ces événements *aujourd'hui* ?

4. Quelle force et quelle indépendance avez-vous perdues à travers cet événement, s'il est négatif (s'il est positif, qu'avez-vous appris ou gagné ?) ?

De 21 à 38 ans

Généralement, c'est la période où l'on devient citoyen d'une communauté, où l'on prend des responsabilités dans son travail et où l'on crée une famille. On découvre le dur métier de parent et on apprend à être un partenaire de vie. À ce stade, nous sommes souvent confrontés à notre manque de savoir dans des domaines comme le pouvoir et l'autodiscipline. Les défis auxquels nous faisons face peuvent aussi renouveler l'admiration que nous portons envers nos parents ou les figures importantes de notre enfance.

Les dix questions précédentes vous aideront à noter vos souvenirs de ces années-là, de façon détaillée et précise. Notez les réponses concernant le plus grand nombre de moments déterminants de cette période. Puis, de nouveau :

1. Comment vous sentez-vous *maintenant* ?

2. Quelles émotions éprouvez-vous *maintenant* ?

3. Que pensez-vous de ces événements *aujourd'hui* ?

4. Quelle force et quelle indépendance avez-vous perdues à travers cet événement, s'il est négatif (s'il est positif, qu'avez-vous appris ou gagné ?) ?

De 39 à 55 ans

À cet âge-là, généralement, débute une nouvelle époque de la vie. Vous avez réalisé votre vocation et vous voyez assez clairement votre avenir. Riche ou non, il se peut que vous viviez ce dont vous avez toujours rêvé. Vous avez accompli votre devoir vis-à-vis de la communauté. C'est maintenant le moment de votre vie où vous pouvez davantage vous préoccuper de vous-même.

Laissez votre esprit parcourir ces années et voyez ce qui remonte. Pour chaque souvenir, répondez par écrit aux dix questions précédentes. Puis, en relisant vos réponses, considérez les questions qui suivent :

1. Comment vous sentez-vous *maintenant* ?

2. Quelles émotions éprouvez-vous *maintenant* ?

3. Que pensez-vous de ces événements *aujourd'hui* ?

4. Quelle force et quelle indépendance avez-vous perdues à travers cet événement, s'il est négatif (s'il est positif, qu'avez-vous appris ou gagné ?) ?

À partir de 56 ans

Cette période ne représente plus pour personne la fin de la vie. Pour la plupart d'entre nous, c'est le moment de la retraite, on abandonne ses responsabilités au sein de la communauté et de la famille. Notre vitalité physique diminue et nous sommes confrontés à nos limites. Beaucoup des moments déterminants de cette période surgissent dans le contexte relationnel. On délègue ses responsabilités et on devient plus proche des autres, moins compétitif.

Quels souvenirs retenez-vous de cette époque ? Une fois encore, je vous rappelle que ces souvenirs n'ont rien à voir avec ce que je vous ai présenté, mais avec *ce qui compte pour vous*, sans tenir compte du lieu ou du moment. Répondez aux dix questions précédentes en pensant à ces événements.

Et pour finir, répondez de nouveau par écrit à ce qui suit :

1. Comment vous sentez-vous *maintenant* ?

2. Quelles émotions éprouvez-vous *maintenant* ?

3. Que pensez-vous de ces événements *aujourd'hui* ?

4. Quelle force et quelle indépendance avez-vous perdues à travers cet événement, s'il est négatif (s'il est positif, qu'avez-vous appris ou gagné ?) ?

RELIER LES POINTS ENTRE EUX

Avant de poursuivre, jetez un œil sur ce que vous avez écrit. Observez de nouveau ces tranches d'âge et voyez si vous pourriez en dégager un moment déterminant. Par la même occasion, n'auriez-vous pas évité d'aborder l'un d'entre eux ?

Souvenez-vous que les monstres et les fantômes opèrent dans le noir. Le travail que vous entreprenez est destiné à vous aider à allumer les projecteurs. Ayez le courage de noter tous les moments déterminants dans votre journal. Si vous refusez, si vous préférez vous enfouir la tête dans le sable, plutôt que d'y faire face, cela signifie que vous trichez avec vous et avec ceux que vous aimez.

Si vous avez accompli ces exercices honnêtement et méticuleusement, vous avez certainement défini plusieurs moments extrêmement importants pour votre expérience de la vie et le développement de votre concept de soi. Ce sont les bases de votre façon de voir présente. Il est temps maintenant de relier entre eux vos moments clés et de découvrir les fondations de ce que vous êtes devenu.

Essayer de regarder et d'évaluer sa vie en son entier peut être accablant : il y a tant à passer au crible, tant à se remémorer.

Je ne vous en demande pas tant, je veux que vous passiez en revue *uniquement* les moments clés que vous venez de détailler et que vous examiniez le retentissement qu'ils ont pu avoir. Les étapes suivantes, par une approche structurée, vous donneront des armes pour aborder votre grande histoire personnelle.

1. Faites la liste de vos moments clés, puis décrivez chacun d'entre eux, en un bref paragraphe.

Voici comment travailler : regardez ce que vous avez noté pour votre premier moment, trouvez un titre ou un intitulé de chapitre qui le caractérise, une phrase ou une expression. Pour moi, ce pourrait être : « La fois où Madame Johnson m'a attrapé ».

Ensuite, sous chaque titre, écrivez un court paragraphe qui résume l'essence de l'événement. Vous pouvez prendre comme modèle ce que j'ai écrit de mon aventure avec Madame Johnson, bien que ce soit un peu plus long que ce que je vous demande. Condensez le tout en un paragraphe. Allez droit à l'essentiel.

À la fin, vous aurez sans doute dix paragraphes, un par épisode ; peut-être en aurez-vous plus, ou moins. N'importe, il est essentiel que vous saisissiez tous ces événements et que vous identifiiez les gens qui y sont mêlés.

2. Pour chaque moment clé, définissez votre concept de soi « avant » et « après ».

Quel aspect, quelle dimension de votre concept de soi a été impliqué ou affecté dans ce moment ? Peut-être était-ce votre confiance ? Peut-être ce moment a-t-il modifié votre conception de la paix, de l'espoir, de l'ambition, de la joie ou de l'amour ? Quel que soit l'aspect qui a été affecté, indiquez-le par écrit.

Maintenant, sous chaque aspect, écrivez comment vous vous sentiez :

— juste *avant* que le moment déterminant n'ait lieu ;

— puis *après* qu'il a eu lieu.

En d'autres termes, s'il a affecté votre confiance en vous, comment étiez-vous dans ce domaine avant et après ce moment clé ? Quelle différence voyez-vous ? Considérez ces instantanés avant/après comme l'un des éléments de votre concept de soi.

Prenons l'exemple de mon histoire avec Madame Johnson. Avant cet incident, je n'avais pas vraiment d'idée sur mon besoin ou ma capacité à me protéger moi-même. Cette responsabilité, à mes yeux, incombait entièrement aux adultes. Vous pouvez dire que j'étais typique d'un gamin de sixième sans problème. J'avais pour philosophie de m'adapter quoi qu'il arrive. Quand j'ai eu besoin de me protéger, j'ignorais totalement comment faire. Selon moi, je n'étais qu'un enfant, et c'étaient les adultes, les enseignants, mes parents qui avaient à assurer mon bien-être et ma sécurité.

Au contraire, à la suite de cet incident déterminant, j'ai compris que c'était terminé. Désormais, je devais et je pouvais me défendre. Plus question d'attendre que les autres s'en chargent à ma place. De plus, j'ai appris que prendre parti pour ce que je croyais juste ne serait pas toujours populaire auprès de ceux qui n'avaient pas en tête les mêmes intérêts. Après avoir été accompagné jusqu'à la porte de l'école à travers le grand hall d'entrée, alors que j'étais supposé mourir de honte, j'ai malgré tout pensé que j'avais bien agi. Je m'étais dressé et j'avais défendu mes amis ainsi que moi-même contre des enfants et des adultes qui avaient tort. Je me suis fait renvoyer de l'école mais *je n'avais pas honte*. Je recommencerais s'il le fallait. J'avais remarqué autre chose : durant mon trajet vers la sortie, je n'avais lu aucune condamnation dans les yeux des enfants qui me dévisageaient. Ils savaient et je savais qu'ils savaient : l'un d'entre eux, l'un de nous, avait tenu bon.

3. Écrivez un paragraphe qui décrira l'effet résiduel à long terme de ce moment déterminant.

Comment vous a-t-il affecté, à long terme ? Vous noterez ici les aspects de vous-même, les qualités ou leur absence, qui ont découlé de cet événement. Votre paragraphe pourrait commencer ainsi : « À la suite de ce moment clé, je crois que j'ai vécu avec une tendance à être X, ou une vision de la vie régie par un concept de soi dominé par Y. » Mon paragraphe pourrait commencer ainsi : « Le résultat de mon expérience en sixième, c'est que je suis devenu un peu cynique, mais aussi très indépendant. Je ne fais pas aveuglément confiance à l'autorité. Je crois fermement que si je ne me dresse pas, personne ne le fera. Je reconnais que je ne peux pas attendre que qui que ce soit prenne soin de moi dans la vie, etc. » Utilisez un langage précis pour désigner les séquelles en vous, à long terme, de cet incident. En quoi cela vous a-t-il déterminé ?

4. Notez comment et pourquoi vous pensez que ce moment déterminant a consolidé ou affaibli votre moi authentique.

Par exemple, je peux vous dire que mon expérience de sixième m'a fait comprendre que j'étais quelqu'un de bien et d'honnête, que j'avais le courage de mes convictions. Cela m'a montré que, lorsqu'il l'avait fallu, j'avais fait ce que je pensais devoir faire. Il ne s'agit pas de m'envoyer des fleurs, mais je suis sorti de là avec une confiance paisible en moi. Je ne m'étais jamais retrouvé dans la gueule du loup auparavant, je n'avais jamais eu à tester mon caractère. Ce moment déterminant m'a permis d'établir un lien avec moi-même. En nous bagarrant, le dos au mur, nous avons appris sur nous et sur les autres, au cours de ces moments déterminants. J'ai vu que dans un conflit qui m'opposerait aux autres, mon moi survivrait. L'immense sentiment de paix qui m'a envahi était un message valorisant issu de mon moi profond. Événement négatif, effet positif.

5. Retournez à votre interprétation et à votre réaction au moment déterminant. Pensez-vous que votre interprétation était appropriée ?

Revoyez vos réponses aux questions 2, 3 et 4. Vous avez maintenant l'avantage de la distance. Étudiez-les avec le temps, l'objectivité, la maturité et l'expérience qui vous manquaient lorsque vous étiez au cœur de ce moment clé.

Et maintenant, demandez-vous : mon interprétation est-elle correcte ? Ai-je exagéré ou transformé les faits d'une certaine manière ?

Ainsi, avec tout le respect que je dois à l'enfant que j'ai été en sixième, je pourrais reconnaître que j'avais mérité en partie ce qui m'est arrivé et « minorer » par là même l'immense blessure ressentie quand j'avais onze ans. Comprenez bien qu'il ne s'agit pas de nier cet épisode en tant qu'adulte, mais l'avantage de l'âge me permet de voir que je n'étais pas entièrement victime.

Prenez un peu de temps pour vérifier la nature particulière de votre moment clé. Étiez-vous vraiment la victime que vous avez cru être ? Étaient-ce bien la victoire, le manque ou l'issue que vous avez retenus ? Si vous vous êtes planté sur cet épisode, c'est le moment de le reconnaître, par écrit.

6. Pensez-vous devoir garder ou rejeter cet épisode au tribut de votre concept de soi ? Expliquez pourquoi en un paragraphe.

Ici, vous devez évaluer ce qui demeure en vous du moment déterminant. Si c'est négatif, soyez assez honnête pour le dire. Si, par ailleurs, une épreuve douloureuse vous a appris quelque chose de valable et de positif sur vous-même, alors soyez assez sincère pour le reconnaître. Que le résultat soit positif ou négatif, expliquez-vous-en par écrit.

Par exemple, à onze ans, je n'avais jamais répondu à un adulte, je ne m'étais jamais méfié. Eh bien, aussi difficile qu'ait été pour moi ce moment, il a suscité chez moi un grand degré d'indépendance et la conscience aiguë que je devais moi-même prendre soin de moi. Enfin, cela a effacé pour toujours ma confiance aveugle en ceux qui représentent l'autorité. Voilà ce que j'écrirais en réponse à cette question. Je ne voudrais pas revivre ce moment mais, en même temps, je vois qu'il a fait naître en moi des traits de caractère qui m'ont été très utiles, merci infiniment.

Supposons, malgré tout, que ce moment déterminant ait eu un effet tout à fait différent sur moi, que je sois, par exemple, devenu une sorte de rebelle paranoïaque, incapable de fonctionner dans la société, voyant un danger en chaque être qu'il rencontre. Si une vie aussi misérable me semblait prendre ses racines dans ce moment déterminant, alors je l'écrirais ici, en répondant à cette question. Et je dirais clairement que mon moi authentique n'a rien eu à gagner à cet incident. Je concluerais que cet événement n'a révélé aucune partie de mon moi authentique, mais, à l'opposé, est devenu une partie de mon soi fictionnel. Dans cette mesure, il est le résidu d'un monde qui avait corrompu la juste opinion que je pouvais avoir de moi-même.

7. Revoyez ces moments déterminants comme un tout, une toile de fond du concept de soi, selon lequel vous avez vécu.

(Souvenez-vous que vous devez répondre aux questions des points 1 à 6 des pages 142 à 145 pour chaque moment déterminant, avant d'en venir à la question suivante.) Le but est ici d'identifier une *tendance générale ou un modèle de fonctionnement*, à partir des dix moments clés que vous avez identifiés. D'un point de vue global, estimez-vous que ces moments clés ont affecté votre vie en positif ou en négatif ?

Jeune homme, Benjamin Franklin avait l'habitude de mettre à l'épreuve ses décisions et de retracer les événements de sa vie de la façon suivante : il dessinait un grand T sur une feuille de papier ; puis, du côté gauche, il inscrivait la liste de tous les aspects positifs de la décision ou de l'action et à droite les aspects négatifs. Ces deux colonnes l'ont toujours aidé à ramener à l'essentiel les problèmes les plus complexes. Je vous conseille d'utiliser ici la même technique. Reprenez parmi vos réponses ce qui, dans votre vie, s'est révélé être un résultat de vos moments déterminants et cherchez-en les spécificités. Du côté gauche de votre T, par exemple, vous pourriez noter les qualités positives comme « gentil », « généreux », « réfléchi » ; du côté droit les aspects négatifs, « peureux » peut-être, « hésitant » ou « amer ». Ne vous arrêtez pas avant d'avoir relu tout ce que vous avez écrit pour les points 1 à 6.

À présent, regardez votre T : certains aspects de votre concept de soi deviennent clairs. Pour beaucoup, regarder ce graphique, c'est comme allumer la lumière, c'est un moment d'illumination. « Pas étonnant que le monde me rende fou en permanence », » Pas étonnant que je ne puisse entretenir une relation durable avec le sexe opposé », « Pas étonnant que ma relation avec mes enfants soit si difficile et si maladroite »… Si vous faites sérieusement et honnêtement cet inventaire de vos moments déterminants, cela vous apportera un éclairage pointu sur votre concept de soi. Votre moi fictionnel apparaîtra au grand jour. Et vous aurez fait un pas important vers votre moi authentique.

Ce processus de redécouverte nécessite encore bien du travail, mais soyez en même temps persuadé d'être sur la bonne voie. Réfléchissez à ces mots : « Ainsi va la vie ! » ; et voyez ce qu'ils signifient dans la vôtre. Oui, vous avez vécu des moments clés. Oui, ils ont eu une incidence sur d'innombrables instants depuis lors. Mais souvenez-vous aussi que désormais vous êtes le manager de votre vie. C'est à vous seul de décider de la signification pour vous de « Ainsi va la vie ! ».

CHAPITRE 5

Vos sept choix déterminants

« J'ai rarement été capable de voir une opportunité avant qu'elle n'ait cessé d'en être une. »

Mark Twain

Votre vie exige de vous des choix. Un jour ou l'autre, quelqu'un ou quelque chose vous demande de prendre une décision. Le choix est un acte auquel vous ne pouvez échapper : qu'il s'agisse de ce que vous voulez, de l'endroit où vous voulez aller, de quelle voiture acheter, de savoir si vous devriez seulement juste vivre ensemble ou faire le grand plongeon et vous marier, ou si vous devriez dire à votre mère ce que l'oncle Bill vous a fait à Noël dernier. Devez-vous essayer la drogue ou refuser, devez-vous croire ce que disent les enfants, n'est-il pas temps de mettre maman dans une maison de retraite, allez-vous accepter ce travail ou vous débrouiller pour rester à la maison avec les enfants, devez-vous croire en Dieu ? Des choix, des choix, des choix, impossible d'y échapper. Honnêtement, vous savez qu'à certains moments, vous avez avancé droit devant vous et fait des choix avec conviction et clarté. À d'autres, vous vous êtes comporté comme une poule mouillée, vous espériez que quelqu'un d'autre prenne cette décision pour vous, simplement parce que vous n'aviez pas le cran ou l'énergie d'affronter la pression. Ce que vous n'avez peut-être pas compris, c'est qu'avec ce « non-choix », vous étiez en train d'accomplir un choix.

Même en courant vite, et aussi loin que vous vous cachiez, vous ne pouvez pas ne pas choisir.

Comme c'est le cas pour tous au quotidien, certains de vos choix ont été heureux, d'autres furent des échecs retentissants. Malheureusement, tous vos choix, bons ou mauvais, présentent la caractéristique d'être redoutablement importants dans votre vie. Le droit de choisir est à la fois un fardeau et un privilège, et ceci commence dès le plus jeune âge.

Au début, la question est simple : « Est-ce que je mange d'abord mes petits pois ou mes carottes ? » Bien vite, cela se complique. À mesure que l'on grandit, que l'on devient plus fort et plus « intelligent », le sérieux et l'impact de nos choix s'intensifient, tout comme notre capacité à tout gâcher ou à faire *peser ce choix dans la balance*. Même si cette attitude est très répandue, je suis toujours étonné de voir des parents tenter de rationaliser le comportement de leur cher futur petit tueur en série, en niant qu'il est depuis toujours une véritable tête à claques : « Billy était un enfant difficile, c'est certain. Il entrait souvent dans des colères noires au collège, mais rien de grave. Tout s'est bien passé jusqu'à ses quinze ans. Nous ne comprenons pas. Jusqu'ici, il n'a jamais eu de démêlé avec la justice. Il avait seulement l'air de déprimer d'un jour à l'autre. »

Parfait, mais devinez quoi, chers amis : il est rare qu'un enfant de cinq ans ait maille à partir avec la police, batte ses professeurs, consomme de la drogue, vole des voitures et soit arrêté. Non qu'un enfant de cet âge ne le ferait pas s'il le pouvait, mais à cinq ans, il n'en a pas *la capacité*. À cet âge, il n'a la possibilité d'exprimer sa révolte ou son inadaptation qu'à travers un accès de colère, la bouderie ou les grosses bêtises. Tout comme vous, la capacité d'un enfant à faire de mauvais choix et à persévérer dans cette voie s'amplifie de façon exponentielle quand il devient assez grand et assez fort pour que les conséquences de sa conduite soient importantes. Si notre affreux Jojo n'a pas vraiment fait de bêtises, ce n'est pas qu'il n'était pas dénaturé, mais qu'il ne lui est simplement jamais arrivé de voler une voiture ou de l'argent. Parce qu'il était impuissant à agir à ce niveau. Il en va de même pour vous. En grandissant, votre charge augmente en proportion des gens dont vous avez aujourd'hui la responsabilité. Vos choix comptent depuis votre naissance et cet impact – sur le plan légal, moral, physique, financier et social – ne fait que grandir avec l'âge. Qu'il s'agisse de ceux que vous avez faits, que vous soyez jeune ou vieux, ou de ceux que vous vous apprêtez à faire, vos choix déterminent largement le cours de votre vie actuelle.

En bref, à la différence de ces moments clés que vous n'avez pu contrôler, les choix que vous avez faits et ferez dans votre vie relèvent de votre responsabilité à 100 %. Certains ont transformé votre vie de façon considérable et durable. Ce sont ces choix que nous devons revisiter et éclaircir.

L'enjeu de ce chapitre est simple :

Identifier les sept choix les plus déterminants de votre vie et la façon dont votre concept de soi a été modelé par les conséquences de ces choix.

Si vous m'avez bien suivi, vous avez compris que votre concept de soi est le produit de certains échanges avec le monde, autrement dit de l'impact de certains événements, de certains choix, de certaines personnes *et,* parallèlement, de la façon dont vous recevez intérieurement ces événements, ces choix et ces personnes. Ces trois points travaillent à modeler votre concept de soi, mais ici l'objectif premier est de vous aider à identifier l'impact des choix que vous avez faits et qui gouvernent encore votre vie en ce moment même. Certains de ces choix et les réactions qu'ils ont suscitées en vous ont eu des effets majeurs : ils ont altéré votre perception de vous-même et dénaturé vos attentes et votre relation au monde.

Souvenez-vous : vous avez pris une part active à la création de votre moi. Quand vous réagissez à ce qui se passe dans votre vie, vous exercez un choix intime. Nous en reparlerons plus tard. Pour l'instant, contentez-vous d'observer comment ces réactions internes, tout comme votre comportement extérieur, font inévitablement l'objet d'un choix. Autrement dit, à travers vos décisions et vos choix, internes ou externes, vous avez été partie prenante dans le développement de votre concept de soi. C'est maintenant qu'il faut dresser l'inventaire de ces facteurs.

À l'instar des dix moments clés du chapitre précédent, la plupart de vos choix opèrent en synergie. Nous sommes chaque jour conduits à prendre tellement de décisions qu'il serait bien difficile de récapituler tous nos choix du vendredi précédent et a fortiori tous ceux que nous avons faits depuis notre naissance. Pourtant, étonnamment, seul un petit nombre d'entre eux peuvent transformer notre vie. Il s'agit des *sept choix déterminants* qui ont modelé votre existence, en positif ou en négatif. Lesquels jouent un rôle essentiel dans votre construction individuelle. Retrouvez et comprenez-les, vous aurez accès à une somme impressionnante d'informations sur vous et votre concept de soi, sur vous et votre avenir.

À chaque fois que je pense à l'impact de ces choix, je repense à mon copain de lycée Dean et à ses paroles de désarroi : « Mon Dieu, que s'est-il passé ? » Durant toute notre scolarité au lycée de Kansas City, nous étions inséparables. Nous allions en cours ensemble, nous faisions du sport ensemble, nous déjeunions ensemble et, toujours ensemble, nous passions nos week-ends à draguer les filles. Nous avions trouvé tous les deux un petit emploi de manœuvres dans un entrepôt de la périphérie. Les horaires étaient épouvantables, le travail pire encore, mais le peu d'argent gagné nous permettait de nous livrer à notre passion – retaper de vieilles voitures – et d'inviter les filles avec qui nous sortions. C'était assez enivrant pour des garçons qui ne venaient pas, disons, du quartier le plus huppé de la ville.

La dernière année de classe touchait à sa fin et nous commençâmes pour la plupart à réfléchir à notre orientation future. Dean, lui, était tombé éperdument amoureux d'une fille de l'école. Très vite, il parla au directeur de la société où nous travaillions d'un poste qui se libérait. Comparé à notre emploi d'alors, il s'agissait d'un avancement. Les responsabilités étaient importantes et, plus intéressant encore, le salaire allait de pair. C'était celui de *gens normaux*, et non d'étudiants, neuf ou dix mille dollars par an, une fortune à l'époque pour un garçon d'origine modeste. Quelques jours après la remise des diplômes, tandis que nous nous projetions dans la prochaine phase *préparatoire* de notre vie, Dean fit un choix. Il en avait marre des études, il était temps pour lui de vivre. Vu notre âge, tout semblait bien commencer pour Dean : il eut bien vite un joli appartement, une stéréo d'enfer, ainsi qu'une camionnette flambant neuve. La date de son mariage était fixée. Un peu plus tard, durant l'été, il fit une grande fête avec tous ses amis pour enterrer sa vie de garçon et, à cette occasion, nous admirâmes sa voiture, nous fîmes rugir le moteur et respirâmes la merveilleuse odeur de neuf. Puis, nous visitâmes son appartement, émerveillés qu'un garçon de notre âge possède tous ces *meubles*. Nous étions sacrément jaloux de notre copain Dean. Bientôt, je fis mes bagages qui se résumaient à trois taies d'oreiller et partis pour l'université, sans un rond, mais les yeux brillants...

Je ne vis plus Dean pendant un certain temps. Nos chemins s'étaient séparés et nous vivions à présent dans deux mondes totalement différents. J'appris bientôt, par le bouche-à-oreille, qu'il avait perdu son fameux emploi. Bien sûr, nous nous demandions ce qu'ils devenaient, lui et sa jeune femme, mais la pression des études nous empêcha de nous en soucier davantage. Bientôt, nous apprîmes que le mariage de Dean était aussi tombé à l'eau. Je repris contact avec lui un jour où je passais dans le coin. Dix ans s'étaient écoulés, il était, maintenant, manager de nuit d'un magasin ouvert 24 heures sur 24. Il vivait seul, dans le même appartement, et avait toujours la même voiture. Nous avons ri en évoquant le bon vieux temps, je lui parlai de mon travail et il se moqua de moi en m'appelant « Docteur Mac Graw », et me déclarant « qu'il n'accepterait même pas que je soigne son chien ». Je lui répondis que ce devait être une expérience peu banale et fort intéressante pour le chien de vivre avec lui, vu qu'il est assez rare qu'un corniaud soit le membre le plus malin de la maison. Après cet échange, nous nous donnâmes des nouvelles de nos familles respectives et de nos vies en général, puis Dean resta silencieux. Au bout d'un moment, il lâcha : « Mon Dieu, Phil, qu'est-ce qui s'est passé ? Nous étions comme des jumeaux au lycée, inséparables. Nous avons grimpé ensemble de classe en classe, nous nous sommes fait virer ensemble, nous nous sommes enfuis avec la police à nos trousses, nous avons passé des heures sur les mêmes trottoirs et nous avions les mêmes amis. Bon sang, nous étions comme les pois d'une même cosse. Et voilà que dix ans plus tard, je bosse dans l'équipe de nuit d'un libre-service et toi tu es médecin ! Qu'est-ce qui s'est passé ? »

J'aurais peut-être préféré me contenter de fixer le bout de mes chaussures, mais je me souviens avoir répondu : « Il s'est passé que tu as fait ton choix, et moi le mien. Nous avons, chacun, fait ce que nous avions décidé de faire. Nous en avions choisi aussi les conséquences. » Dix ans plus tôt, il avait voulu se marier et prendre un emploi « d'adulte », tandis que nous nous apprêtions à vivre chichement pendant les quatre ans à venir. Il avait opté pour une position apparemment sûre, tandis que nous prenions le risque que s'offrent à nous de multiples voies, une fois nos diplômes acquis. Maintenant nous y étions et Dean enchaînait les emplois sans avenir. Il aurait pu commencer maintenant des études supérieures, mais il avait trop de dettes pour l'envisager. Autrement dit, le choix de ses dix-huit ans – avoir un peu tout de suite plutôt que beaucoup, mais beaucoup plus tard – connaissait une issue déterminante. Cela dit, tout le monde n'est pas obligé d'aller à l'université et sa décision aurait pu se révéler judicieuse, mais tel n'a pas été le cas. Ainsi que je l'ai déjà dit, lorsque vous adoptez un comportement, vous en adoptez les conséquences. Dean aurait certainement placé en tête de la liste de ses sept choix déterminants son désir de gratification immédiate, c'est-à-dire se marier et avoir un bon salaire.

Le moment est venu de recenser les différents carre-fours que vous avez rencontrés dans votre vie : quels choix avez-vous faits alors, pourquoi, et enfin quels résultats en ont découlé selon vous ? Il vous faut reconnaître et mettre en lumière les choix que vous avez faits pour vous-même, et ceux, au contraire, que vous avez *choisi* qu'on fasse pour vous.

Au cours de cette démarche, pour que nous puissions travailler ensuite avec cette information, il peut vous être utile de vous arrêter à certaines des « raisons » dissimulées derrière vos choix. Quels facteurs sont entrés en jeu au moment de la décision ? En commençant la recherche de vos sept choix déterminants, gardez bien à l'esprit que des motivations ou des nécessités diverses ont guidé ces choix. Ce qui est le lot de chacun. Nous sommes en fait soumis à une échelle de besoins et, tant que le premier échelon n'est pas satisfait, nous ne pouvons, ni ne désirons passer au niveau suivant. En voici une liste :

- La Survie.
- La Sécurité.
- L'Estime de soi.
- L'Amour.
- L'Expression personnelle.
- L'Épanouissement intellectuel.
- L'Épanouissement spirituel

Vous noterez que le premier de tous est tout simple-ment la survie. Il s'agit du plus basique de tous les instincts, et il doit être satisfait avant que vous ne puissiez combler un autre besoin comme la sécurité, l'estime de soi ou l'amour. Il est important de comprendre pourquoi vous privilégiez certains choix et en négligez d'autres. Examinons à présent chacun de ces besoins.

La survie

Avant d'envisager quoi que ce soit, qu'il soit clair que votre moteur essentiel a toujours été et demeure la survie. C'est le premier de tous les instincts et le plus puissant, présent dès votre premier souffle. Ne le considérez pas à la légère, il est de la plus grande importance car, dès votre plus jeune âge, vous avez commencé à faire des choix et vous êtes façonné par leurs conséquences.

À votre naissance, bien entendu, vous étiez totalement vulnérable. Une communauté, probablement votre famille, vous a accueilli avec enthousiasme, vous a protégé, a pris soin de vous, mais tout cela avait un prix : vous avez dû vous conformer aux valeurs, aux modèles et aux demandes de cette communauté pour être certain qu'elle vous adopte. Vous avez dû vous nourrir, vous comporter comme ses membres, apprendre à parler leur langue, vous adapter à leur environnement. Au début, bien entendu, ils prenaient les décisions pour vous. Mais quand vous avez été assez âgé pour commencer à prendre des décisions, en toute conscience, vous avez peut-être choisi de ne pas suivre les règles de cette communauté, et ainsi êtes-vous devenu un marginal, un ennemi à ses yeux. Ce qui a pu vous rendre vulnérable et vous valoir même quelques brimades. Je le répète, ces aspects sont déterminants. Peut-être avez-vous donc été conditionné très tôt à faire des choix motivés avant tout par *la peur*.

Songez combien cette expérience précoce et le besoin d'obtenir l'approbation des autres pour vivre en paix a pu contaminer d'autres domaines et décider de vos choix, une fois adulte. Vous aurez ainsi appris à faire des choix, dont l'enjeu principal était de plaire aux autres, pas à vous-même, non, aux autres. Si cette tendance a pris naissance quand il s'agissait d'une question de survie, vous imaginez combien elle a pu s'ancrer profondément en vous. La peur de déplaire, au lieu de questionner et de réfléchir, peut être un choix essentiel, que vous n'êtes peut-être même pas conscient d'avoir fait. Vous pouvez également avoir été conditionné à abandonner votre pouvoir et à considérer vos désirs et vos besoins personnels comme secondaires. Vous avez senti et vous êtes persuadé qu'il était essentiel pour votre survie de vous conformer. Aussi êtes-vous maintenant convaincu que vous mettriez en danger votre emploi et vos revenus, et par le fait même, votre toit et votre vie quotidienne, si vous ne vous montriez pas paisible et complaisant en toutes circonstances. On comprendra que ce puisse être un moteur puissant. Si votre réflexion est empoisonnée au point de croire, par exemple, que vous « ne pourriez continuer à vivre » sans la présence de votre épouse, l'instinct de survie va vous pousser à accomplir ou tolérer des choses totalement irrationnelles dans le seul but de « survivre ». Peu importe que cette menace soit réelle ou non, si vous en êtes persuadé, c'est pour vous une réalité. Qui plus est, aussi longtemps que vous penserez que votre survie est en danger, ce besoin dominera les autres, que vous négligerez. Et vos choix en témoigneront.

La sécurité

Une fois que votre survie est assurée, le degré suivant dans l'échelle des besoins capables de déterminer vos choix est celui de la sécurité physique et émotionnelle. Nous avons tous le désir *d'être acceptés et d'appartenir à un groupe* : ici, la satisfaction naît de l'approbation extérieure, du sentiment d'appartenir à un couple, une organisation ou un groupe de semblables. Et ce besoin a une influence *colossale* sur les choix que vous faites pour vous. Par exemple, s'il se fait prédominant, vous pouvez craindre de susciter la critique, voire le rejet, en exprimant une opinion personnelle, vous choisirez alors de vous conformer à l'avis général. Il se peut que vous ayez pris le pli d'ignorer vos pensées et vos sentiments, et de substituer votre jugement à celui d'autrui. Vous satisfaites ainsi votre besoin de sécurité émotionnelle. Réfléchissez bien et vous verrez que cette option n'est pas si rare que cela ; les hommes politiques s'y soumettent en permanence. Je ne pense pas un instant que l'un d'entre eux ait jamais eu une pensée originale. « Je leur dis ce qu'ils veulent entendre, sinon ils risqueraient de me rejeter aux prochaines élections. » Et si vous aviez adopté une logique similaire, qu'en pensez-vous ? Beaucoup de vos choix ont été faits avec le souci de ce que les autres en penseraient et l'espoir qu'en vous pliant à ce que vous *pensez* être leur vœu, vous gagneriez leur approbation. Le problème, c'est que la possibilité que votre désir profond soit le moteur de votre décision est totalement négligée.

L'amour

Des études portant sur les nouveau-nés montrent que sans amour, leur survie est en péril. Si, en grandissant, nous ne sommes pas convaincus d'être aimés, nous passerons notre vie à chercher à l'être. Nous éprouvons un réel besoin d'être touchés, pris dans les bras, regardés. Si nous sommes privés de ces contacts, fût-ce à un âge précoce, avant même de pouvoir parler, nous serons conduits à les rechercher dans notre vie. Cette nécessité peut en arriver à dominer nos pensées, nos désirs, et par conséquent nos choix de vie. Certains de nos choix déterminants résultent parfois du fait que, à raison ou non, nous avons la sensation que notre besoin d'amour n'est pas satisfait.

L'estime de soi

Votre survie est assurée, vous avez acquis un certain sentiment de sécurité, vous vous sentez aimé ; voyons à présent comment vos décisions sont liées à votre estime de soi. Beaucoup d'entre nous, parce qu'ils se sont malheureusement soumis toute leur vie au regard des autres — c'est-à-dire, à l'estime de l'extérieur —, n'ont qu'une très vague idée de ce dont il s'agit. Pour beaucoup, l'estime de soi ou la valeur personnelle sont trop souvent mesurées à l'aune de ce que quelqu'un accomplit, ou accumule sous forme de titres, de trophées, ou de reconnaissances extérieures — qu'il s'agisse d'une voiture, d'une maison, d'une tenue vestimentaire, d'un score au golf ou d'un compte en banque.

Cette soif d'estime, liée aux regards extérieurs et à la possession matérielle, peut devenir parfaitement capricieuse et insatiable, et s'avérer être une source de dépendance aussi forte que la drogue. Des recherches sur l'éducation des adolescents ont prouvé que la construction de leur estime de soi sur l'obtention de résultats extérieurs à eux-mêmes et sur une philosophie bêtement positiviste n'était pas une bonne idée. Les enfants sont inépuisables, ils veulent toujours plus, ils en arrivent même à enfreindre la loi pour obtenir l'approbation de leurs pairs et partent à la recherche d'une satisfaction qui ne peut venir que de l'intérieur. Plus vous manquez d'estime de soi, plus vous êtes vulnérable aux influences extérieures. Bref, si vous n'êtes pas « bien construit » en vous-même, le monde vous « rattrape ». Il va profiter de cette blessure ouverte qu'est le doute de soi et vous vous retrouverez en train de prendre des décisions concernant votre image personnelle à partir de données fausses. Simplement, si vous ne vous aimez pas, ne croyez pas en vous, ne vous acceptez pas, vous allez tenter de trouver quelqu'un pour le faire à votre place. Cette recherche désespérée peut influencer de façon considérable les choix que vous êtes amené à faire.

L'épanouissement intellectuel ou personnel

Ici, les choix sont guidés par le désir d'obtenir des réponses, d'acquérir des connaissances, générales et spécifiques, et d'approfondir certains sujets essentiels. Dans notre échelle des besoins, ce niveau peut représenter un enjeu captivant. La recherche d'une réponse absorbe parfois entièrement certaines personnes dont les choix seront entièrement subordonnés à leur passion. Leurs autres besoins étant satisfaits, certains adoptent une approche de la vie entièrement cérébrale et leurs choix en témoignent. Dans ce cas, ils sont souvent unidimensionnels.

L'épanouissement spirituel

Dans ce domaine, les choix découlent d'une vision ou d'un but qui dépasse l'intérêt personnel. Beaucoup valorisent ce type de fonctionnement car il transcende la vie quotidienne. Ici, les choix sont conçus pour entrer en relation avec des gens ou des choses dont vous pensez qu'ils sont à votre hauteur. Ils reflètent votre compréhension du caractère souvent transitoire et éphémère des biens matériels et des désirs basés sur l'ego. Vous prenez vos décisions en tentant d'élever vos besoins spirituels, bien qu'il soit difficile de le mesurer de façon objective. Il est aisé de comprendre pourquoi ce type de choix ne vous préoccupe pas quand vous luttez pour des besoins plus immédiats dont dépend votre survie. Il est difficile de s'investir dans des recherches spirituelles quand on doit consacrer son énergie à se nourrir, à se loger, et qui plus est lorsqu'on a des enfants. Je ne veux pas prôner la spiritualité, ni en faire un élément de culture universel. Simplement, je constate que ce phénomène *existe*. Ceux qui ont de fortes convictions religieuses me reprocheraient peut-être d'avoir placé l'épanouissement spirituel en dernier. Je répondrais que ceux dont l'exigence spirituelle était si élevée qu'ils l'ont placée avant la satisfaction de leurs besoins essentiels ont transcendé la mesure de ce monde. Et se sont en quelque sorte « éveillés » dans la mise en acte de ce choix.

Nous avons donc passé en revue les besoins qui peuvent avoir été le moteur de vos sept choix déterminants. Je crois fermement que cela vous aidera à les pointer et à comprendre pourquoi vous les avez faits.

LA FONCTION DU CHOIX

À l'aube de notre vie, nous n'avons ni le privilège ni la responsabilité de faire des choix par nous-mêmes. Nous n'arrivons déjà pas à faire la différence entre nous et notre environnement avant l'âge de deux ans. Votre dépendance envers vos parents ou les adultes en général a induit que, durant ces années cruciales où vous grandissiez et appreniez, des gens choisissaient pour vous. Les questions de nourriture, de vêtements, de logement, d'école étaient probablement résolues par vos parents et vous n'y étiez que peu impliqué. Les adultes qui vous entouraient peuvent avoir fortement influencé le choix de vos amis et plus tard de votre métier. En fait, si vous avez accepté ce qu'ils *voulaient* pour vous, vous êtes sans doute toujours en train d'exécuter le programme qu'ils avaient établi.

Trop souvent, les parents oublient que grandir, c'est apprendre à faire les choix qui vous concernent. C'est un talent qui s'enseigne et que l'on exerce avec confiance dès lors que les choix se font sur la base d'un moi authentique. Avez-vous intégré, enfant, des règles de conduite qui vous permettent de prendre les bonnes décisions ? Vos parents vous ont-ils donné un cadre pour exprimer votre vrai sentiment face aux options de la vie ? Vous ont-ils donné confiance en votre capacité à choisir par vous-même ? Peut-être était-ce pour eux un but implicite ou un objectif conscient de l'éducation de leurs enfants ; dans ce cas, quels qu'aient été vos talents pour prendre des décisions, vous avez appris en exerçant votre jugement et en faisant des erreurs. Malheureusement, certains n'acquièrent jamais ce don, ils vivent sous l'emprise de la peur et dans le doute d'un moi fictionnel, qui agit sans véritable relation avec leurs capacités et leurs désirs.

L'histoire d'Hélène est typique d'une certaine éducation américaine, même si les détails lui appartiennent. Donc, Hélène et son frère, Robbie, plus jeune de dix ans, avaient été élevés par des parents ambitieux. Par ambitieux, j'entends qu'ils chargeaient leurs enfants d'accomplir les ambitions qu'ils n'avaient pu atteindre eux-mêmes. Je ne me souviens pas du destin glorieux qu'était censé rencontrer Robbie, mais Hélène était destinée à être une grande star d'Hollywood, selon le désir de sa mère. À peine commençait-elle à marcher que sa mère lavait et repassait ses vêtements durant sa sieste, pour qu'elle soit présentable, je suppose, si un grand réalisateur était passé par là dans l'après-midi. Elle prenait des cours de diction le lundi et le mercredi, des cours de chant le mardi et le jeudi, et le reste de la semaine, des cours de gymnastique, de ballet et de claquettes. En classe, elle manquait régulièrement des cours importants, des examens, parce que, disait sa mère, « elle est pressentie pour un rôle, vous savez, dans la nouvelle série télévisée ». Et toutes deux s'envolaient pour une nouvelle audition en Californie. On peut dire que ses parents avaient fixé les choix d'Hélène avant même sa naissance.

Vous devinez la suite de l'histoire. Les mères n'escomptent pas que leurs filles changent le scénario, mais pourtant elles le font. La fillette eut quelques rôles ici et là, rencontra quelques noms célèbres de l'industrie cinématographique et fut bientôt écœurée, émotionnellement et physiquement, par tout ce business. C'était comme si son âme et son corps ne pouvaient supporter plus longtemps ce combat pour une vie fictionnelle. Son vrai moi criait grâce.

Mais qui était Hélène, en réalité ? Elle ne pouvait se permettre de se révolter ouvertement contre sa mère. Rappelez-vous la liste des besoins dont nous avons parlé au début de ce chapitre. La révolte aurait mis en péril ses besoins fondamentaux, sa survie, sa sécurité et l'amour qui lui étaient nécessaires. Quand la mère d'Hélène comprit qu'elle n'avait plus le contrôle sur l'existence de sa fille, la drogue avait déjà commencé à faire son œuvre. Si la mère ne pouvait plus gérer la vie de sa fille, la jeune femme n'y arrivait pas non plus. Elle n'avait pas la structure nécessaire. N'ayant jamais fait de choix par elle-même, elle n'en percevait pas les conséquences. Et commencèrent des années de dépendance aux drogues pour « résoudre » son manque d'estime de soi et son incapacité de décider. Les voies qu'elle empruntait se révélaient destructrices, elle n'avait jamais appris à se diriger. Elle mourut donc à vingt-neuf ans, sans avoir jamais su ce qu'elle voulait vraiment.

Il est triste d'observer que de plus en plus de gens laissent les autres choisir pour eux. C'est une industrie en pleine croissance. La peur de se tromper peut être tellement grande, pour certains, qu'ils céderont à d'autres le pouvoir d'orienter leur vie ou, ne comprenant pas que *ne pas décider* est aussi un choix, ils se mettront en marge. Nombreux sont ceux qui, comme Hélène, se tournent vers la drogue ou délèguent leur pouvoir à un gang, une secte, un groupe dont le chef prend les décisions pour tous. Les services en ligne de conseils psychologiques et de voyance qui tablent sur cette incapacité à se déterminer génèrent des profits colossaux. Variation sur le même thème, certains redoutent de quitter l'armée, terrifiés à l'idée des nouveaux choix qu'implique la vie civile, ils ont développé une « zone de confort » qui fait rimer la satisfaction avec le fait qu'on vous dise ce qu'il faut faire. D'autres consultent des conseillers ou des prêtres, en leur disant : « Dites-moi que faire dans ma vie et j'obéirai. » Et il n'est évidemment pas surprenant que beaucoup laissent au marketing et à la publicité le soin de choisir à leur place et en toutes circonstances – petit jeu auquel ces métiers excellent.

Ce que je vous propose, c'est de prendre en main la direction des opérations.

Étape n° 1 : vous ne pouvez pas changer ce que vous ne connaissez pas. Reconnaître vos choix critiques passés est donc une étape cruciale du changement. Sans cela, vous continuerez à faire des choix sans être conscient de ce qui les détermine. Cette ignorance ne peut que vous éloigner davantage de votre moi authentique, car vous niez ainsi les priorités qui sont en vous. Si vous ne savez pas qui vous êtes, ni ne connaissez les choix qui vous ont amené à vivre une existence fictionnelle, définie par le monde extérieur, vos parents ou vos employés, vous êtes perdu. Vous conforterez votre lucidité en identifiant vos sept choix critiques, en comprenant pourquoi vous les avez faits (c'est-à-dire, en identifiant quels besoins vous ont poussé à faire ces choix) et en ayant conscience des résultats qu'ils impliquent dans votre vie. Vous saurez mieux qui vous êtes devenu.

Peut-être estimerez-vous qu'un grand nombre de vos choix ont eu des conséquences négatives et d'autres positives. Votre tâche à présent est de les mettre sur le papier et de faire le tri. Soyez réaliste et honnête avec vous-même quant aux choix qui vous ont amené ici aujourd'hui. Ce n'est pas le moment de penser en victime. Nous voulons savoir comment *vous* avez modelé votre vie, à travers les choix et les décisions que *vous* avez prises.

L'ENJEU

Comme précédemment, vous êtes sur le point d'effectuer une « remémoration ». Souvenez-vous : il s'agit de se remémorer en premier lieu un incident, et en second un résultat. Dans le cas présent, l'événement sur lequel vous devez focaliser votre attention est un *choix* particulier que vous avez fait à un moment donné de votre vie. Le résultat, la série des conséquences qui ont suivi, élèvera éventuellement cette décision au statut de **choix déterminant**. En d'autres termes, quand vous considérez cette décision, les yeux grand ouverts, et que vous appréciez, en toute sincérité, ce qui en a découlé, vous comprenez comment ce que j'appelle un choix déterminant a pu affecter votre vie, pour le meilleur ou pour le pire, jusqu'au jour d'aujourd'hui.

Soyez également bien conscient que le choix de ne pas agir est un choix en soi. Ainsi, en passant au crible les choix de votre vie, vous devez repérer les moments où une option vous était proposée et où vous avez choisi de ne pas agir. Par exemple, il est important qu'une femme qui a été violentée, enfant, s'aperçoive qu'*elle* a fait le choix de taire cette agression. Car ce choix s'est peut-être mué en souffrance, transformant son concept de soi. Et il est indispensable qu'elle en prenne conscience. Il ne s'agit pas de s'en faire le reproche et je ne dis pas qu'il eût été aisé de faire autrement. Je dis que, facile ou non, c'était un choix critique et qu'elle doit donc l'identifier. Car vous ne pouvez pas changer ce que vous ne connaissez pas. De même, un entrepreneur talentueux peut avoir besoin de reconnaître qu'il s'est permis de passer des années à être considéré comme un rouage impersonnel dans une société qu'il détestait, au lieu de faire le pas et de se lancer le défi d'agir différemment. (Moi-même j'avoue avoir ainsi perdu dix ans de ma vie.) Décider de ne pas mettre un terme à une relation néfaste, renoncer à certaines études ou ne pas demander d'augmentation sont le type de choix qu'il faut amener à la lumière. *Ne pas* agir est un choix qui doit vous appartenir.

Autre chose : vos choix critiques peuvent certainement contenir des décisions positives, des moments dont les conséquences vous ont fortifié ou inspiré et qui continuent à vous donner satisfaction aujourd'hui. Ce sont les décisions dont vous diriez : « Vous savez, si j'avais à le refaire, je referais *exactement la même chose.* »

Donc : quels sont les sept choix qui ont profondément modelé votre vision de la vie ? Les questions suivantes vous aideront à y répondre. Comme pour les exercices précédents, je les ai groupées par tranche d'âge, il sera ainsi plus facile de vous les remémorer. En outre, j'ai défini un certain nombre de domaines vous permettant d'observer de quelle façon vos décisions agissent à chaque époque de votre vie.

Néanmoins, considérez bien ces tranches d'âge et ces catégories comme des suggestions et non des impératifs. Je peux vous assurer que, comme les moments déterminants, vos choix critiques ne dépendent pas de l'âge, ils ne sont pas non plus circonscrits à un domaine de votre vie. Ils agissent « par ricochet » de façon continue dans votre vie, sans relation avec la façon dont ils sont arrivés ou le domaine où ils se sont produits.

Reprenez votre journal intime. Trouvez un endroit tranquille, un siège confortable et un moment où vous ne serez pas dérangé, pour faire les exercices qui suivent.

Voici les huit différents domaines sur lesquels que je vous invite à travailler. Vous n'êtes pas obligé de vous limiter à cette liste, ni d'inscrire un choix déterminant dans chaque domaine. Non, cette liste est faite pour vous inspirer. Vos choix peuvent donc être advenus dans les domaines suivants, mais cette liste n'est pas exhaustive :

- Vie privée.
- Vie physique.
- Vie professionnelle.
- Famille.
- Éducation.
- Épanouissement personnel.
- Vie sociale.
- Relations.

Vous pouvez aussi vous reporter au matériau que vous avez accumulé en travaillant sur vos moments clés, car certains d'entre eux peuvent être directement reliés à un choix déterminant. Par exemple, vous vous souvenez que ma mère avait décidé de revenir à la maison peu de temps après la mort de mon père. Il y a là un moment déterminant (la mort de mon père) et ensuite son choix critique (revenir avec nous dans la maison familiale). La même formule peut se révéler juste pour vous aussi. Laissez, dans certains cas, vos moments déterminants vous conduire à vos choix critiques. L'inverse est possible aussi. En d'autres termes, un choix critique peut très bien s'être transformé en moment déterminant.

Remémorez-vous ces différentes tranches d'âge :

- De 1 à 5 ans
- De 6 à 12 ans
- De 13 à 20 ans
- De 21 à 38 ans
- De 39 à 55 ans
- À partir de 56 ans

Pour chaque tranche d'âge, faites les exercices suivants :

Cette tranche d'âge fait-elle partie de celles où j'ai opéré un choix déterminant ?

Dans l'affirmative :

1. Quel était ce choix ?

Décrivez-le en une phrase. Un exemple : « Quand j'avais dix-huit ans, j'ai choisi de me marier et de travailler. »

2. Pourquoi ce choix ?

Expliquez, en un paragraphe, ce qui vous a poussé à faire ce choix. Identifiez autant de facteurs qu'il vous est possible. Utilisez, si vous le désirez, la liste des besoins établie précédemment dans ce chapitre. Par exemple, ce paragraphe pourrait commencer par : « Je pensais être amoureux. Je n'étais pas particulièrement bon à l'école et ma famille n'avait pas beaucoup d'argent, alors l'université ne me paraissait pas être une bonne option. Travailler dans cette planque représentait pour moi la sécurité. Cela a renforcé mon estime de soi d'acheter une camionnette neuve et d'emménager dans mon appartement. J'étais heureux que le chef m'apprécie et que mes copains de classe m'envient et m'admirent. »

3. Qu'avez-vous raté en faisant ces choix ?

Décrivez en un paragraphe ce que vous a « coûté » ce choix. Un exemple : « En travaillant tout de suite, j'ai choisi de ne pas aller à l'université. En me mariant, j'ai raté l'occasion de rencontrer d'autres partenaires » etc. Sans doute s'agit-il de spéculations, mais essayez de voir « ce qui aurait bien pu arriver » si vous n'aviez pas fait ce choix.

4. Où en étiez-vous, en termes de concept de soi, juste avant ce choix et juste après ?

En d'autres termes, si ce choix déterminant a affecté votre estime de soi, précisez ce qu'elle était avant et après ce choix. Quel aspect de votre concept de soi était impliqué ou affecté par ce choix ? Notez vos observations.

Peut-être cette décision a-t-elle eu un impact sur votre self-control, votre état d'anxiété, votre ambition, ou votre fierté. Quelle que soit la dimension affectée, précisez-la par écrit. Considérez ces instantanés avant/après comme un élément de votre concept de soi et respectez ces choix déterminants.

5. Décrivez en un paragraphe l'effet résiduel à long terme de ce choix.

Comment ce choix vous a-t-il affecté à long terme ? De nouveau, ce que vous cherchez ici, ce sont les aspects de vous-même qui ont été directement touchés par cet événement. Votre paragraphe pourrait débuter comme ceci :

« Le résultat de ce choix déterminant – m'être marié et avoir travaillé –, c'est que je crois que je me suis dit que tout allait arriver facilement après. Je n'ai pas cherché à me ménager un "filet de sécurité", au cas où je perdrais mon emploi par exemple, et j'ai vécu sur des conjectures. Je suis devenu irresponsable sur le plan financier, persuadé de garder cet emploi et d'être régulièrement augmenté. Mes attentes personnelles se sont de plus en plus amenuisées. »

Notez les conséquences de votre choix. Comment cela vous a-t-il déterminé ?

6. Expliquez par écrit comment et pourquoi vous pensez que ce choix a affirmé ou, au contraire, dénaturé votre moi authentique.

Il s'agit ici de déterminer si ce choix vous a éloigné ou vous a rapproché de votre moi authentique. Vous a-t-il procuré plus de joie, de paix, de satisfaction ? Ou vous a-t-il conduit à abandonner un certain nombre de choses ? Qu'avez-vous appris sur vous-même, à travers ce choix ? Expliquez-vous en un court paragraphe.

7. Comment avez-vous interprété ce choix et comment y avez-vous réagi ? Croyez-vous que votre interprétation était juste ou non ?

Comme vous l'avez fait pour vos moments clés, vérifiez la façon dont vous avez réagi à votre choix déterminant, avec le bénéfice du temps, l'objectivité, la maturité et l'expérience qui sont les vôtres aujourd'hui. Un choix critique, que vous vous êtes souvent reproché, a été dénaturé dans votre interprétation. C'est ici que vous devrez répondre à la question : cette perception était-elle juste ou l'ai-je exagérée ou transformée d'une certaine façon ?

Quand vous aurez achevé la série de sept exercices d'*une* des tranches d'âge indiquées page 166, revenez à cette liste et décidez quelle période vous voulez étudier maintenant. Puis, demandez-vous : ai-je fait un choix déterminant à cette époque de ma vie ? Si tel est le cas, même si vous n'en êtes pas sûr, je vous encourage à reprendre la question 1 et à parcourir de nouveau l'ensemble des sept questions. Rappelez-vous l'objectif de ce chapitre : vous aurez terminé votre travail quand vous aurez mené cet « audit de vous-même » pour la totalité des sept choix déterminants.

CHAPITRE 6
Vos cinq personnes essentielles

« Celui qui ne recherche que l'approbation de l'extérieur confie son bonheur entier aux mains de quelqu'un d'autre. »
Oliver Goldsmith

Née de la peur, la détermination qu'emploient tant de gens à s'autodétruire en anéantissant ce qu'ils sont véritablement est pour moi une source renouvelée de stupéfaction. Quand on songe à la somme d'énergie vitale qu'ils dépensent pour nier qui ils sont et vivre hors de leur moi authentique, on ne peut s'empêcher d'éprouver crainte et respect pour cette énormité tragique. Quelle perte de talent et d'énergie ! Quand nous entrons dans les complexités de la vie d'adulte et que nous essayons à toute force de nous plier à ses impératifs, l'énergie vitale dont nous avons tant besoin s'amenuise à vue d'œil. Entre nos enfants, nos parents, notre partenaire, notre emploi, notre Église, nos amis et tout le reste, nous avons l'air de vouloir jongler avec dix balles à la fois. Essayer de gérer autant d'activités et de gens, qui souvent ne nous correspondent pas, peut s'avérer vite exténuant. Vous êtes qui vous êtes et l'ignorer se paye très cher. Cela fait de vous votre pire ennemi et peut vous conduire à un état de dépression physique et émotionnelle. Le retrait vis-à-vis de ceux qu'on aime, l'épuisement physique, la maladie, la frustration et le tourment intérieur témoignent de cette déconnexion de votre moi authentique. Comme si nous n'étions pas assez grands pour saboter nos vies, nous sommes malheureusement souvent « aidés » par des rencontres. Ce sont ces « auxiliaires » que je qualifie de **personnes essentielles** dans nos vies. Ce peut être nos parents, notre partenaire ou nos frères et sœurs, ou bien nos professeurs, nos amis, nos collaborateurs. Quels qu'ils soient, certains ont une influence véritablement positive, d'autres terriblement négatives. Mais ne vous y trompez pas : il est d'autres êtres qui peuvent avoir eu un impact sur le développement de votre concept de soi. Cette recherche peut aussi indiquer si vous vivez en accord avec votre moi authentique ou si vous menez, au contraire, une existence factice contrôlée par un moi fictionnel qui a supplanté votre moi véritable.

Vous avez rencontré des centaines, peut-être des milliers de gens qui ont eu un impact sur vous, et cependant la recherche a démontré que *cinq personnes essentielles* en tout peuvent avoir laissé une empreinte indélébile sur votre concept de soi et, partant, sur votre vie présente. Le but de ce chapitre est d'identifier et d'étudier ces personnalités et le rôle qu'elles ont joué dans votre vie.

Au cours d'un de mes séminaires, il y a quelques années de cela, je remarquai une femme d'une soixantaine d'années qui présentait toutes les apparences du succès. J'eus l'impression, en la voyant assise au second rang, d'avoir affaire à quelqu'un de solide, une « dure », une femme de pouvoir. Elle semblait avoir fait une halte sur la route de son conseil d'administration. Le séminaire se déroulait un week-end, mais elle semblait n'en avoir strictement pas tenu compte dans le choix de ses vêtements. Elle portait un tailleur sombre très bien coupé, sans faux pli, qui avait visiblement dû coûter très cher. Sa chevelure argent avait été coiffée avec un soin très étudié. Ses ongles étaient vernis et un bracelet de platine brillait à son poignet. Ce qui me frappa encore davantage, c'était qu'elle ne prononça pas un mot durant le premier jour. Le programme prévoyait pour commencer une journée de participation active, où chacun était censé se découvrir et livrer un peu de lui-même. Le groupe, suivant le programme prévu ce jour-là, eut beau s'exprimer de façon intense, la femme resta stoïque, les mains jointes sur sa poitrine, la mâchoire serrée, ses yeux gris évitant de croiser le moindre regard. En d'autres circonstances, je sollicite des réponses de toutes les personnes présentes dans la pièce, là je passai au-dessus d'elle. Il était évident pour tous qu'elle ne dirait rien avant de s'y sentir prête.

Le matin du troisième et dernier jour, vers 10 h 30, après des révélations « libératoires » émouvantes de la part de plusieurs participants, nous décidâmes de prendre une pause avant de passer à la phase suivante. Soudain, au beau milieu de cette pause, Claire, la femme silencieuse, se leva lentement. Chacun cessa immédiatement ce qu'il était en train de faire. Tous les regards se tournèrent vers elle, nous sentions que nous allions vivre un moment important. Elle posa ses mains sur le dossier de la chaise devant elle et l'agrippa si fort que ses articulations blanchirent. Enfin, regardant droit devant elle, elle commença :

« Il avait la main lourde », lança-t-elle d'une petite voix qui contredisait son apparence. « Ses mains étaient rêches. » Elle prit un temps. « Sa sangle faisait mal. »

Il lui fallut un grand effort de volonté pour interrompre le silence où elle s'installait de nouveau, je l'encourageai à poursuivre.

« Ma mère était mariée à un homme qui la battait », reprit-elle. « J'avais tout le temps peur, je craignais qu'il ne la tue. Comment l'aider ? J'aurais voulu l'arrêter, mais je ne pouvais pas. Il me faisait asseoir et m'obligeait à regarder tandis qu'il lui donnait des coups de poing, qu'il la frappait avec son ceinturon, ou parfois avec un manche à balai avec lequel il lui avait cassé la jambe, un jour où je n'étais pas là. Il me disait que je devais "apprendre le respect". »

« Parfois ma mère me regardait à travers ses larmes, hochant la tête pour me supplier de ne pas m'en mêler, de ne pas bouger. Elle savait que j'étais, moi aussi, en danger. Elle craignait que la colère de cet homme ne se retourne contre moi. Un jour, je ne pus m'empêcher de me jeter au cou de ma mère, je pleurai et suppliai cet homme d'arrêter, il me battit alors en même temps qu'elle. Nous étions incapables de nous porter secours, nous ne pouvions que subir, subir, encore et encore. Je n'avais que sept ans quand cela a commencé ; aujourd'hui, j'en ai soixante-quatre et je ressens toujours la même peur. J'ai la gorge sèche et mal au ventre, dès que j'y pense. »

Ses larmes commencèrent à couler et sa voix s'emplit d'une telle souffrance qu'il devenait difficile de la suivre.

« Il m'a battue pendant quatorze ans. Tout lui servait de prétexte. Il abattait cette sangle sur mes fesses et mes cuisses jusqu'à ce que je saigne, tout en hurlant des insanités : "Petite salope, c'est de ta faute ! Tu me rends fou avec tes jérémiades, à toujours pleurer et dépenser du fric ! Je te déteste, regarde ce que tu as fait ! J'espère que tu es contente, sale petite garce !" »

« Je me sentais tellement coupable. Je passais des jours entiers sans manger, persuadée que le problème était que je coûtais trop cher. Je n'invitais jamais des amis à la maison, terrifiée par ce qui pouvait arriver. À l'école, je cachais mes jambes, personne n'a jamais vu les marques de ses coups. »

« C'est étrange à dire, mais c'est ainsi que j'ai appris à m'absenter de mon corps. Quand il me battait, allongée sur le ventre, le visage enfoui entre mes mains, je n'étais pas là. Tout cela était tellement humiliant, dégradant, qu'il me fallait "me retirer" dans ma tête. Je n'ai plus jamais été là. Mon vrai moi semblait planer au-dessus du lit et observer la scène. »

Elle paraissait désormais étonnamment petite et si fragile, là debout devant nous. Pour la première fois, elle parcourut la pièce du regard et fixa chaque participant, l'un après l'autre, comme si elle s'était exprimée dans une langue étrangère et cherchait à savoir si quelqu'un l'avait comprise. Bientôt, elle baissa la tête, gênée, elle semblait vouloir reprendre la vérité soigneusement dissimulée pendant soixante ans. Une femme, qui était sur le même rang qu'elle, s'approcha et posa la main sur son épaule pour la réconforter. Elle se raidit d'abord, puis parvint à se détendre un peu.

« J'ai réussi dans mon métier », dit enfin Claire, « je travaille dans les métaux et ça marche. J'ai réussi dans un secteur dominé par les hommes. Mais c'est ainsi que pendant soixante ans j'ai affronté les crises et les moments un tant soit peu émouvants : en me retirant de moi-même. J'ai été absente émotionnellement pour mes enfants. Leur père m'a quittée peu de temps après la naissance de mon dernier fils. Ce sont eux qui m'ont demandé de venir ici. Ils ignorent pourquoi j'ai toujours été aussi "froide", comme ils disent, et c'est pour eux que je suis là… et pour moi. Je ne veux pas mourir ainsi, sans avoir jamais rien senti, sans avoir vécu, partagé. »

« J'ai été "mise hors jeu" pendant soixante ans, vous comprenez ? » Puis elle murmura : « J'aurai soixante-cinq ans en juillet. Je vous en prie, aidez-moi à me libérer de ce terrible fardeau. Cela fait tellement longtemps. C'est ma *dernière* chance. »

C'était la première partie d'une journée très émouvante où elle avait amorcé son retour vers son vrai moi. Durant les dernières heures du séminaire, et au cours d'une autre session, nous avons eu pour objectif de lui apprendre qu'elle pouvait baisser sa garde lorsqu'elle se trouvait en sécurité. Lorsqu'elle eut fini de parler, chaque membre du groupe s'était approché d'elle et avait posé la main sur la sienne ou sur son bras, pour la soutenir – des gestes de tendresse et non de souffrance – ; elle avait répondu, d'abord par la peur, puis par le consentement. Il y avait eu des larmes et des murmures d'encouragement, certains l'avaient prise dans leurs bras, elle avait amorcé un retour à son moi authentique. Nous lui avons appris qu'elle pouvait montrer sa vulnérabilité en présence de gens dont elle n'avait rien à craindre. Nous l'avons aidée à ne pas éprouver de honte pour des actes dont elle n'était pas responsable. Avec le temps, elle découvrit qu'elle n'avait pas à se « dédoubler », séquelle d'une réaction à la pathologie de son beau-père. Elle apprit qu'elle pouvait reprendre le pouvoir sur cet homme qui avait contrôlé sa vie quand il vivait et qui continuait après sa mort.

Et voici l'épilogue de cette histoire : dès que Claire eut récupéré son vrai moi, on eût cru que les vannes d'une écluse s'étaient ouvertes. L'affection refoulée pendant des années, son don inné pour aimer et prendre soin des autres, jaillit d'elle comme une source. Ses enfants, aux anges, découvrirent une mère qu'ils n'avaient jamais connue. Elle devint animatrice bénévole dans un atelier de développement personnel et la passion qu'elle y mettait témoignait de son parcours. Son expérience lui avait appris à reconnaître dans un groupe qui résistait, qui était le plus en demande et elle prenait à cœur le sort de chacun. De séminaire en séminaire, elle devint une sorte de mère poule, approuvant l'un d'un murmure, prenant l'autre dans ses bras et s'attachant aux cœurs de pierre jusqu'à ce qu'ils cèdent. Qu'importait pourquoi ils étaient tombés si bas, s'ils avaient renoncé ou étaient devenus aigris, elle n'abandonnait jamais. Par expérience, elle savait dans quel état ils étaient et elle les y suivait. Il n'était pas question pour elle de laisser quelqu'un derrière elle.

L'histoire de cette femme montre que si notre concept de soi est modelé par des moments déterminants et des choix critiques, il peut aussi être profondément influencé par ces personnalités pivots dont les actions retentissent, en bien ou en mal, dans le reste de nos vies. Dans le cas de Claire, un beau-père malade et pervers l'avait incitée, désespérée, à se retirer de sa vraie vie. La brutalité de cet homme la poussa à barricader les fenêtres de ses émotions. De façon tragique, il était devenu le pivot du développement de son concept de soi. Il avait enseveli son vrai moi, plein de l'espoir de la jeunesse, de fraîcheur, d'optimisme et de joie. Il l'avait repoussée derrière un barrage de souffrance et de rejet, il avait nié sa valeur et l'avait utilisée pour canaliser sa folie. Il était un *personnage essentiel*, car il avait empoisonné l'esprit malléable de cette fillette au point de l'altérer définitivement, ou presque. Quiconque a vécu – et n'est-ce pas votre cas ? – peut produire une brève liste de personnages essentiels de sa vie. C'est une fois qu'on les a identifiés et qu'on a reconnu le fort impact qu'ils ont pu avoir sur soi qu'il est possible de les mettre à distance, mais il faut avant comprendre le rôle qu'ils ont joué dans votre vie.

Ces personnages essentiels de votre vie peuvent parfois être ceux qui vous ont prodigué leurs encouragements à des moments critiques et qui vous ont ouvert des portes dont vous ignoriez l'existence, qui ont apporté la solution à un problème que vous pensiez inextricable. Certains peuvent, par leur soutien, vous avoir aidé à surmonter des moments difficiles avec courage ou, par de petits gestes simples, vous avoir prodigué amour et attention. Parfois, ce sont des gens qui ont reconnu en vous un talent particulier et vous ont incité à le développer. Il y a aussi des gens que vous connaissez à peine, mais dont la façon de vivre vous inspire. D'autres, enfin, vous ont aimé dans des moments où vous n'étiez pas particulièrement aimable.

Vous pouvez retrouver ces personnages essentiels à des endroits ou des moments tout à fait inattendus de votre vie. Bien sûr, l'influence de certains est liée à l'autorité qu'ils exercent, aux soins qu'ils vous prodiguent ou à la responsabilité qu'ils ont envers vous au cours de vos premières années. Il peut aussi s'agir de quelqu'un qui vous a encouragé récemment. Leur influence peut être le produit d'années de consignes fermes et renouvelées, jour après jour, mais aussi celui d'un acte isolé, dont l'auteur serait bien en peine de se souvenir. Peut-être n'ont-ils croisé votre route qu'un bref instant, bien que vous ressentiez encore aujourd'hui les effets de cette rencontre.

J'ai observé, sans en être étonné, que les gens qui ont réussi – je veux dire, ceux qui ont des vies paisibles, équilibrées et satisfaisantes – ont tendance à identifier davantage de héros ou de modèles parmi *leurs* cinq personnages essentiels. Par contre, ceux qui souffrent tendent à mettre en exergue des personnes dont l'influence a été aussi significative et essentielle, certes, mais dans le sens négatif. Il est aussi assez fréquent que l'on puisse attribuer des qualités positives à quelqu'un dont l'influence en son temps fut entièrement négative, voire destructrice, une fois que l'on a intégré et transformé cette expérience à notre bénéfice. En d'autres termes, les salauds qui ont peuplé votre vie peuvent vous avoir rendu plus fort ; vous avez dû lutter pour échapper aux conséquences de leurs actes et pour cela explorer des alternatives pleines de sens. Attention, je ne suis pas en train de dire : « Vous voyez ? Tout cela valait la peine. Cela forme le caractère, vous devriez les remercier ! » C'est absolument faux. La cruauté et la souffrance ne sont pas des moyens d'éducation légitimes, quand bien même elles vous auraient donné force et confiance. Mais les problèmes que certaines personnalités pivots vous ont posés peuvent avoir, après un temps, développé en vous certaines qualités subtiles qui sont remontées à la surface. La « leçon » était très certainement bien trop dure, mais si vous êtes parvenu à créer de la valeur à partir de cette souffrance, alors peut-être lui avez-vous trouvé un sens.

En gardant tout cela à l'esprit, répondez aux questions suivantes :

Qui sont les cinq personnages essentiels de votre vie ? Qui sont les cinq personnes qui ont modelé le concept de soi qui contrôle aujourd'hui votre vie, à la fois en positif et en négatif ? Qui a imprimé sa marque en vous ?

Évidemment, il peut être utile, là encore, de jeter un œil sur ce que vous avez écrit à propos de vos moments clés et autres choix déterminants. Vos réponses peuvent immédiatement vous suggérer ces cinq personnes, ou créer des associations mentales qui feront remonter des noms à votre esprit.

Cet exercice sera peut-être comme un vent frais et vous aurez du mal à vous limiter à cinq, ou, à l'inverse, il pourra vous paraître ardu d'en trouver autant. Quoi qu'il en soit, souvenez-vous bien que vous cherchez les gens qui ont joué un rôle unique et essentiel dans la création de celui ou celle que vous êtes aujourd'hui. Pensez à eux comme à cinq maillons de la longue chaîne qui mène à qui vous êtes, quand vous lisez ce paragraphe. Chaque maillon est un élément critique. En d'autres termes, si l'une de ces cinq personnes était effacée de cette chaîne, vous seriez aujourd'hui substantiellement différent, peut-être même ne pourriez-vous vous reconnaître vous-même. Comme précédemment, prenez votre journal et ménagez-vous un moment tranquille pour travailler. Une fois détendu, concentrez-vous sur les objectifs suivants :

- Mentionnez une personne essentielle de votre vie.

- Sous le nom de cette personne, sur deux colonnes séparées, décrivez d'un côté ses actes puis, de l'autre, l'influence qu'elle a eue sur vous.

Dans la première colonne, notez le plus de détails possible sur le comportement de la personne que vous considérez aujourd'hui comme un point de repère. Vous utiliserez des verbes d'action afin de le rendre aussi concret que possible. Par exemple, Claire pourrait commencer par : « Pendant quatorze ans, il nous a battues ma mère et moi avec une sangle, il a détruit mon concept de soi, le sens de ma propre valeur, de ma dignité. » Quelqu'un d'autre pourrait écrire sur son amie : « Elle m'aimait et a pris soin de moi alors que je n'avais rien pour séduire. Elle a frappé à ma porte quand tout le monde me fuyait. Elle est restée quand cela aurait été si facile de partir. » Soyez précis et détaillé. Vous serez étonné de ce qui naîtra sous votre plume.

Dans la seconde colonne, décrivez les effets que vous lui imputez. Quelles conséquences votre personne pivot a-t-elle eues sur votre moi d'aujourd'hui ? Cela pourrait commencer ainsi : « Je ne pouvais supporter l'humiliation et la souffrance, alors je me suis "retirée" de la vie, détachée de toute émotion, même quand mon mari et mes enfants me demandaient de réagir en fonction de mon moi authentique. » Ou encore : « Ses paroles d'encouragement spontanées, son absence de jugement à mon égard, m'ont permis de croire que je valais la peine d'être aimé, ce qui ne m'était jamais arrivé. Elle m'a témoigné sa patience dans les moments les plus difficiles et j'essaye maintenant de suivre sa voie. »

Cet exercice est important, parce que vous allez mettre en lumière des relations, des résultats que vous n'avez peut-être jamais exprimés. La relation de cause à effet entre chacune des cinq personnalités et les effets de leur comportement sur votre vie et votre concept de soi exigent la plus grande attention. Parce que vous aurez besoin plus tard de ces informations, notez à présent, honnêtement et consciencieusement, les caractéristiques de vos *cinq personnages essentiels*. Ne craignez pas de préciser l'impact que ces personnages ont pu avoir sur votre vie : cela n'équivaut pas à le renforcer ni à justifier cet impact. Je ne vous enseigne pas à jouer les victimes ni à blâmer les autres de ce que vous êtes devenu. Nous travaillerons bientôt sur votre capacité à reprendre possession du pouvoir qui est le vôtre, mais soyez conscient pour l'instant que vous ne pouvez changer ce que vous ne connaissez pas. Soyez réaliste, sinon vous n'évoluerez pas, pour n'avoir pas posé le bon diagnostic sur la maladie qui a rongé votre moi authentique.

Notez que les personnages essentiels de votre vie ne se divisent pas toujours en blancs et noirs. Quelqu'un peut avoir une influence profondément négative sur votre vie et en même temps des qualités que vous appréciez. Je me souviens d'une patiente qui me disait, par exemple, combien elle admirait son père, le travail extraordinaire d'un point de vue éthique qu'il avait accompli, le courage qu'il avait manifesté en occupant deux ou trois emplois différents pour subvenir aux besoins de sa famille. Il était arrivé aux États-Unis en connaissant à peine l'anglais, sans argent, ni « réseau » pour l'aider. Au bout de quelques années, il avait acquis un mode de vie confortable et assuré la sécurité de sa femme et de ses trois filles. D'un autre côté, elle me dit que son père avait été dur et sévère. Quand elles en parlèrent, adultes, les trois sœurs découvrirent qu'il n'avait jamais dit à aucune d'entre elles qu'il l'aimait. (Et même s'il avait pu le penser ou le montrer, je vous jure que ses filles avaient besoin de *l'entendre*.) Les attentes qu'il avait placées en elles étaient un fardeau incroyablement pesant et avaient créé des tensions physiques et émotionnelles contre lesquelles elles luttaient encore aujourd'hui, parvenues au milieu de leur vie.

Cette femme pouvait exprimer sa gratitude et son admiration pour les sacrifices de son père et pour la vie qu'il leur avait assurée en Amérique, mais il sera toujours sur la liste de ses personnalités pivots, à cause de son attitude implacable et parce qu'il l'avait privée des éloges dont elle avait si désespérément eu besoin, et qui lui manquaient aujourd'hui encore.

Il arrive qu'un retournement se soit produit dans la vie d'un de ces personnages. Je me souviens d'une mère abusive, alcoolique, qui avait fait vivre à sa fille une enfance solitaire, instable et remplie de terreur. Puis la mère entreprit avec succès une cure de désintoxication et parvint à rester sobre. Elle chercha à réparer ce qu'elle avait fait subir à sa fille, lui demanda pardon et fit tout son possible pour devenir la mère qu'elle aurait souhaitée à sa fille. Dans ces circonstances, la fille pourrait décider que sa mère a été une personnalité pivot pour des raisons entièrement positives, sans nier qu'il y ait eu de longues années noires. Elle pouvait se souvenir très nettement de la souffrance que sa mère lui avait infligée, mais cela n'empêchait pas celle-ci d'être un relais, si c'est ce qu'elle retenait de l'amour que sa mère lui avait témoigné.

Vos personnages essentiels peuvent avoir été admirables en tous points et faire preuve d'une influence très néfaste sur vous. De même, quelqu'un dont le « casier judiciaire » serait chargé pourrait, d'un mot gentil, dans un mouvement de sacrifice, d'une manière ou d'une autre, vous avoir encouragé et épaulé sur une voie qui a transformé votre destin. L'influence de ces individus n'est donc pas forcément négative ou positive en tous points.

Ne poursuivez pas tant que vous n'aurez pas noté vos réponses concernant chacune de ces personnes, dans les deux colonnes décrites plus haut.

Posons ensuite quelques questions critiques.

Figurez-*vous* sur votre liste des cinq personnalités pivots de votre vie ? Si la réponse est non, alors pourquoi ? Demandez-vous ce que cela signifie. Cela peut vouloir dire que votre concept de soi a été façonné et modelé en priorité par d'autres, et que vous attribuez donc ce qui vous caractérise aux actions et aux comportements des autres. Pour le meilleur et pour le pire, vous avez cédé votre pouvoir, vous l'avez délégué à d'autres. Peut-être en ont-ils pris soin, peut-être pas.

Quel sens pourrait prendre la mention de votre propre nom sur la liste de cinq personnages ? La réponse à cette question fera l'objet et sera l'objectif des prochains chapitres. Vous allez bientôt découvrir cette partie de vous-même où se cachent vos forces les plus puissantes. En avançant, en glanant des outils qui peuvent améliorer votre existence de façon spectaculaire, pensez à la manière dont vous pourriez devenir un personnage essentiel. Je vous encourage à accomplir les étapes nécessaires pour vous placer en tête de la liste, en pole position, pour être le premier de ceux qui ont et qui vont décider du cours de votre vie.

Introduction
aux facteurs internes

« Nous avons rencontré l'ennemi, et il est en nous. »

Walt Kelly dans *Pogo*

Si vous vous êtes consacré sincèrement, et à fond, aux exercices du chapitre précédent, vous devez désormais en savoir beaucoup plus sur votre propre histoire. En réalisant cet inventaire des facteurs externes – moments, choix et individus – qui ont le plus profondément affecté la personne que vous êtes aujourd'hui, vous avez fait un énorme pas vers la compréhension de votre concept de soi.

Mais je serais prêt à admettre qu'à ce point de notre parcours, vous êtes sous le choc. Et que vous avez mal. En fait, il serait très étrange que vous ayez accompli tout ce processus d'exploration de vos facteurs externes sans rien éprouver du tout ; et cela parce que, en revisitant tous vos moments clés, vos choix critiques et vos personnages déterminants, vous vous exposiez à une confrontation avec les nombreuses causes de souffrance qui affectent votre vie actuelle.

Allez, gardez courage. Vous touchez le fond… et la clé de votre puissance. Ce que je veux dire par là, c'est que vos facteurs externes sont ce qu'ils sont : ils se sont produits ; c'est fini. Vous ne pouvez changer votre histoire. En revanche, vous *pouvez* changer vos réponses. Vous *pouvez* modifier votre comportement *en réponse* à ce vécu. Ce que vous allez apprendre en explorant vos facteurs internes vous donnera la capacité d'opérer ces changements.

Comme, suivant une loi de la vie, on ne peut pas changer ce que l'on ne connaît pas, il est important que vous appréhendiez précisément de quoi est fait votre concept de soi actuel, et ce que vous faites pour l'enrichir ou le contaminer, chaque jour, à chaque instant. De la même façon que vous avez examiné les facteurs externes qui ont affecté votre soi, vous allez à présent vous livrer à un audit détaillé de vos facteurs internes : quelles ont été vos réactions à ces événements clés, et quelle approche du monde en général tendez-vous à adopter.

Comme je l'ai dit, vous ne répondez pas aux stimuli du monde extérieur, mais aux interprétations que vous en faites. Ces interprétations – vos perceptions et réactions – sont les stimuli auxquels vous répondez véritablement, par opposition aux événements qui ont réellement pris place dans votre vie. Ces interprétations peuvent emprunter différentes formes. Elles peuvent être immédiates et éphémères ou, au contraire, persistantes et profondément ancrées. Quoi qu'il en soit, elles contribuent à la chaîne d'événements qui ont donné forme à votre concept de soi actuel, et vous devez comprendre que, pour l'analyser, vous ne pouvez omettre un maillon de la chaîne. Supposons, par exemple, que vous ayez été renvoyé de votre boulot. Il s'agit d'une occurrence externe à laquelle vous avez réagi intérieurement. C'est précisément cette réaction interne qui influence votre concept du soi, et non pas le renvoi en lui-même. Supposons maintenant que votre réaction interne soit : « Eh, j'ai vraiment horreur d'être viré. Je n'aime pas, mais pas du tout. Mais je sais au fond de moi que j'ai fait du bon travail et que je suis doué. C'est juste que cela n'a pas marché. Cela a pourtant été une bonne expérience, et je la mettrai à profit pour ne pas compromettre mon prochain job… », vous adoptez alors une approche réaliste et, pourtant, vous n'êtes pas sur le point de faire imploser votre concept de soi. Au contraire, si vous adoptez une réaction intérieure du type : « Je suis complètement nul, j'ai tout fichu en l'air et j'ai ce que je mérite. Je n'étais pas à la hauteur de ce boulot et j'ai été dépassé. Ils ont vu clair en moi… », eh bien, c'est là que votre concept de soi va en prendre un coup.

Une circonstance extérieure entraîne deux résultats très différents. Ces deux réactions intimes extrêmement différentes peuvent créer deux impacts bien distincts sur votre concept de soi. D'où mon constat : vous ne réagissez pas à *ce qui arrive*, mais à la façon dont vous *intériorisez* l'événement. En d'autres termes, vous disposez d'une influence et d'une détermination énormes sur votre concept de soi. Et ne me traitez pas d'incorrigible optimiste. Car je parle ici de votre dialogue intérieur, cette conversation en temps réel qui se joue en vous, et *sur* vous. Il vous faut faire preuve de sincérité envers vous-même, mais vous avez réellement le choix et, avant la fin de ce livre, vous aurez appris à choisir vos réactions de façon constructive. En résumé : que des choses négatives se produisent dans votre vie n'est déjà pas bon en soi, mais cela prend un tour désastreux si vous en arrivez à vous dénigrer vous-même, ce qui n'arrange évidemment rien.

Comme pour vos facteurs externes, la clé pour comprendre vos réactions internes est de savoir où regarder et quelles questions vous poser. C'est ce que nous nous apprêtons à faire dans les prochains chapitres, au cours desquels nous nous pencherons sur cinq domaines d'activité interne :

- Le pôle de détermination.
- Le dialogue intérieur.
- Les étiquettes.
- Les enregistrements en boucle.
- Les croyances figées ou limitées.

Je vous ai donné plus haut un plan général de ces domaines d'activité interne, mais sans en préciser le détail. Dans les prochains chapitres, nous allons approfondir sérieusement chacune de ces catégories, en les appliquant le plus possible à votre situation particulière. Nous allons analyser la teneur exacte de votre monde intérieur, tant au niveau conscient qu'inconscient. Et nous allons l'accomplir sur la base d'observations précises, indépendantes et construites. Souvenez-vous, ces facteurs internes sont le siège de votre vraie puissance et vous offrent l'opportunité d'influencer réellement votre concept de soi. Soyez-y extrêmement attentif, parce qu'il ne s'agit pas là de simples jeux sémantiques. Vous touchez ici au point clé de la détermination de votre concept de soi et de votre vie.

Nous devons commencer à aborder une notion qui en plonge beaucoup dans la confusion. Lorsque je commence à évoquer les facteurs internes, vous pouvez très bien vous dire : « Là, il va me demander d'examiner mes pensées, ma manière de penser… » – ce qui préfigure une migraine assurée. Et d'une démarche qui peut vous sembler aussi impossible que vouée à tourner en rond. Croyez-moi, il ne s'agit pas de cela. Je ne vais pas vous demander de grimper en haut de la montagne sans carte d'orientation afin de contempler la quintessence de votre moi. Je vais vous poser un ensemble de questions précises et vous demander d'en inscrire les réponses dans votre journal de bord. L'écriture de ces réponses est déterminante parce qu'elle vous procure une dimension d'objectivité. La confusion naît d'une observation de soi et de sa pensée qui n'est pas couchée par écrit ; c'est un peu comme vouloir regarder son visage sans l'aide d'un miroir – et là, oui, c'est la migraine assurée, je vous le confirme. Au contraire, lorsque vous notez vos réponses par écrit, vous profitez d'un regard extérieur sur des événement intérieurs. Vos notes font office de miroir reflétant ce qui se passe dans votre esprit comme dans votre cœur.

Il y a une autre question que nous devons aborder tout de suite. Vous vous dites peut-être : « Eh, je ne suis pas comme ça, moi, je ne suis probablement pas si intelligent. Je ne suis pas sûr que toute cette activité mentale se produise en moi à longueur de temps... »

Erreur ! Je peux vous garantir que cette activité mentale a bien lieu en vous, mais une partie de celle-ci – à l'exception de votre dialogue intérieur, qui se produit en temps réel – se déroule probablement à une telle vitesse, de façon si répétitive, si bien rodée, apprise et intégrée, qu'elle en devient quasiment automatique. Lorsque vous avez répété et répété le même processus des milliers de fois, vous ne le décomposez plus consciemment en étapes, ni en pensées distinctes.

Prenons la conduite, par exemple. Vous n'avez pas besoin de penser à ce que vous faites. Vous n'avez pas besoin de regarder ni même de penser pour mettre le contact. La mémoire de vos muscles, celle de vos habitudes, est si profondément ancrée que vos gestes sont automatiques. Il en va de même pour vos pensées ; vous pouvez enchaîner vos étiquettes, vos observations enregistrées en boucle et vos croyances figées à une vitesse incroyable. Vous pouvez activer toute une série d'auto-observations et de jugements en l'espace d'un clin d'œil. Cela peut se passer si vite que vous n'en êtes absolument pas conscient. Pour vous rendre compte à quel point vos facteurs internes vous affectent, vous devez comprendre qu'ils sont très rapides et combien certains d'entre eux sont automatiques. Les gens qui souffrent de la phobie des serpents nous fournissent un bon exemple de cette pensée automatique et ultra-rapide. Je parle du genre de personnes sujettes à une énorme et irrationnelle peur des serpents, par opposition au reste d'entre nous qui, bien que ne les aimant pas et évitant de les croiser sur leur chemin, ne seraient pourtant pas capables de sauter par la fenêtre à la seule idée qu'un serpent ait pu s'introduire dans la pièce un an auparavant. Je parle de ceux qui paniquent à la seule *pensée* d'un serpent, et tentent désespérément d'échapper à toute situation les mettant en présence de l'objet de leur phobie ; leur peur est si invalidante qu'elle les paralyse littéralement.

Si vous faisiez maintenant asseoir cette personne et lui demandiez de vous dire tout ce qui lui paraît effrayant et détestable chez les serpents, il ou elle répondrait : « Ils sont terribles ! Ce sont des créatures visqueuses, méchantes et vicieuses. Elles peuvent me mordre, m'empoisonner et me tuer. Elles ont des yeux démoniaques. Elles sont froides et sournoises, elles se faufilent dans votre bouche et ressortent par vos orbites ! Elles me font hurler de peur au point que j'en perd la maîtrise de mes sphincters. Ce ne sont que des bêtes horribles, humides et glacées. »

De telles déclarations pourraient correspondre à sa bande enregistrée à propos des serpents. Supposez maintenant que tandis qu'il ou elle se tient devant vous, vous lui lâchiez brusquement un lot de reptiles sous le nez. La personne n'aurait plus le temps d'égrener un seul mot de sa pensée – ils me font peur, ils sont visqueux, ils peuvent me mordre ou me tuer, ils ont des yeux de démons, etc. Elle serait probablement incapable de formuler sa pensée aussi vite – tout comme vous en avez vous-même fait l'expérience au cours de votre existence.

À l'instant précis où cette personne percevrait la présence physique de l'animal, elle hurlerait sans doute : « Un serpent ! » et perdrait immédiatement tout jugement rationnel. Elle sombrerait dans un accès de panique, plongerait sous la table ou sauterait par la fenêtre, quitte à se blesser en même temps. Or, le fait est que le terme « serpent » recouvre toute une série de croyances intériorisées à propos du reptile. Le terme devient un symbole équivalant à tout un amas de peurs brutes des serpents, qui fait qu'ils n'ont pas besoin de rentrer dans une énumération en cinq paragraphes démontrant que les serpents sont dangereux. La seule donnée qu'ils ou elles aient besoin d'enregistrer est le mot *serpent*, qu'ils traduisent immédiatement par *situation critique*, et hop, par la fenêtre… Ce symbole ou ce terme sommaire est tellement sur-enregistré et arrive si vite à la conscience que l'esprit et le corps de la personne se mettent en pilote automatique. Il en va de même pour vous ; au lieu du mot « serpent », ce sont les mots « perdant », ou « piégé », ou « inutile » qui vous font le même effet.

Ce que j'entends par contenu sur-enregistré, ce sont ces réactions intimes ou ces pensées qui s'apparentent à une sorte de *sténo* mentale. Cela marche un peu comme le code que les prisonniers mettent au point pour se raconter des histoires drôles. Ils se les répètent tant et tant de fois qu'ils élaborent un mot clé pour chaque blague ; ils peuvent résumer une histoire de dix minutes en mentionnant simplement un numéro, connu de tous. Un prisonnier dira : « Quarante et un » et tout le monde rira. Un autre, « La vingt-neuf », et ils riront de nouveau. Tout le monde sait quelle histoire est désignée par tel numéro. Au fil d'innombrables répétitions, les blagues ont été condensées sous un terme générique et l'information collective est automatiquement associée à un mot ou un chiffre uniques.

Peggy était une de mes amies, assez particulière, qui tirait fierté de son indépendance et avait développé tout seule une affaire très lucrative. Elle vint un jour me voir avec une requête : que je l'aide à se préparer à son *cinquième* mariage. Elle m'avoua qu'elle était totalement amoureuse de son futur mari, mais que cela avait été le cas pour ses précédents mariages sans être aucunement gage de succès. Elle était à l'évidence inquiète de revivre un désastre amoureux et pensait qu'en prenant un conseil avisé, quelque chose qu'elle n'eût pas entendu avant, elle aurait plus d'atouts pour la réussite de cette union.

Au lieu de lui donner un conseil, je lui demandai d'abord de ralentir le flux de sa pensée et de se détendre. Puis je lui demandai de fermer les yeux, de s'imaginer épouse de son futur mari et de me décrire les messages lui parvenant à l'esprit. Dès que Peggy prêta l'oreille au flux de son activité mentale, elle commença à dire des choses comme : « J'espère me tromper en me demandant si Harry ne sera pas aussi faible que mon père et incapable de me soutenir. C'est vrai qu'il est charmant, mais je me demande s'il est vraiment intelligent, tellement son travail me paraît terne. Je suis sûre que tout se passera bien, parce que je ferai en sorte qu'il en soit ainsi. »

Je pris note de ses propos et, quand elle fut prête à faire le bilan de la séance, je lui demandai de les lire. Elle fut choquée par ce qu'elle avait dit et par la mise en évidence de ses peurs, de se croyances et de ses attitudes à l'égard d'Harry. Ces bandes enregistrées et ces peurs avaient pu ou non étayer ses précédentes relations amoureuses, mais elles n'en étaient pas moins présentes dans celle-ci. Clairement, en se disant qu'Harry était faible comme son propre père, et qu'elle s'attendait à être déçue et à se prendre seule en charge, elle s'empêchait déjà d'être vulnérable vis-à-vis d'un homme qu'elle ne pourrait pas respecter. Selon toute attente, entretenir en elle-même de tels messages plus longtemps allait la conduire droit au divorce. Et tout ceci se déroulait à une telle vitesse dans sa tête qu'elle n'avait aucune conscience de se mettre en situation d'échec. Et vous, alors ? Vous avez *aussi* des pensées automatiques, mais pas seulement à propos de conjoints et de serpents (qui ne doivent pas être confondus, j'en profite pour le préciser). Vous êtes également traversé par des pensées éclairs et autres réactions intimes vis-à-vis de vous-même, lesquelles sont tellement sur-apprises et émergent à une telle vitesse que vous n'êtes pas conscient de leur impact sur votre comportement et votre concept de soi. Il nous faut apprendre à en ralentir le flux afin de les écouter plus attentivement.

Simple question : si ces pensées arrivent si vite, comment puis-je les intercepter ? L'expérience de Peggy nous donne des éléments de réponse. L'être humain, entre autres incroyables pouvoirs, a la capacité de ralentir le flux de sa pensée, d'appuyer sur le bouton de « défilement lent » et de faire avancer le tout à un rythme tranquille, ce qui vous permet d'entendre ce que vous êtes en train de penser et de le noter. Pour y parvenir, il faut d'abord faire descendre en soi calme et tranquillité, puis répondre à des questions pointues sur ce que vous pensez et comment vous organisez vos croyances sur vous-même, à l'intérieur de plusieurs domaines spécifiques. En agissant de la sorte, vous commencez à remettre en question vos réflexes internes. Vous les confrontez à un minimum de réalité consciente. Une fois que vous identifiez ce qui se passe dans votre tête, vous êtes en mesure de le changer.

Je suis convaincu qu'à mesure que nous mènerons cet audit interne, que nous ralentirons votre pensée automatique et en prendrons note pour constituer un matériau objectif, vous serez absolument étonné de la façon dont vous vous êtes amené vous-même à penser et agir comme vous le faites. À travers cet audit, vous aurez accès aux puissantes influences qui modèlent votre concept de soi. Vous allez découvrir à quel point ces contenus sont en contradiction avec votre concept de soi et constituent la base d'une vie que vous acceptez de manière passive ou réactive.

En le passant à la loupe et en pleine lumière, vous pouvez observer, évaluer et remettre en question ce qui, jusqu'à maintenant, a insidieusement saboté votre existence de l'intérieur. Afin de retrouver le chemin de votre moi authentique, vous devez prendre conscience de ces perceptions internes. Vous devez savoir d'abord comment vos réactions intimes ont fabriqué un moi fictionnel, avant d'être en mesure de réparer ce qui influence négativement votre concept de soi. Si la pression d'huile de votre véhicule se met à baisser, le problème se situe dans le moteur, et non dans la jauge d'huile. Si vous vivez une vie fictionnelle que vous n'avez ni conçue ni voulue, le problème réside dans vos réactions intimes, et pas nécessairement dans les circonstances extérieures que vous avez rencontrées.

Vous aurez toujours à faire face aux phénomènes extérieurs. L'électricité sera coupée. Et le réparateur en retard. Vous ne serez pas promu. Autant d'événements qui ne paraissent pas si graves sous un regard objectif, mais qui peuvent vous coûter votre santé si les réactions internes qu'ils provoquent en vous sont suffisamment toxiques. Je vous le dis pour que vous preniez tout cela très, très au sérieux. Il ne vous est peut-être pas possible de changer ce qui arrive à l'extérieur de votre monde, mais vous pouvez parfaitement changer votre manière d'y réagir et de l'intérioriser. Et cette entreprise vaut absolument la peine d'être menée. Commençons donc cet audit et identifions vos cibles, pour y parvenir.

CHAPITRE 7

Votre pôle
de détermination

*« Pour trouver une main charitable, regarde au bout de
ton bras. »*

Proverbe suédois

Stop. Pour que ce chapitre ait du sens, vous allez
d'abord faire vos devoirs. Je vais vous demander d'effectuer les
deux tests que vous trouverez en annexes A et B de ce livre
(pages 351-354). Vous allez découvrir que ce chapitre est très
interactif et il vous faut les résultats de ces deux tests avant
d'aller plus loin. Prenez tout le temps qu'il vous faut pour
répondre à chaque question de ces deux tests. Et souvenez-
vous que seule l'honnêteté doit vous guider. Nous allons
travailler de très près sur les résultats, donc ne vous racontez
pas d'histoires en y répondant. Vous reviendrez me voir
lorsque vous aurez terminé.

Bon, si vous avez répondu aux deux tests, nous sommes
parés. Dans l'une de mes vies *passées*, c'est-à-dire avant que je
ne reprenne conscience et ne sorte la tête de l'eau, j'ai pris
part à la direction d'une clinique où nous traitions la douleur
chronique, basée sur les dysfonctionnements physiques des
patients. Au sein d'un même programme, nous dûmes traiter
deux patients dont les profils se rapprochaient de façon frappante. Tous deux étaient chauffeurs de poids lourds, venaient

de la même ville, étaient mariés, étaient presque du même âge et présentaient le même diagnostic : une saillie des disques lombaires accompagnée de douleurs sévères irradiant dans la jambe gauche. Deux patients qui, bien que très proches sur le plan physique, allaient se révéler tout à fait différents dans un domaine très important, aux conséquences plus que déterminantes.

Lors de la première consultation, Steve me décrivit ses accès de douleur intense et la profonde dépression qui l'affectait en retour. Non seulement il voulait prendre une part active au traitement, mais il me demanda de lui fournir de la littérature sur ce sujet – livres, articles, toute chose qui puisse expliquer son syndrome et l'aider à comprendre pourquoi et comment il continuait à souffrir de ce problème chronique et handicapant. Il me dit que les traitements traditionnels n'avaient pas réussi et qu'il croyait « qu'il y pouvait quelque chose de son côté ». Après une discussion et quelques questions poussées plus loin que de coutume, le rendez-vous de Steve toucha à sa fin et il reprit le chemin de son foyer, flanqué des documents qu'il avait sollicités.

Dix jours après le début du traitement, Steve me confia qu'il avait abouti à deux conclusions : premièrement, sa douleur provenait d'un déséquilibre chronique de sa musculature ; et deuxièmement, ce problème musculaire était à son tour entretenu par son propre stress et un déséquilibre émotionnel ; il me décrivit le stress qu'il avait accumulé à long terme à cause des cadences et du surplus de travail, année après année, et de la frustration que lui causait depuis peu sa douleur tenace. Il me dit aussi qu'il soupçonnait que ses nombreuses tentatives de vaincre la dépression se compliquaient d'une histoire familiale marquée par de fréquents épisodes de dépression et d'anxiété.

Steve me déclara alors qu'il avait décidé que, lui-même, il pouvait rétablir sa condition en améliorant l'équilibre comportemental et émotionnel de sa vie, et donc sa tension musculaire chronique. Il pensait qu'il était désormais en son pouvoir de briser le cycle de la douleur. Conformément à ce qu'il avait annoncé, il revint quelques semaines plus tard pour me confirmer qu'il avait réduit la douleur à un niveau plus modéré, qu'il qualifia de « gérable ». Un an plus tard, lors d'une visite de contrôle, il me parut en forme et détendu. Il me confia que sa douleur avait encore décru, à un point qu'il estimait très supportable. Il ajouta qu'elle ne perturbait plus sa vie, à aucun niveau.

Bien que Don souffrît d'un problème de dos identique, il était le contraire exact de Steve. Lors de sa première visite à la clinique, il fit savoir qu'il était là contre son gré. Il précisa que sa femme « ne le lâcherait pas » tant qu'il n'aurait pas accepté de passer, et il était là. Durant le reste de la visite, Don se contenta de dire qu'il avait mal et qu'il voulait que quelqu'un prenne en charge le problème. Les docteurs qu'il avait consultés auparavant étaient tous nuls, et il avait droit à un meilleur traitement. Mais ce qui retint mon attention fut le commentaire qu'il lâcha sur le pas de la porte : « Si ce n'est pas de la malchance… D'abord je me fiche le dos en l'air, et ensuite je tombe sur une bande de mickeys à l'hôpital. » Il secoua la tête et reprit : « C'est l'histoire de ma vie, qu'est-ce que vous voulez… »

Après cette première visite, de nombreux membres du personnel médical tenaient pour probable l'échec du programme de rééducation entrepris par Don. Et ils avaient raison. À aucun moment du traitement, Don ne fit un effort pour prendre en charge, ou ne serait-ce que comprendre les raisons de son état. Au lieu de travailler sur le problème, il persistait à s'appesantir dessus. Il annonça qu'il ne pouvait tout simplement pas faire d'exercices, que ce soit dehors ou à la maison. Il ne ressentait pas d'amélioration. En fait, de son point de vue, les traitements ne faisaient qu'aggraver son état.

Don en conclut que nous perdions tous notre temps. Il dit qu'il lui paraissait évident que la vie lui avait fait « un coup de nase », et voilà. En fin de compte, Don obtint de son traitement ce qu'il en avait attendu : rien.

Deux approches différentes, deux résultats distincts.

La question essentielle que les humains se posent probablement le plus est : Pourquoi ? Pourquoi ceci ou cela est-il arrivé ? Pourquoi telle chose n'est-elle pas arrivée, ou – si elle l'est – pourquoi maintenant ? Pourquoi moi et pas quelqu'un d'autre ? Pourquoi est-ce moi qui ai eu l'accident et pas la voiture suivante ? Pourquoi n'ai-je pas eu cette augmentation, cette promotion ? Pourquoi, pourquoi, pourquoi ?

D'après tout ce que vous savez déjà des *facteurs internes*, il devrait vous paraître évident qu'ils requièrent à cet égard toute votre attention. Une grande partie de ce que je vous demande de faire dans ce livre revient à mettre en lumière vos facteurs internes, à prendre en compte vos réactions intérieures et l'interprétation que vous faites de vos expériences. Et pour bien faire, vous devez d'abord comprendre votre disposition particulière à l'égard des « pourquoi » de votre vie. Prenez cette image : à chaque fois que vous cherchez un stylo, votre tempérament de gaucher ou de droitier vous prédispose à le saisir avec une main en particulier. Vous l'avez fait des milliers de fois, depuis votre tendre enfance. De la même façon, lorsque vous êtes confronté à l'un des nombreux « pourquoi » de votre vie, vous cherchez la réponse en adoptant un style et un comportement typiques. Vous êtes prédisposé à répondre à ce « pourquoi » de la même façon, encore et encore. Ce modèle de réponse, qui vous est unique, relève d'un aspect psychique particulier ou **pôle de détermination.**

Ce « pôle » représente un lieu, un emplacement au sens littéral. Ce pôle a à voir avec le processus par lequel vous tendez à attribuer des causes à ce qui vous arrive. Et avec les choses ou les gens auxquels vous imputez la responsabilité des événements de votre vie. Elle reflète votre opinion habituelle sur la marge de détermination que vous avez sur votre vie. Au fur et à mesure que les événements se produisent dans votre vie, de moment en moment et jour après jour, votre pôle de détermination en détecte et en localise l'origine. Le pôle équivaut au siège de responsabilité de vos difficultés et de vos réussites. En fait, votre pôle de détermination ne vous indique pas seulement ce que vous pensez être la cause de vos problèmes et de vos victoires ; il détermine même l'endroit où vous irez chercher ces causes, a priori.

Chacun d'entre nous, sans exception, est pourvu d'un « champ perceptif », régissant cette manière d'interpréter et d'attribuer une responsabilité aux choses qui se produisent dans sa vie. Peut-être n'en êtes-vous pas conscient, mais il existe. Il s'agit d'une dimension profondément ancrée, qui forme le socle de votre concept de soi. Voilà pourquoi nous devons nous y attaquer sans détour, avant même d'aborder tous vos autres facteurs internes. Vos croyances à propos de ce qui, d'après vous, contrôle votre vie influencent énormément votre discours intérieur et votre environnement. Elles constituent un facteur puissant et durable dans votre interprétation des événements et dans les réactions qu'ils provoquent en vous. Cela signifie aussi que vous répondez à des questions simples et décisives, d'une manière prévisible.

Quel est votre mode de fonctionnement ? Où est localisé votre pôle de détermination lorsque je vous pose des questions comme : qui est responsable de votre vie ? Qui est en charge des résultats que vous avez obtenus ? Vers qui ou vers quoi cherchez-vous des réponses ou de l'aide, lorsque vous affrontez une épreuve ? Qui prend les rênes lorsque les choses tournent mal ? Et quand cela tourne bien, qui faut-il féliciter ?

Pour aider à la démonstration, prenons un exemple dans le monde des affaires. Si vous avez jamais été en situation de devoir convaincre quelqu'un de faire quelque chose, vous savez à quel point il est important de parler à celui qui a la décision. Vous voulez l'oreille de celle ou de celui qui a le pouvoir de dire oui ou non. Imaginons maintenant que vous soyez l'entreprise « Vous et Cie ». Si je devais consulter cette société pour y opérer des changements positifs, j'aurais besoin de connaître la personne qui, d'après vous, a le contrôle des opérations. Qui prend les décisions, qui est la personne la plus directement impliquée dans la mise en place de ce changement ? Qui va en prendre la responsabilité ? Où *se trouve* cette personne ?

Si votre réponse à ces questions était : « Laissez tomber. Je sais que *je* ne suis pas responsable », alors je perdrais mon temps à parler avec vous. Je ne verrais pas d'intérêt à une conversation avec vous si vos réponses démontraient que vous vous sentez comme le passager d'un train emballé, absolument dépourvu du moindre contrôle sur ce qui s'est passé, quand et depuis combien de temps. Si, par contre, j'apprends que vous êtes la personne responsable de « Vous et Cie », et que c'est vous qui conduisez le train, vous représenteriez sans nul doute ma cible.

Vous devez savoir comment vous vous situez dans la hiérarchie de votre vie. Vous allez faire un pas vers l'authenticité en identifiant votre propre modèle de réponse aux questions les plus basiques de la vie. En gardant tout cela à l'esprit, à vous de puiser dans ce chapitre de quoi comprendre et identifier votre propre pôle de détermination.

Vous devez vous rappeler que, d'une manière générale, le pôle de détermination d'un individu est soit interne, soit externe. Pour plus d'efficacité, nous désignerons comme « introcentrés » ceux dont le pôle est interne, et comme « extracentrés » ceux qui placent ce pôle à l'extérieur.

LES INTROCENTRÉS

Les *introcentrés* se fondent sur un concept de soi qui leur indique que tout ce qui leur arrive de négatif est de leur faute et qu'ils sont également à l'origine de leurs succès. En d'autres termes, tout ce qui va se produire, bon ou mauvais, « ne tient qu'à eux ». Pour expliquer ce qui leur arrive, les *introcentrés* regardent leurs propres actes, leurs inerties, leurs traits de caractère. Ils considèrent toujours leurs actes comme les causes premières de ce qui peut se produire dans leur vie. D'une façon ou d'une autre, ils sont à l'origine de l'événement.

Par exemple, lorsqu'une personne *introcentrée* rate un examen de fac, elle se dit : « Je ne suis pas assez intelligente pour y arriver. Je ne suis pas assez douée. » Ou bien alors : « J'ai bousillé ce test parce que je n'ai pas assez étudié. » Quoi qu'il en soit, son explication s'appuiera sur des éléments lui étant rattachés et, par conséquent, des éléments qu'elle contrôlait. Supposons maintenant qu'elle ait une bonne note à son examen. Comment une personnalité *introcentrée* prendrait-elle son succès ? Oui, vous avez raison, elle se dirait : « Je suis brillante » ou « J'ai beaucoup travaillé et j'étais prête. » Là encore, même tendance.

LES EXTRACENTRÉS

L'*extracentré* ne prendra jamais à son compte ce qui lui arrive de mal. Ni ce qui lui arrive de bien. Il pense que quelqu'un ou quelque chose d'autre se cache derrière chaque événement de sa vie. Il peut s'agir du gouvernement ou de sa mère. Mais certainement pas de lui.

J'ai eu l'occasion de consulter une étude établissant une échelle de valeur, du plus stressant au moins stressant, dans une série d'activités diverses. De toutes les activités envisagées par les chercheurs, la conduite d'un bus était considérée comme la plus stressante. Parce que rien n'est plus stressant en effet que d'avoir la responsabilité des événements tout en ayant un contrôle limité sur eux. Pensez-y : les chauffeurs de bus ont la responsabilité de se conformer à un plan de travail qui les dépasse. Ils ne peuvent contrôler le trafic ni leurs passagers, sans parler de l'état des routes qu'ils doivent emprunter. Les *extracentrés* se perçoivent eux-mêmes comme des conducteurs de bus, sur la route de leur vie. Ils sont sur-stressés, tendus, minés par l'anxiété et persuadés que presque tout contrôle leur échappe au long de cette route.

Par exemple, si un *extracentré* rate le même examen de fac que l'*introcentré* de tout à l'heure, à qui la faute ? Du professeur, peut-être. Ou encore, d'amis mal intentionnés qui l'ont emmené faire la fête la nuit précédant l'examen. Il peut se dire que le test était trop difficile, ou que c'est injuste. Mais il n'envisage pas une seule seconde qu'il ait pu échouer à son examen par paresse, mauvaise préparation ou manque de concentration.

De la même façon, si l'*extracentré* réussit son examen, c'est parce qu'il était facile. Ou que le professeur a été coulant sur les notes La réponse prévisible de l'*extracentré*, son « champ perceptif » ne l'autorise pas à s'attribuer la responsabilité de ses notes, qu'elles soient bonnes ou mauvaises. L'histoire de sa vie est celle des gens aux prises avec les forces extérieures. Son discours intérieur s'apparentera très probablement à celui d'une victime. Quoi qu'il arrive, bon ou mauvais, ce n'est pas de son ressort.

LE HASARD

Tout différents qu'ils soient, *extra-* et *introcentrés* ont une chose en commun : l'un et l'autre attribuent à quelqu'un ou quelque chose la responsabilité des événements de leur vie. Que leur discours soit : « C'est toujours moi » ou « Ce n'est jamais moi », tous deux entretiennent la croyance profondément ancrée qu'il existe une raison et une cause directes à tout ce qui arrive.

Or, il existe une troisième catégorie d'individus que nous n'avons pas encore évoquée : ce sont les « adeptes du hasard ». Dans leur champ de perception, tout résultat ou événement est dû à la fatalité, ou d'ordre accidentel, ou relève du hasard. C'est leur credo, leur philosophie de la vie. Les adeptes du hasard ne croient pas à l'influence ou à l'apport de qui que ce soit – fût-ce eux-mêmes – sur le cours de leur vie. Ils ne savent absolument pas pourquoi les choses se produisent ainsi. Les accidents sont le fruit du hasard. Nous y échappons par hasard.

Nous pourrions comparer nos adeptes à un amateur de machines à sous venu jouer à Las Vegas. À part introduire une pièce et baisser la manette, un joueur n'a absolument aucun contrôle sur le résultat, qui repose entièrement sur la machine.

Les gens qui prisent le hasard peuvent très bien croire en Dieu, mais non pas comme un être qui décide des événements du quotidien. Ils ne croient certainement pas faire partie d'un plan plus large, orienté vers un but. Les choses se contentent d'advenir et il n'y a rien à faire pour changer cela. Observons par exemple leur attitude vis-à-vis de la mort : celle-ci d'après eux n'est qu'un pur produit du hasard dont la marche ne sera interrompue par rien ni personne, quel que soit le soin que l'on prenne de soi-même, la compétence des médecins, le lieu de vie, ou tout autre détail parmi les centaines d'autres qui pourraient affecter la santé. Si votre compte est bon, rien à faire. Il ne sert à rien de tenter d'influencer les cartes, ni le lieu ni la date de votre mort. C'est comme ça, un point c'est tout.

Examinons pourtant de plus près cette question de la santé, qui nous ouvre à une plus vaste compréhension du rôle joué par notre pôle de détermination. En un mot, la question est : attribuez-vous votre état de santé actuel à un entretien physique assidu, à la compétence des médecins ou à la chance ?

Lorsque les *introcentrés* tombent malades, ils ont tendance à penser qu'ils ont une part de responsabilité dans ce qui arrive et ils prendront également part à leur guérison. Ainsi, des patients souffrant d'une pathologie cardiaque vous diront qu'ils sont malades parce qu'ils sont trop gros ou qu'ils n'ont pas fait assez de sport. Ils constateront qu'ils se sont soumis à un stress trop important et qu'ils ont trop fumé. De la même façon, ils prendront leur remise en forme comme un enjeu d'ordre personnel. Ils prendront à leur compte en grande partie les efforts nécessaires pour guérir, quitte à changer de mode de vie, tout en prenant très sérieusement leurs médicaments. C'est une réaction typique des *introcentrés*.

Les *extracentrés*, au contraire, vont rester sur leur lit d'hôpital en attribuant leurs troubles cardiaques à toute une infinité de facteurs extérieurs, sans jamais se pencher sur le double pack de bières et le steak-frites géant qui a fait leur menu quotidien des dix dernières années. Ils s'en prendront peut-être à leurs parents – « J'ai une hérédité terrible... » –, voire même au bon Dieu. Vous les entendrez vous expliquer qu'on leur a jeté un mauvais sort, ou qu'ils ont été affaiblis par leur environnement ou encore pris pour cible par l'administration. Et bien entendu, ils ne peuvent être tenus pour responsables de leur guérison. Car après tout, c'est du ressort des médecins, des infirmières et des kinés – pas du leur.

Quant aux adorateurs du hasard, ce sont bien évidemment les plus difficiles à secourir. Ils ne se tiennent pas pour personnellement responsables de leur guérison et ils ne voient aucune raison valable de se donner des objectifs ou d'essayer d'aller mieux. Sans raison pour faire des efforts, ils n'ont pratiquement pas de motivation. L'apparition d'une maladie est un événement accidentel, une carte tirée au jeu du hasard. Rien ni personne n'en est la cause, si ce n'est une combinaison accidentelle d'éléments. Il s'agit d'un coup du sort ; comme d'être au mauvais endroit, au mauvais moment.

Revenons à présent à mes deux patients de la clinique, Steve et Don. Il paraît flagrant que la qualité de vie de Steve dépasse aujourd'hui largement celle de Don. Mais le propos de mon histoire est moins de démontrer *qui a raison* que de prouver comment votre pôle de contrôle peut et doit engendrer des résultats dans votre vie. Parce que Don était persuadé que ses problèmes étaient imputables à la malchance, il a ignoré les puissantes ressources pourtant à sa disposition. En d'autres termes, même lorsque ses chances de guérir étaient à la hausse, il ne s'en est pas aperçu. Son radar ne les a pas détectées, parce qu'elles lui paraissaient sans intérêt. Il voyait comme une malédiction ses problèmes de dos et pensait que ni lui ni personne n'y pouvait rien. Son concept de soi, dominé par une tendance à lier au hasard les circonstances de sa vie – en l'occurrence, sa santé –, le condamnait à une vie de douleur, dont je suis sûr qu'il subit encore les conséquences aujourd'hui.

Aussi importante que celle-ci soit pour vous, soyons clair : les enjeux abordés ici dépassent de loin votre simple santé. La compréhension et la prise en compte de votre propre pôle de détermination ont des répercussions certaines sur votre santé, mais influent également sur *tous les autres* domaines de votre vie. Cela conditionne directement le contenu et la qualité de chaque moment de votre existence.

La façon dont vous attribuez la responsabilité des événements qui surviennent dans votre vie se répercute dans tous les domaines clés : votre carrière, votre capacité à être parent, votre mariage et, oui, votre santé. Si vous vous trompez systématiquement et régulièrement dans la détermination des causes relatives à ces différents domaines de votre vie, vous vivez à n'en pas douter dans un moi fictionnel. Et votre méprise s'étend probablement aux moindres détails de la vie quotidienne. L'autre jour, mon plus jeune fils, Jordan, fait joyeusement irruption dans la maison, avec l'air d'avoir remporté une victoire sur le monde. Je savais qu'il s'était préparé à un examen important et j'en ai déduit qu'il avait réussi. Je lui demande : « Alors, comment ça a marché ? Tu as cartonné ou tu t'es fait cartonner ? »

Il me répond : « C'est moi qui ai cartonné aujourd'hui. J'ai carrément marqué un but ! C'était tellement *faciiiile*… »

Je renifle immédiatement l'opportunité d'une petite mise au point, juste pour aider mon fils à polir un peu plus ce bon vieux concept de soi. (Dieu chérit tout particulièrement les enfants dont les parents sont psys…)

Je lui dis : « Tu veux dire que tu as suffisamment bien étudié ces derniers temps pour connaître les réponses. Le test t'a semblé simple parce que tu disposais des bonnes informations, n'est-ce pas ? Au lieu d'attribuer au test le bénéfice de ton résultat, tu peux l'attribuer à tes efforts pour étudier. Je veux dire, vraiment, tu as quand même loupé un épisode des *Simpson's* pour le préparer… »

Et là, après m'avoir regardé comme s'il m'était poussé un troisième œil sur le front et non sans avoir pensé au préalable : « Pitié, Papa ! Laisse tomber… », il hoche la tête et conclut d'un air pénétrant : « Ouais, je suppose. T'as raison. J'ai pas mal bossé ces deux dernières nuits… »

Il avait décidé que l'examen était facile. Mais ne le sont-ils pas tous, lorsqu'on a suffisamment travaillé ? Facile ou pas, il s'agit bien du même examen ; c'est vous qui le présentez. Si vous êtes un tenant du hasard, vous vous direz peut-être : « J'ai eu de la chance pour celui-ci » ou bien « Je n'ai pas eu de chance ». L'*extracentré* attribuerait sa performance à la difficulté du test. L'*introcentré*, lui, l'imputerait à son aptitude à étudier et, plus globalement, à son degré d'intelligence.

Et vous, dans quelle catégorie vous situez-vous ? Où localisez-vous la responsabilité de vos acquis actuels ? Prenez-vous la responsabilité de vos choix de vie ou en laissez-vous la responsabilité aux autres ? Attendez-vous simplement que le temps passe, dans l'espoir que celui ou celle à qui vous avez délégué la conduite de votre vie soit assez malin pour bien faire ?

Il est temps de faire le point. Dans la mesure où j'insiste beaucoup sur la responsabilité que l'on prend dans la bonne marche de sa vie, vous devez vous attendre à ce que je considère les *introcentrés* comme les gens les mieux placés pour mener une vie authentique. Il n'est pas faux, je l'ai dit de nombreuse fois, que l'on forge sa propre expérience. Et je crois fermement que la plupart des aspects de notre vie dépendent d'un contrôle intérieur. Mais je crois aussi qu'à la lecture de ces profils, vous en avez repéré les défauts respectifs. Ni l'*extracentré*, ni l'*adepte du hasard*, ni l'*introcentré* ne peuvent revendiquer la supériorité de leur point de vue. Chacune de ces trois perceptions comporte ses propres défauts.

Par exemple, on ne peut rien reprocher à une femme que son mari abandonne avec ses trois enfants, pour une affriolante bimbo du bureau, le tout sans prévenir. La conduite immature, veule et cruelle de son époux ne relève ni de son contrôle, ni de sa responsabilité. Si un an plus tard, accablée de chagrin, elle en est toujours à ruminer qu'elle est fautive, quelque chose cloche, à n'en pas douter, dans sa perception de l'événement. Elle intériorise la cause à mauvais escient. Elle prend à son compte un comportement qui n'est pas le sien. Bien sûr qu'une personne dotée d'un soi authentique aura naturellement tendance à vouloir maîtriser sa vie et ses propres réactions aux événements. Encore faut-il qu'elle soit lucide sur ce qui est de son ressort et ce qui ne l'est pas.

Imaginons que vous soyez en train de disputer une partie de tennis endiablée au moment où, à deux mille kilomètres de là, un de vos parents âgés succombe net à une crise cardiaque. Vous intérioriseriez à tort cet événement si vous vous disiez : « Ah, si seulement j'avais été là, mon père serait peut-être encore en vie. C'est de ma faute. » Pardon ? Quelque secondes de réflexion logique suffiraient à vous démontrer que vous n'y êtes pour rien. Et pourtant, j'entends tout le temps ce genre de discours, et vous aussi. Il s'agit d'une attitude d'intériorisation négative. Certains s'accusent des accidents que pourraient encourir leurs gosses en cour de récréation. En poussant à l'extrême, des personnalités instables que nous diagnostiquons presque toujours comme psychotiques iraient jusqu'à s'accuser des conflits mondiaux. Elles endossent la responsabilité des problèmes du monde entier. Nous discernons l'aberration de cette logique et, pourtant, il nous arrive de raisonner de façon à peine moins bizarre.

Les avocats ont coutume d'exploiter chez les gens cette faille de la logique. Combien de plaidoiries ne nous ont-elles pas imputé, à nous comme à la société dans son ensemble, la responsabilité du comportement et des actes d'un jeune meurtrier ? Ce n'est pas sa faute, c'est la vôtre – prenez-en acte. Les adolescents usent de la même stratégie pour culpabiliser leurs parents lorsqu'ils n'ont pas une tenue vestimentaire ou une voiture aussi à la mode que celles de leurs copains. Papa, Maman, tout est de votre faute.

Absurde ! Si vous rentrez dans ce jeu, si vous acceptez d'intérioriser des faits et des comportements qui ne dépendent aucunement de vous, vous vous exposez à la dépression et à la souffrance gratuite. Et, lorsqu'on y réfléchit bien, il s'avère qu'une telle attitude pourrait même receler une pointe d'arrogance, voire d'égotisme : c'est un peu comme si vous affirmiez que le soleil ne pouvait se lever sans votre permission, ou que la course des planètes était placée sous votre contrôle. Soyons rationnels. Il y a des choses que vous pouvez contrôler et d'autres non. Ne vous désolez pas de faits qui ne sont pas de votre ressort. Car faire de la sorte emprisonne votre concept de soi dans les filets de la critique injuste et de l'escroquerie intellectuelle. Soyez un peu réaliste, là. Vous endossez suffisamment de responsabilités dans les divers domaines de votre vie pour assumer en plus des choses sur lesquelles votre contrôle est inopérant.

Et les *extracentrés*, alors ? Leur centre de contrôle peut-il leur poser problème ? Bien sûr que oui. Une attribution systématique de responsabilité *à l'extérieur* de soi peut s'avérer très destructrice pour un individu. Par exemple, un *extracentré* dépensier compulsif au bord de la faillite financière pourrait tenir le raisonnement qui suit : « Je crois que les dieux sont contre moi. Je n'y peux rien. » Imaginez les conséquences de ce type de fonctionnement. Si vous étiez *extracentré* et que l'un de vos parents meure, vous l'interpréteriez comme la manifestation d'une force supérieure. Vous vous mettriez probablement en colère contre cette force et l'accuseriez d'injustice : « Pourquoi Dieu me méprise-t-il ? Il m'a puni de la pire des façons. Je ne sais pas ce que j'ai fait pour mériter cela. » Le reproche sans objet ne résout jamais le problème à la racine. Si vous évaluez mal une situation, vous la malmenez encore plus de ce simple fait et ne parvenez pas à agir en conformité avec le réel. Là encore, l'enjeu est de rester rationnel et authentique eu égard à ce que vous ressentez intimement. Un soi authentique s'appuie sur la connaissance précise de la personne que vous êtes et de ce qu'elle est en mesure de contrôler. Un soi fictionnel, en revanche, s'enracine dans la culpabilité, la manipulation et des attentes qui vous égarent. L'étape la plus importante, celle que nous allons bientôt aborder, consiste à commencer à écouter votre discours intérieur et à évaluer le champ de perception à travers lequel vous regardez le monde. Souvenez-vous que l'authenticité se résume à considérer *des faits*, rien que des faits. Un concept de soi abusé par un pôle de contrôle « extérieur » sera durablement compromis.

De la même façon, votre attachement excessif aux lois du hasard handicape votre concept de soi et vous expose à des problèmes flagrants. Si vous avez tendance à penser : « Après tout, qu'est-ce que ça change ? », vous vous destinez à passer le reste de votre vie sur la ligne de touche. Ceux qui croient au hasard surprennent les autres par leur attitude nonchalante et détachée. Mais ils passent à côté d'opportunités cruciales pour leur vie, au prétexte de se rapprocher le plus possible de leur moi authentique.

Quelle que soit la justification que vous donniez à l'adoption d'un pôle de contrôle externe ou interne, il n'en existe aucune pour ceux qui croient au hasard. Parce que les vrais accidents n'existent pas. Vivre votre vie comme si vous ne la déterminiez pas vous-même, c'est vivre en suivant une logique erronée, que seul un concept de soi fictionnel peut oser étayer et justifier. Cela revient à saper votre aptitude au changement. En ignorant toute occasion de devenir qui vous êtes vraiment, vous persistez dans un état de chaos perpétuel. L'authenticité ne peut s'épanouir dans une vie livrée au hasard.

IDENTIFIEZ VOTRE PÔLE DE DÉTERMINATION

Je suis sûr que vous commencez à vous familiariser avec ce concept. Vous devez à présent vous faire une idée du vôtre. Mais vérifions cela sérieusement. Nous allons revenir aux questionnaires que vous avez remplis en début de chapitre et mettre à profit les informations recueillies.

Nous commencerons par jeter un coup d'œil aux résultats de l'annexe A, consacrée aux questions de santé. Ce questionnaire vous aidera à identifier à qui ou à quoi imputer, conformément à ce que vous ressentez, votre état de santé. À chaque section de ce questionnaire, vous avez obtenu un score allant de 5 à 20. Pour chacune d'entre elles – Pôle interne (section I), Pôle externe (section II) et Loi du hasard (section III) –, votre résultat vous situe dans une de ces trois catégories : basse, moyenne ou élevée, suivant ce tableau d'évaluation des résultats :

SECTION I : Pôle de détermination *interne*

5 à 12 : votre état de santé vous est très peu imputable

13 à 20 : votre état de santé vous est peu imputable

21 à 32 : votre état de santé vous est moyennement imputable

33 à 40 : vous êtes très responsable de votre état de santé

SECTION II : Pôle de détermination *externe*

5 à 10 : votre état de santé est très peu tributaire des facteurs extérieurs

11 à 15 : votre état de santé est peu tributaire des facteurs extérieurs

16 à 21 : votre état de santé est moyennement tributaire des facteurs extérieurs

22 à 40 : votre état de santé dépend beaucoup des facteurs extérieurs

SECTION III : Pôle de détermination *inconnu*

5 à 9 : votre état de santé doit très peu au hasard

10 à 17 : votre état de santé doit peu au hasard

18 à 25 : votre état de santé est en partie dû au hasard

26 à 40 : votre état de santé relève complètement du hasard

Considérons à présent la signification précise de vos résultats.

À la lumière de ce que nous venons d'apprendre sur le danger de croire à la fatalité, vous ne serez pas étonné de savoir que le facteur entraînant le plus bas niveau de santé et les plus improbables opportunités de guérir est précisément le hasard. Si votre champ perceptif y fait la part belle (de 26 à 40), vous ne faites confiance ni à vous-même, ni aux autres pour protéger votre santé. Vous vous déclarez à la merci du moindre germe ou du moindre traumatisme, et dépourvu des armes pour les combattre. Si vous correspondez à ce profil, vous devenez probablement très passif lorsqu'il s'agit de prendre votre santé en main (souvenez-vous de l'histoire de Don).

Si vous n'avez pratiquement pas confiance en vous-même ni en quoi que ce soit d'autre, vous n'accorderez aucun crédit aux moyens à votre disposition pour préserver votre santé. Vous ne verrez probablement pas l'intérêt d'arrêter de fumer, ni d'adopter un régime diététique particulier. Notez bien ceci : cette philosophie du hasard ne relève pas d'un refus de la discipline militante. Revendiquer le hasard repose sur un concept de soi *impuissant* : vous ne voyez aucun intérêt à la discipline et ne manifestez donc aucune motivation au changement.

Comment les *extracentrés* vivent-ils leur santé ? Un score élevé (22 à 40) de détermination externe démontre une dépendance élevée à la puissance supposée des autres ou des choses sur leur santé. Comme les adeptes du hasard, vous faites preuve d'une passivité beaucoup trop importante en la matière. Cette fois, au lieu de tout faire reposer sur un coup de bol, vous vous en remettez entièrement aux médecins sans imaginer pouvoir influer sur votre santé grâce à une conduite responsable. Le vieil adage selon lequel « une once de prévention vaut bien une livre de cure » contredit brutalement vos convictions. À chaque fois que vous cédez de votre pouvoir, vous êtes à la merci de forces incontrôlables. Supposons par exemple qu'un ou deux de vos médecins se forgent une opinion divergente. Dérouté par la confusion, vous êtes fort susceptible de paniquer et de ne plus savoir quoi faire. Il n'est jamais bon de s'en remettre entièrement au jugement de quelqu'un d'autre. En matière de santé, votre vulnérabilité est énorme.

Tous ceux qui soumettent leur état de santé au hasard ou à des facteurs externes feraient bien de jeter un coup d'œil sur les causes majeures de décès aux États-Unis : pathologies cardiaques, cancer, diabète, homicides, suicides et accidents de la route. Quels modes de vie sont à l'origine de tels résultats ? Une mauvaise alimentation, le manque d'exercice, un stress élevé et le tabagisme sont les facteurs essentiels des maladies cardiaques. Le stress, la cigarette et l'alimentation sont également des facteurs désignés dans les études préventives du cancer. Et bien que l'hérédité joue un rôle dans l'apparition du diabète, les déclencheurs les plus importants restent néanmoins, ici encore, l'alimentation, le manque d'exercice et le stress. Le stress est même encore plus clairement corrélé avec les cas d'homicide ou de suicide. Quant aux accidents de voiture, leurs causes essentielles sont l'excès de vitesse, la consommation d'alcool, la négligence et l'absence de ceinture de sécurité.

Quand vous aurez réfléchi à tout cela, demandez-vous qui contrôle tout cela. Êtes-vous impliqué dans ces choix ou en laissez-vous à d'autres la responsabilité ? En gros : la plupart des questions de santé peuvent évoluer en fonction de ce que vous faites ou ne faites pas. Les professionnels de la santé qui vous traitent en savent peut-être plus que vous sur votre maladie, mais vous êtes le meilleur expert de vous-même. Sur le long terme, vous avez plus de pouvoir sur votre corps et votre esprit que qui que ce soit d'autre. Et vous en êtes responsable avant tout. C'est la raison pour laquelle un degré élevé de détermination interne se révèle souvent fructueux.

Vous en savez plus long à présent sur votre pôle de détermination pour ce qui relève de la santé. Regardons à présent les résultats obtenus au questionnaire en annexe B. Comme pour le questionnaire précédent, vos résultats sont compris dans un éventail de 5 à 20 points. Et comme précédemment, le score obtenu dans chaque section vous place dans trois catégories. Prenons connaissance de leur sens précis.

SECTION I : Pôle de détermination *interne*

5 à 20 : votre moi authentique dépend très peu de vous

21 à 32 : votre moi authentique dépend plutôt de vous

33 à 40 : votre moi authentique reflète votre influence

SECTION II : Pôle de détermination *externe*

5 à 15 : votre moi authentique est peu conditionné de l'extérieur

16 à 21 : votre moi authentique est assez conditionné de l'extérieur

22 à 40 : votre moi authentique dépend beaucoup de l'extérieur

SECTION III : Pôle de détermination *inconnu*

5 à 17 : votre moi authentique doit peu au hasard

18 à 25 : votre moi authentique est plutôt dû au hasard

26 à 40 : votre moi authentique relève beaucoup du hasard

Si vous avez obtenu un score supérieur dans la section de détermination I, vous vous considérez comme responsable des changements positifs intervenus dans votre vie. Vous avez la volonté de vous poser les questions difficiles auxquelles vous devez répondre pour retrouver clarté et authenticité dans votre vie.

Si, au contraire, votre score le plus élevé relève de la section II, vous avez besoin de questionner la validité de votre concept de soi. Vous devez mener une recherche sur ce qui vous a amené à abandonner votre contrôle de vous-même. Et n'allez pas croire que je m'en prends à vous parce que vous ne collez pas vraiment au scénario idéal. Nous avons déjà relevé les mauvais côtés de la détermination interne : il arrive que nous ne puissions pas contrôler tout ce qui nous arrive, et croire le contraire confine à une forme d'arrogance erronée. Néanmoins, dans les cas où ce contrôle s'avère *possible*, il ne faut pas hésiter à en user. Vous devez rester vigilant à l'égard d'un travers classique de la détermination externe : le syndrome de la victime.

Si votre meilleur score apparaît dans la section III, celle des adorateurs du hasard, nous devons avoir une petite conversation : vous devez décider maintenant si vous comptez descendre sur le terrain une fois pour toutes, ou si vous préférez demeurer derrière la ligne pour le restant de vos jours, en attendant qu'on vous lance la balle.

Cette décision est-elle si difficile à prendre ? Il s'agit de votre vie… pourquoi n'en rester qu'un passager ?

En analysant votre pôle de détermination, nous avons parlé du filtre particulier à travers lequel vous interprétiez les événements de votre vie et y répondiez. Je suis convaincu que vous avez acquis à présent une claire compréhension de votre fonctionnement et de la catégorie à laquelle vous appartenez. Le savoir est un pouvoir, et la connaissance de votre vision personnelle des choses va sûrement vous procurer un nouveau pouvoir sur votre vie. Il s'agit là d'un premier pas très important dans la remise en question de votre fonctionnement interne.

Tandis que nous avancerons dans les prochains chapitres, vous deviendrez plus conscient de votre tendance à opposer un schéma préconstruit aux interrogations que vous pose votre vie. Vous identifierez les occasions de remettre en jeu votre pôle de détermination, quel qu'il soit. Vous commencerez à repérer les véritables causes des événements intervenant dans votre vie, au lieu de vous précipiter dans vos fictions familières.

J'espère également que vous aurez remarqué ces imposteurs cachés que sont l'arrogance et la victimisation qui, à l'abri de votre moi fictionnel, peuvent à tout moment vous faire perdre les pédales. Vous tromper de détermination interne vous pousse à revendiquer avec arrogance la responsabilité de ce qui advient de votre vie, en bien ou en mal, sans égard pour les faits. Laissez tomber cette attitude. Vous ne pouvez rien au fait que votre parent soit mort, que votre conjoint vous ait quittée, ou qu'il se produise un ouragan en Floride. En allant par là, c'est votre moi fictionnel que vous alimentez. Je vous le répète, vous vous éloignerez de votre moi authentique. Faites bien la distinction entre ce qui dépend de votre contrôle et ce qui n'en dépend pas

Quant aux aspects de votre vie sous votre contrôle – c'est-à-dire la plupart d'entre eux –, vous réalisez bien que vous ne pouvez plus vous en déclarer la victime. *Dieu ne conduit pas les voitures garées au parking*, si vous voyez ce que je veux dire… et vous ne pouvez pas rester éternellement garé dans ce parking…

Votre véritable soi vous en implore, et c'est le moment de bouger. Continuons dans cette voie, afin de vous débarrasser de tout ce qui vous en empêche.

CHAPITRE 8

Le dialogue intérieur

« Nul ne peut vous faire croire que vous êtes inférieur sans votre consentement. »

Eleanor Roosevelt

QU'EST-CE QU'UNE PERCEPTION DÉFORMÉE ?

Au cours d'une expérience, il y a quelques années, un groupe de scientifiques demanda à des étudiants, volontaires, de porter des lunettes qui inversaient l'image : à travers ces verres, le haut était en bas et vice versa. Les premiers jours, les jeunes gens trébuchaient en permanence comme mon oncle Bob, qui se retrouvait à quatre pattes et se cognait aux meubles dès qu'il buvait trop, ce qui lui arrivait à chaque réunion de famille à laquelle j'avais le malheur d'assister. Les cobayes, donc, se heurtaient aux bureaux, longeaient les murs pour changer de salle, se retrouvaient à plat ventre et, pour tout dire, vivaient des moments plutôt difficiles. Connaissant *la réalité*, leur cerveau rejetait ces nouvelles informations… tout au moins dans un premier temps.

Au bout de quelques jours seulement, ils commencèrent à accepter ce monde fictionnel, inversé, comme s'il s'agissait du monde réel. Leur cerveau s'accoutuma à cette déformation. Et bientôt, ils ne s'interrogèrent plus sur ce qu'était le bas ou le haut. Au bout d'une semaine, ils bougeaient sans problème.

Les chercheurs, très intéressés, décidèrent de prolonger l'expérience sur un mois. À la fin de ce délai, les étudiants déclarèrent que ces lunettes, un peu particulières, ne les perturbaient plus du tout. Ils s'orientaient quasi normalement désormais. Ils lisaient et écrivaient presque aussi facilement qu'avant, ils pouvaient évaluer les distances et étaient même capables d'évoluer le long des rangées de sièges aussi tranquillement que leurs camarades qui voyaient « dans le bon sens ».

Ce que me suggère cette expérience, c'est que nous sommes pressés de nous adapter à nos perceptions, même quand nous voyons le monde au travers de verres déformants. Avec le temps, une perception totalement erronée nous apparaît normale. Abreuvez-le de données et vous pourrez convaincre n'importe qui de n'importe quoi, ou presque. Il y en a dans l'histoire de tristes exemples : le lavage de cerveaux dans les camps de prisonniers de guerre, l'endoctrinement pratiqué dans les sectes et l'intégration de nos enfants dans les gangs de rues. Jeunes ou vieux, intelligents ou débiles, cultivés ou non, leur point de vue, leur expérience ont été aliénés par un déluge ininterrompu d'informations déformées. Des gens qui avaient une vue claire de la vie, un sens aigu du bien et du mal, qui croyaient fermement à des priorités et à des valeurs n'en commençaient pas moins à accepter certaines distorsions de la vérité. Une vision des choses ou un raisonnement faux commençait à leur paraître juste et cela a souvent mené à une issue tragique.

Quelle part de notre concept de soi se base sur cette sorte de déformations de la pensée ? Dans ce chapitre, nous verrons que vous avez peut-être, vous aussi, subi un lavage de cerveau, aux conséquences dévastatrices, même si tout cela est moins exceptionnel que d'être enrôlé dans une secte. Vous pouvez n'appartenir à aucune organisation religieuse, ni à un gang des rues, le « laveur de cerveau » le plus puissant que vous puissiez rencontrer n'est autre que vous-même. Et si vous avez été abreuvé d'une masse de fausses informations sur ce que vous êtes et n'êtes pas et que vous y adhérez, votre monde peut être complètement inversé sans même que vous vous en rendiez compte. Si votre concept de soi est aliéné au point de laisser peser sur vous les allégations destructrices et malveillantes des autres, si vous vous autorisez à croire que vous êtes un perdant, vous vous fourvoyez complètement. Ce chapitre explique à la fois comment on en arrive à une telle situation et comment en sortir.

FILTRES

Que nous observions le monde ou nous-mêmes, nous voyons au travers d'une série de **filtres**. Réfléchissez à ce qu'est un filtre. C'est un outil qui laisse passer certaines choses et qui en *retient* aussi d'autres. Selon sa nature, il peut transformer ce qui passe au travers ou est observé à travers lui, ainsi les lunettes de soleil, par exemple. Mais, ici, il est évident que je ne veux pas parler d'un appareillage physique que l'on peut mettre et enlever. Les filtres dont je parle ne sont pas visibles ; ils sont internes, psychiques, émotionnels, verbaux, et ont trait à ce que nous percevons. À travers eux, nous affrontons chaque événement de notre vie et lui assignons un poids et un sens. Certains traversent, d'autres sont retenus, mais tout est passé au crible. Nos filtres ne s'occupent pas seulement de ce que nous voyons, mais aussi de ce que nous entendons et croyons.

Maintenant, comme nous sommes persuadés de notre honnêteté et ne pensons pas nous mentir à nous-mêmes, nous avons tendance à croire que nos perceptions reflètent précisément la réalité. De ce fait, si les informations, une fois filtrées, sont erronées, nous perdons beaucoup de temps. Nous évoluons dans un monde à l'envers, sans nous en apercevoir. Attention : quand nous en arriverons à examiner l'une de vos perceptions qui n'a pas été *testée*, ni *confrontée à la réalité*, il se peut que vous en soyez effrayé, car vous verrez peut-être alors votre moi dans une lumière déformée.

Je souligne ce point car nos filtres perceptifs ont malheureusement tendance à être très sensibles au négatif et à faire écran au positif. Telle est simplement la nature humaine.

Nous sommes tous sujets à déformer la vérité ou à passer à côté, en particulier lorsque nous sommes menacés physiquement ou émotionnellement. Par exemple, on s'est aperçu qu'une personne tenue en joue avec un pistolet va fixer – personne n'en sera surpris – l'arme, au lieu de se tourner vers la porte ou une autre sortie pour s'échapper ou se mettre en sécurité. Pourquoi ? Parce que le négatif se fait toujours entendre plus fort que le positif, et plus le danger est puissant, plus il monopolise l'attention. Nous privilégions le négatif, les menaces et les problèmes, parce que nous sommes programmés pour assurer avant tout notre sauvegarde, si bien que si quelqu'un ou quelque chose est perçu comme une menace (le pistolet), cette donnée va écarter toute autre information éventuelle. La peur de l'arme galvanise votre attention et exclut tout le reste. Les murs pourraient s'écrouler autour de vous, vous ne vous en apercevriez pas, tant l'esprit humain se focalise sur le négatif.

Passons maintenant à un scénario plus proche, qui puisse vous arriver. Il se peut que dans votre vie, à l'heure actuelle, il y ait un tas de gens qui croient en vous et vous soutiennent. Admettons que votre « équipe de supporters » compte des centaines de membres, eh bien je parierais que s'il existe dans votre entourage un ou deux individus critiques – quelques grincheux –, ce petit nombre de « nuisibles » va capter toute votre attention et, souvent, annuler les effets des autres éléments positifs. Pourquoi ? Parce que nous souffrons d'être rejetés, critiqués, attaqués et que notre attention se porte sur cette douleur. Comme pour l'arme du cambrioleur, vos filtres sont sensibles aux sources de douleur et vous percevez ces menaces pour votre concept de soi de façon plus vive et plus persistante que tout le reste. Elles demeurent également plus longtemps en mémoire : les expériences négatives tendent à rester inscrites en vous pendant des années. Voyez un acteur sur scène : il peut avoir devant lui des centaines de fans captivés par sa prestation, il suffit d'un perturbateur pour que l'incident devienne le souvenir marquant de cette soirée.

Au chapitre 3, je vous ai dit que votre passé déteignait sur votre présent et programmait votre avenir. Vos filtres sont essentiels dans ce processus. Par exemple, si certaines personnes vous ont fait véritablement souffrir, il se peut que vous ayiez réagi intérieurement d'une façon « qui vous convienne » et que cela vous conduise à ignorer une majorité de gens plus positifs à votre égard et à voir à travers un filtre qui vous présente *tout* le monde comme une menace potentielle. Peut-être en avez-vous d'ailleurs faussement conclu que si vous avez été blessé, c'est parce que vous le méritiez (pôle de détermination interne inapproprié) ou, tout au moins, que vous pouviez l'accepter. D'un autre côté, ces événements négatifs vous transforment ; vous les laissez vous convaincre qu'ils ont raison et, plus grave encore, vous vous joignez aux critiques pour vous enfoncer.

Par contre, si votre expérience du monde a été nourrie de façon positive et soutenue, et que vous avez choisi de l'intérioriser ainsi, vous appréhenderez sans doute les nouveaux événements qui se présenteront au travers d'un filtre positif, en pensant que vous êtes capable de les affronter. La façon dont vous vivez et réagissez au monde est naturellement influencée par *ce que vous pensez voir*, et qui n'est que ce que vos filtres vous laissent voir, entendre, sentir et penser.

En d'autres termes, vos filtres sont en grande partie élaborés par votre expérience passée, mais aujourd'hui, ils accompagnent chaque instant de votre vie. Peut-être convenaient-ils à une situation ancienne, mais aujourd'hui est-ce encore le cas ? Jugez-vous ceux que vous rencontrez maintenant selon ce qu'ils sont ou font, ou bien les jugez-vous selon ce que d'autres vous ont infligé par le passé ?

Ces étudiants auraient pu vous dire qu'au fur et à mesure que vous menez une existence déformée, elle vous paraît de plus en plus normale. Autrement dit, un mensonge qui n'est pas remis en question devient une vérité. Et nous vivons en permanence dans cette « vérité ». À la différence de ces jeunes étudiants, vous avez élaboré votre interprétation du monde, et de votre place à l'intérieur de celui-ci, depuis bien plus longtemps qu'un mois. Je suis à peu près sûr que vos filtres vous donnent une sensation de parfaite « normalité ». Et si, comme un prisonnier de guerre ou le membre d'une secte, vous aviez été bombardé de fausses informations depuis si longtemps que vous avez fini par y croire ? Tout vous a toujours paru parfaitement normal jusqu'à présent, mais en êtes-vous bien sûr ? Votre perception de ce que vous êtes et de ce dont vous avez besoin ne serait-elle pas plutôt entravée depuis si longtemps que vous ne reconnaissez plus la réalité ? Auriez-vous oublié ? Peut-être votre combat et vos problèmes quotidiens pour *survivre*, les factures, les enfants, le mariage, le travail, la famille, la culpabilité et les inquiétudes, ont-ils obstrué votre filtre, plus rien ne passe au travers. Peut-être vous dites-vous qu'il n'existe aucun moyen de réaliser vos désirs.

Conclusion : si vous êtes dans un des cas de figure évoqués ci-dessus, si vous n'arrivez pas à vérifier les perceptions ayant traversé vos filtres, il se peut que vous fassiez de graves erreurs de jugement. Vos perceptions sont nées de votre histoire et de votre peur de souffrir, elles pourraient donc se révéler être de *grossières erreurs*. Et peut-être ignorez-vous dans ce cas ce que la vie pourrait vous réserver. Nous parlons de votre vie, et là il n'y a pas de place pour une *grossière erreur*.

Gardez bien cela à l'esprit. Je vais maintenant définir pour vous, le plus clairement possible, les objectifs et le défi de ce chapitre. Votre concept de soi est en danger, vous vous fourvoyez, en acceptant pour « vraies » toutes sortes d'informations généralement erronées. Sans doute avez-vous chaussé des « lunettes déformantes ». En conséquence :

• Il vous faut comprendre que vous ne réagissez pas aux événements mais à la perception que vous en avez.

• Il vous faut vérifier ces perceptions (les informations que vous avez filtrées), plutôt que de prendre des hypothèses pour des faits avérés.

INTRODUCTION AU DIALOGUE INTÉRIEUR

L'image du filtre convient bien à la façon dont vous colorez votre perception de vous-même et du monde. C'est un concept pratique... mais ce n'est qu'un « concept ». Qui ne peut nous guider que sur une partie du chemin menant vers une compréhension efficace de la façon dont votre perception des événements affecte votre concept de soi et votre vie. Pour éclairer encore ce processus et mettre à jour votre mode de fonctionnement actuel, il nous faut examiner comment vous entretenez un monologue intérieur. Quand l'information traverse le filtre, c'est sous la forme de mots. Elle devient un dialogue, une conversation que vous avez avec vous-même. (Je tiens, à ce sujet, à préciser qu'il n'y a rien de « fou » à se parler à soi-même, à moins que vous ne le fassiez à haute voix dans la queue du supermarché ou que vous ne teniez des propos incohérents à tout bout de champ !) Les aspects négatifs que vous retenez et intériorisez, l'auto-critique, les idées fausses sur vous-même et le monde en général, tout cela s'exprime dans ce **dialogue intérieur**. Donc, si nous voulons nous arrêter un instant et nous pencher sur vos filtres, nous devons analyser ce dont vous parlez quand vous dialoguez avec vous-même – ce que vous faites à chaque instant de votre vie éveillée.

Le dialogue intérieur est une conversation avec vous-même au sujet de tout ce qui arrive dans votre vie. Il englobe la totalité de vos conversations avec vous-même, jusqu'à la dernière syllabe, qu'elles soient positives et rationnelles ou négatives et autodestructrices. Le dialogue intérieur, c'est ce que vous vous dites à vous-même, sur vous-même, et sur le monde, ici et maintenant ; ce que vous vous disiez avant d'ouvrir ce livre et ce que vous vous direz quand vous l'aurez terminé. En d'autres termes, vos filtres sont actuellement une voix, une voix que vous êtes seul à entendre. Nous reviendrons sur le fait que cela signifie que personne ne peut en prendre le contrôle, à part vous !

Votre dialogue intérieur est véritablement un substrat ou une partie de votre pensée. Voici ce que j'entends par là : dans sa globalité, votre pensée inclut un certain nombre d'idées nécessaires qui ne se rapportent pas forcément à votre concept de soi – par exemple, en résolvant un problème de maths, en lisant la notice du magnétoscope ou les directives de montage d'un portique pour enfants, ce qui demande une certaine coordination. Ce type d'activité mentale n'influence pas votre concept de soi, et ne correspond donc pas à ce que j'évoque. En ce qui nous concerne, il s'agit des conversations plus pointues que vous avez avec vous-même qui peuvent très bien se former en parallèle avec d'autres idées, ou juste en sourdine, pendant que vous essayez de monter le portique par exemple.

Je me souviens ainsi d'un portique que j'essayais d'assembler il y a quelques années à Noël. Je me vois encore sortant de leur emballage les différentes pièces et lisant les instructions. Une partie de mon énergie mentale était en train de lire ce mode d'emploi, pendant que l'autre – mon dialogue intérieur – me criait : « Tu es épuisé ! Tu n'auras jamais réussi à terminer ça avant demain matin ! Tu ferais mieux de tirer Scott de son lit (Scott est mon beau-frère, un bricoleur-né, contrairement à moi) et de lui demander de t'aider, sinon les enfants vont être terriblement déçus ! » Autrement dit, un processus de pensées à deux pistes était en train. Une de ces pistes – celle de mon dialogue intérieur – se préoccupait bien peu de la vis A ou du boulon B, mais se focalisait sur mon concept de soi.

Regardons maintenant, dans les moindres détails, les autres caractéristiques fondamentales du dialogue intérieur.

Votre dialogue intérieur est continuel.

Le temps que vous passez avec les autres, y compris vos proches, ne peut être comparé au temps que vous passez avec vous-même. Vous êtes « avec vous » 24 heures sur 24, et 7 jours sur 7. Et quand vous ne dormez pas, votre dialogue intérieur est d'une grande activité : vous n'arrêtez pas de vous parler.

Votre dialogue intérieur a lieu en temps réel.

Contrairement à ces idées éclairs, toutes faites, automatiques dont je parlerai en détails plus tard, votre dialogue intérieur s'effectue à vitesse normale. S'il était exprimé à haute voix, vous l'entendriez se dérouler à la même vitesse que toute autre conversation, comme si quelqu'un était à côté de vous et parlait à votre oreille pendant que vous faites autre chose. Il peut s'agir d'un discours auquel vous ne prêtez que peu d'attention, mais il peut arriver aussi que vous l'exprimiez à voix haute ! Ces conversations peuvent aussi bien résonner comme des murmures que vous percer les oreilles comme une sono bloquée à fond. La puissance et la permanence de ce dialogue intime peuvent vous faire croire, à tort, que vous n'en avez aucun contrôle.

Votre dialogue intérieur engendre des changements physiologiques.

Chacune de vos pensées déclenche en vous une réaction physique. Si ce discours intérieur vous dit que vous ne pouvez rencontrer le succès, si vous vous mettez vous-même des bâtons dans les roues, vos mains vont devenir moites, ou vous allez être pris d'un tic ou d'un frisson incontrôlable ; peut-être encore votre cœur va-t-il se mettre à battre plus vite. Et ces symptômes s'accumulent. Comme nous le verrons, un dialogue intérieur pessimiste et défaitiste peut être aussi néfaste pour votre santé physique qu'une véritable blessure, ou un virus.

Votre dialogue intérieur est fortement dépendant de votre pôle de détermination.

Le pôle de détermination, que nous avons étudié au chapitre précédent, affecte directement le contenu de notre dialogue intérieur, que ce pôle soit intérieur, extérieur ou fondé sur la chance. Ainsi, par exemple, si vous êtes un *extra-centré*, votre dialogue avec vous-même pourrait ressembler à : « Je ne peux pas faire ça, quelqu'un d'autre doit s'y coller. » Si vous êtes *introcentré*, vous pourriez vous dire : « Je ne permettrai à personne de saper ce projet. Il vaut mieux que je reste ici jusqu'à minuit pour tout faire moi-même. » Quelle que soit la situation, ou la demande à laquelle vous devez faire face, votre dialogue intérieur est probablement influencé par votre pôle de détermination.

Votre dialogue intérieur tend à être totalement accaparant.

Le dialogue intérieur écarte ou étouffe toute donnée émanant d'une autre source, car l'information qu'il vous apporte vient de vous. Or, vous vous accordez une attention aiguë. Vous ne vous mentiriez pas ou ne vous égareriez pas volontairement, n'est-ce pas ? Le résultat, c'est que vous perdez votre temps dans des jeux de cache-cache et le dialogue incessant qui les accompagne. Vous vous en voulez de ne pas persévérer ou d'être obsédé par ce que vous auriez pu faire. Ou alors vous vous félicitez de vos résultats à grand renfort d'exclamations et d'éloges superlatifs. En attendant, si votre dialogue intérieur est réellement actif, il peut acquérir une telle force que vous ne percevez plus les événements importants qui se produisent autour de vous. Vous n'entendez pas les messages cruciaux qui vous sont envoyés. Vous pouvez passer à côté de la réussite, comme de signaux d'alarme. Vous n'avez plus conscience des chances qui vous sont accordées, des idées raisonnablement optimistes que vous délaissez, pour la simple raison que leurs injonctions ne sont pas aussi puissantes, menaçantes ou exigeantes que ce discours intérieur émotionnel.

Nous en arrivons ici au point le plus troublant : **votre dialogue intérieur s'exprime d'autant plus fort que vous en avez le moins besoin.** En effet, il tire, en partie, sa puissance de votre vérité personnelle. Si, sous une pression quelconque, vous vous retrouvez criblé d'angoisses et de doutes, ce sera aussi le cas de votre dialogue intérieur. Et ses messages défaitistes se renforceront si vous vous confrontez à autrui. Voici par exemple ce que vous dites lorsque vous cherchez à obtenir un emploi : « Tu n'es pas assez intelligent, tu n'es pas assez bon, ça ne peut pas marcher. » Lorsque vous tentez de cerner vos désirs en matière de partenaire, de style de vie, de travail, vous vous entendez dire : « Allons, tu te prends pour qui ? Tu te crois au centre de l'univers ? Contente-toi de ce que tu as et continue comme ça. Arrête de prendre ces grands airs. » Ce genre de discours, reçu à un moment clé, peut influencer définitivement votre vie. Et vous finissez par devenir votre pire ennemi.

LE PRIX À PAYER

Telles sont les grandes lignes du dialogue intérieur. Mais quel en est le coût ? Combien peut vous coûter un dialogue intérieur perpétuellement négatif ?

Votre dialogue intérieur étant permanent, il peut finalement devenir une composante majeure de votre vie. Petit à petit, il peut avoir une action destructrice, lente et subtile. Imaginons quelqu'un qui se promène torse nu en été, sans se rendre compte que le soleil est en train de le brûler. Posez-lui un fer à repasser sur le dos, il va hurler et s'enfuir en courant. Pourtant le soleil et le fer causent le même type de dommage, mais le premier est plus subtil. On ne s'en aperçoit que trop tard. De même, admettons que vous vous approchiez de quelqu'un, le regardiez dans les yeux et lui disiez : « Vous êtes stupide, vous n'êtes qu'un crétin nullissime », il en sera saisi d'effroi et de douleur. Or, c'est à peu près ce que les gens se disent à eux-mêmes toute la journée, quotidiennement, à travers leur dialogue intérieur. Être exposé chaque jour à ce dialogue intérieur négatif, c'est comme être exposé au soleil de façon prolongée, cela peut vous tuer sans que vous le sachiez. Vous créez un environnement toxique, qui grandit en vous petit à petit, de façon aussi sournoise qu'insoupçonnable.

Rappelez-vous le chapitre 1. Quand je dis que cela peut vous tuer, entendez-le littéralement. Vos conflits intérieurs, psychiques et émotionnels altèrent votre santé. Ils raccourcissent votre vie et vous rendent beaucoup plus vulnérable aux maladies. Comment cela ? Vos cellules immunitaires sont en relation étroite avec vos cellules nerveuses, elles communiquent entre elles à tout instant. Chacune de vos pensées provoque un changement instantané dans votre corps. Si elles sont négatives et défaitistes vis-à-vis de vous-même, votre physiologie en subira les conséquences, qui peuvent prendre la forme d'une accélération de l'activité endocrinienne, de poussées chroniques d'adrénaline, d'une pression artérielle élevée, ou même d'une attaque cardiaque.

Mais votre dialogue intérieur est également un remède puissant. Vous devez écouter votre corps, car lui vous écoute certainement. Et il vous parle à travers des maux de tête, un mal au dos, la dépression, les angoisses ou encore une frilosité permanente. Il vous tient au courant et confirme vos intuitions. Et quand vous y prêtez attention, vous comprenez que ces messages sont émis par votre moi authentique qui vous clame : « Aide-moi à sortir de là ! » Si vous êtes constamment fatigué, douloureux, malade, ou simplement pas dans votre assiette, c'est qu'il est temps d'observer très attentivement ce que vous vous dites, jour après jour.

Il y a également un prix à payer sur le plan émotionnel, comparable à un durcissement de vos « artères psychologiques ». Nous avons vu que quand le pôle de détermination est mal basé, votre dialogue intérieur négatif vous conduit à négliger des informations vitales qui, autrement, s'avéreraient incroyablement puissantes. Vous ne discernez plus les alternatives positives car, une fois encore, votre centre d'enregistrement des données est fermé.

Dites-moi : quand vous perdez vos clés et que vous les retrouvez, continuez-vous à les chercher ? Si vous avez besoin d'une réponse, continuez-vous à investiguer une fois que vous l'avez ? Non. Vous stoppez la recherche. Maintenant, supposons que votre monologue intérieur se déroule ainsi : « Je suis mauvais, je l'ai toujours été et je le serai toujours. Personne ne me respectera jamais. » À partir du moment où vous croyez sincèrement à ce discours, pourquoi changeriez-vous d'avis ? Et de fait, dix expériences dans la semaine qui suit vont contredire ce discours, mais vous ne saisirez pas l'information contraire, vous ne l'*entendrez* pas. Si vous vous dites que vous êtes un nul et que vous croyez être sincère avec vous-même, alors vous passerez à côté de toute affirmation qui ne va pas dans ce sens, même si elle vous est servie sur un plateau d'argent. Et vous ne chercherez pas de preuve contraire.

Vous pouvez par exemple exercer une activité hautement qualifiée et constructive et rendre un tas de gens heureux en l'exerçant, et pourtant en souffrir, parce que vous avez de véritables dons artistiques et ne pouvez les utiliser dans votre travail. On peut aisément imaginer le dialogue intérieur qui vous permettra d'ignorer cette douleur. Peut-être invoquerez-vous votre épouse, la province où vous habitez, votre manque d'éducation ou, au contraire, votre trop bonne éducation. Vous avez des regrets et il ne vous vient pas à l'idée que votre frustration vient de votre manque de sincérité vis-à-vis de vous-même. D'ailleurs vous avez déjà décrété : « Je fais ce qu'il faut. » Votre dialogue intérieur a adopté la vitesse supérieure, en rationalisant et en justifiant ce choix peu épanouissant, mais qui vous protège des alternatives.

Résultat ? Votre dialogue intérieur négatif vous éloigne de la vérité ; il empoisonne votre concept de soi ; vous apparaissez aux yeux du monde malheureux et frustré, et il répond à cette image en augmentant votre frustration et votre malheur. Un dialogue intérieur négatif se convertit en un cercle vicieux de prophéties.

Parfois, l'environnement toxique suscité par votre dialogue intérieur peut s'exprimer très fort et créer des désastres. J'ai soigné un jour un homme d'affaires très puissant, Greg, qui voulait travailler sur lui-même car il allait devoir bientôt, à la faveur d'une promotion, prendre régulièrement la parole en public. Il savait qu'il rencontrerait des publics assez sceptiques quant à l'impact environnemental des activités de sa société. Avant de venir me voir, il avait essayé de développer ses qualités d'orateur et de répéter ses discours en prenant des cours d'expression orale. Son talent s'épanouissait, mais ses angoisses étaient toujours là. Très vite, je soupçonnai que le problème ne résidait pas dans une incapacité ou un manque de motivation, mais que Greg était aux prises avec un dialogue intérieur destructeur et intrusif.

Je lui conseillai de décortiquer pour moi une occasion récente où il avait connu un échec en prenant la parole en public. Il m'expliqua qu'à l'approche de cet engagement, il avait préparé minutieusement le contenu et la forme de son discours. Il avait répété sans se lasser et semblait avoir confiance. Il était prêt. Il avait même fait des exercices de relaxation, de visualisation et d'autosuggestion. Tout cela était parfait et rationnel, mais une fois sur l'estrade, son dialogue intérieur se fit entendre. Je lui demandai de me confier ce qu'il se disait à lui-même à ce moment-là. Et voici des extraits de ce qu'il écrivit :

> « Oh, non, je commence à transpirer. Ces gens ne vont pas me croire un seul instant. Ils me regardent comme si j'étais un empoisonneur d'enfants. Je suis en train de me planter misérablement. Je ne peux pas faire ça. Pourquoi se faire des illusions ? Je ne suis pas fait pour ça, c'est tout.

Dix-sept personnes sont déjà sorties depuis que j'ai commencé à parler. C'est un désastre. »

Vous pensez que, sous l'influence de ce monologue négatif, Greg s'était placé lui-même en situation d'échec. Vous avez raison, mais regardons de plus près comment cela s'est passé. En accord avec les mécanismes du comportement humain, un événement physiologique – transpiration, tremblement, etc. – avait accompagné ces pensées négatives. Mais ce qui est encore plus significatif, c'est la nature intrusive de son dialogue intérieur. Regardons de ce côté-là. Greg, au départ, avait à son actif une grande intelligence et une grande concentration, mais au lieu de consacrer entièrement ces qualités à sa tâche, il s'est partagé en deux. En s'approchant du micro, une moitié de lui-même était investie dans le dialogue qu'il entretenait avec lui-même, ne laissant que 50 % de ses capacités disponibles pour le discours qu'il devait tenir.

Réfléchissez : comment feriez-vous chaque jour pour faire face aux défis de votre vie avec un intellect divisé en deux ? En d'autres termes, au lieu d'avoir un excellent QI de 110, vous devriez agir avec un QI de 55, le niveau d'un retardé mental. Voilà ce que provoque un dialogue intérieur intrusif. Est-il si étonnant maintenant que, lorsque Greg se leva pour prononcer un discours ardu avec son QI de 55, il ne s'en sortit pas très bien ? Il connaissait son sujet, c'était un bon orateur, mais le problème était qu'il faisait deux choses à la fois : il écoutait un monologue dépréciatif sur lui-même tout en tentant de tenir un discours exigeant. Quand le problème fut clairement diagnostiqué et que Greg eut appris à maîtriser son dialogue intérieur, comme vous êtes en train de le faire, le problème fut résolu. Pouvait-il arrêter son dialogue intérieur ? Non, mais il pouvait l'affronter et le canaliser.

Ainsi, d'où votre dialogue intérieur tient-il ses informations ? Quelle est la source de ses « données » ? Nous faisons partie d'une société où nul ne sait vraiment qui il est, nous sommes très vulnérables aux influences extérieures : parents, pairs, autorités, journaux, magazines, pubs télé, Hollywood et enfin Internet. Si nous savions vraiment qui nous sommes, ce que nous croyons et ne croyons pas, nous ne permettrions à personne de nous définir de l'extérieur. Mon père disait souvent : « Fiston, si tu ne te bats pas pour quelque chose, tu te feras avoir par n'importe quoi ! » Comme d'habitude, il avait raison. Si, ignorant de vous-même, vous ne vous « dressez » pas pour défendre qui et ce que vous êtes, vous ouvrez votre porte aux influences qui vous détourneront de votre véritable personnalité.

Nous voyons chaque jour comment ce type de données affectent nos enfants. Ils peuvent entrer dans la drogue ou connaître d'autres troubles pour la simple raison qu'ils se laissent conduire sur des chemins où ils n'iraient jamais d'eux-mêmes. Ils ne savent pas clairement qui ils sont et, de ce fait, ne peuvent être certains si ce qu'on leur propose leur convient ou non, à « eux ». Vous pouvez subir l'influence d'une pub télé qui vous incite à acheter une nouvelle voiture sous prétexte qu'ainsi vous serez cool, sexy ou que votre réussite sera assurée. Ces événements déclenchent des désirs que vous interprétez ensuite et intégrez à votre dialogue intérieur. Le dialogue A mène à un résultat, le dialogue B à un autre. Ces éléments extérieurs, les pubs télé et d'autres sources nous influencent, et nous réagissons par notre dialogue intérieur, plutôt que de réfléchir sur qui nous pensons être et, ainsi, nous nous éloignons davantage de notre moi authentique.

Et souvenez-vous, quand ces messages extérieurs frappent notre sens des valeurs et ce à quoi nous tenons, nous devenons particulièrement vulnérables, d'autant plus lorsqu'il s'agit d'un sujet concret. Comme nous l'avons déjà vu, si quelqu'un tente de vous convaincre que vous êtes un voleur, il ne peut y parvenir, parce que **dans les faits** vous *savez* que vous ne l'êtes pas. Par contre, s'il vous défie sur un terrain plus abstrait, subjectif – votre intelligence, votre amabilité, votre sensibilité, votre valeur, votre talent, votre caractère –, là, vous tendez l'oreille. Vous pouvez accepter ce message au sein de votre dialogue intérieur, parce qu'il n'est pas réfutable par des faits. Vous allez même absorber ce message avec une intensité et une émotion telles que, comme un imbécile, vous le répéterez à chaque fois que vous vous parlerez de vous-même, même si, à l'origine, vous vous estimiez davantage.

Si quelqu'un vous adresse une critique infondée et stupide, commet un acte égoïste ou profère un commentaire brutal, je serais étonné que vous y fassiez réellement barrage. La fois suivante, vous aurez commencé à inclure ces données, « en réaction », dans votre dialogue intérieur. Comme l'enfant qui tombe sur « de mauvaises fréquentations », vous n'auriez jamais initié ce genre de dialogue intérieur négatif envers vous-même, mais comme vous ne savez pas qui vous êtes vraiment, vous le laissez prendre racine quand il est lancé par quelqu'un d'autre. C'est pour cette raison qu'il est essentiel pour vous de rester en contact et de vivre en accord avec votre moi authentique.

THÈMES / SUJETS / QUESTIONS

Votre dialogue intérieur réagit de façon neuve à chaque situation, mais il existe certains thèmes connus. Mettons par exemple que vous soyez une femme, convaincue d'être trop grosse, et que vos vêtements ne vous vont pas, votre dialogue intérieur sera sans doute plus ou moins identique qu'il s'agisse de votre environnement social, de votre travail, de votre mariage, ou de la piscine. Vous serez particulièrement amère à l'égard des « maigrichonnes qui paradent en bikini ». Peut-être vous diriez-vous : « Je n'arrive pas à croire que j'en suis là. J'ai l'air d'une vache. Comment sortir d'ici ? Je vais me planquer là-bas, personne ne viendra m'y chercher. Si seulement je pouvais allonger un peu ma veste. Je jure de faire un régime, même si cela me tue. Je ne veux pas qu'on me voie manger. Tiens, voilà encore une sylphide. Je la hais. J'ai un gros derrière et tout le monde le sait. Au moins, comme j'ennuie tout le monde, personne ne fait attention à moi. Comment sortir d'ici ? Pitié, qu'ils ne viennent pas vers moi. Oh non, ça y est, ils arrivent. "Salut, comment allez-vous ? Ravie de vous voir !" C'est horrible ! »

Voilà comment le dialogue intérieur rejoue des thèmes familiers, mais les variantes sont aussi personnelles que l'ADN de chacun d'entre nous ; les thèmes et les sujets de votre dialogue intérieur n'appartiennent qu'à vous. En fait, une grande partie de ces discours intimes ne semblent pas si néfastes, pris isolément, mais leur pression peut être considérable. Même au long de vos matinées les plus chargées, votre dialogue intérieur court, insistant. « Tu devrais faire ça, n'oublie pas Y ; tu devrais… il faut vraiment que tu… tu dois… » Aujourd'hui, peut-être votre dialogue intérieur a-t-il été : « Je dois absolument retourner au bureau et je vais être en retard à cause de la circulation. » Une autre fois, il va vous faire éprouver de la culpabilité, sous prétexte que vous restez trop longtemps devant la télévision ou à lire le journal. Votre dialogue intérieur poursuit des thèmes particuliers ; ils ne sont pas toujours négatifs, certes, mais ils sont rarement neutres.

Votre dialogue intérieur peut être fait de comparaisons incessantes, de peur, de soucis, d'anxiété et de pessimisme. Ce peut être une rumination obsessionnelle sur tout, du moindre détail aux événements majeurs de votre vie. Vous pouvez laisser passer quelque chose de très important, en écoutant un dialogue qui évaluera mal l'enjeu ou qui vous incitera à l'inaction. Après tout, si vous vous contentez de « vous en fiche », cela ne risque pas de vous blesser, n'est-ce pas ? Alors, pour vous protéger, votre dialogue intérieur vous convaincra que vous vous fichez. Il vous noiera sous toutes sortes de bonnes raisons, à chaque fois que vous essayerez de faire quelque chose qui n'est pas prévu de longue date et assuré.

LES BÉNÉFICES

Quand vous étudiez votre dialogue intérieur négatif et que vous commencez à en cerner les contours, il est logique

que vous vous étonniez : si tout cela est négatif, pourquoi continuer ? Si ce comportement m'est néfaste, pourquoi persister ? La première réponse, comme nous l'avons vu, reflète la prééminence du négatif. Tout comme la peur devant le revolver annule toute autre donnée, votre tendance à « verrouiller » en faveur de l'information négative peut vous amener à rater tout le reste. Celle-ci peut vous sembler plus évidente, plus réelle qu'une information positive, fût-elle véridique.

Mais vous devez aussi garder à l'esprit **la puissance du bénéfice**. Dans votre quête pour comprendre votre dialogue intérieur, vous devez être conscient du « bénéfice » que vous en retirez. Vous ne poursuivriez pas sur une voie qui ne vous rapporterait pas un certain type de récompense. En d'autres termes, vous ne choisissez pas votre dialogue avec vous-même au hasard, mais parce qu'il « travaille » pour vous. À un certain niveau, vous y trouvez un bénéfice, sinon vous ne le feriez pas. Sans récompense, vous ne recommenceriez pas.

Votre dialogue intérieur vous fait stagner lorsqu'il vous impose d'accepter simplement ce que vous êtes. Vous croyez peut-être détester cette sorte de monologue, mais vous ne l'écouteriez pas un instant, si vous n'en tiriez pas quelque chose. Quel est donc ce bénéfice qui vous amène à faire ce que consciemment vous ne désirez pas ? Ne pensez pas être l'exception qui confirme la règle. Il n'y en a pas.

Supposons, par exemple, que Carole songe à reprendre ses études qu'elle avait arrêtées en rencontrant son mari. C'est son désir conscient, mais en ce qui concerne son dialogue intérieur, tout n'est pas aussi simple. Pour prévoir l'issue de ses efforts – pour compléter son cursus et changer de travail –, il nous faut écouter ce qu'elle nous dit, certes, mais surtout ce qu'elle se dit à elle-même. Si son dialogue intérieur lui susurre que l'acquisition de nouveaux diplômes peut compliquer sa carrière, Carole va commencer à devenir nerveuse. Elle peut aussi être amenée à se rendre compte que, avec ce diplôme universitaire, elle n'aura aucune excuse si elle exerce un travail sans intérêt ou se retrouve dans une impasse. D'autre part, elle entrera sur un marché plus compétitif, de professionnels « hautement compétents », et elle aura sans doute à affronter de nouvelles demandes au sein d'un monde de rivalité. On comprend qu'elle puisse être effrayée et préférer rester tranquillement là où elle en est, avec le bénéfice réel de la « sécurité ».

Maintenant, sa vie peut n'être pas particulièrement brillante sur le plan professionnel. Elle se dira alors : « Je n'ai pas un travail formidable en ce moment, mais au moins j'ai une excuse. J'ai tout abandonné pour mon mari, sinon je serais une star. Si j'avais terminé mes études, j'aurais eu davantage de propositions. » Mais ce n'est pas sûr, et pour le coup, ce serait terrible de n'avoir ni excuses, ni travail gratifiant, non ?

Il y a un risque et, en se dupant elle-même, elle échappe à la douleur éventuelle d'être rejetée, sans pouvoir se trouver d'excuses. Comme pour Carole, votre dialogue intérieur peut parfois vous convaincre qu'il est plus facile de « ne rien faire ». Il peut compliquer et même saboter vos objectifs les plus fondamentaux.

Nous avons besoin d'évaluer plus avant cette question du risque. Vous percevez ce que vous encourez, vous l'évoquez intérieurement et cela ne change en rien votre engagement. Comment s'étonner que nous soyons si résistants au changement ! Votre dialogue intérieur peut se montrer défaitiste, alors même que vous êtes simplement coincé dans un travail que vous méprisez. Changer de travail implique des risques, et le plus grave serait d'admettre que ce que vous avez ne correspond plus à vos désirs. Quand votre dialogue intérieur en prend connaissance, vous ne pouvez plus vous enfouir la tête dans le sable, vous réfugier dans le déni. Vous êtes en face de la réalité toute nue : votre vie professionnelle est sans intérêt. Sous la pression de votre dialogue intérieur, vous pouvez éprouver l'envie de vous « mettre au niveau » et commencer à agir en ce sens. Si vous admettez le problème, vous êtes obligé, soit de poursuivre un chemin que vous savez médiocre, soit de viser plus haut. Et il est indéniable que vous puissiez rater votre reconversion. Or, vous avez peur de l'échec.

C'est là que votre dialogue intérieur peut vous causer de réels problèmes. S'il convertit les opportunités qui s'offrent à vous en sources de peur et de douleur, on comprend que vous restiez paralysé. Au lieu d'aller vers la réalité et de vous confronter à la vie, vous commencez à vous mentir et à vivre une fiction. Votre dialogue devient : « Tout va très bien. Je sais que tout cela ne me correspond pas, mais je devrais être déjà bien content d'avoir ce travail. J'aimerais bien aller plus loin, mais je ne crois pas en moi. » Voilà votre bénéfice : vous parvenez à vous cacher la vérité pour éviter la peur, la souffrance et les difficultés de la démarche.

En d'autres termes, une faible estime de soi engendrée et entretenue par le dialogue intérieur constitue une excellente excuse pour beaucoup d'entre nous. Ils peuvent ainsi rester tranquilles sans attendre trop d'eux-mêmes : « Mon Dieu, j'aimerais m'y mettre et m'engager dans ce métier, mais je suis vraiment trop timide, je n'ai pas assez confiance en moi. » « Oh ! Vraiment ! Vous trouvez cela confortable ? Vous avez peur ? On va tous devoir vous traîner pendant soixante-dix ans ? » Non. Tout le monde a des doutes. Et si nous affrontions ce dialogue intérieur, au lieu de nous laisser paralyser par lui ?

Si votre dialogue intérieur tourne autour de votre estime de soi, posez-vous la question suivante : vous rapproche-t-il de ce que vous désirez profondément ? Notre monde a besoin d'acteurs et non de spectateurs. Si la vie vous fait peur et que votre dialogue intérieur en porte témoignage, laissez-moi vous dire que vous êtes dans de beaux draps. Tout le monde doute, s'inquiète, mais si vous acceptez, sans broncher, les bonnes excuses de votre discours intérieur, si vous l'écoutez vous dire de ne pas faire de vagues, là vous trichez avec vous-même et avec vos proches.

UN DIALOGUE INTÉRIEUR POSITIF

Nous venons de passser en revue un certain nombre de situations où le dialogue intérieur représentait un élément fortement perturbateur. Mais comprenez bien : le dialogue intérieur peut se révéler tout à fait rationnel et productif. Ces critères méritent cependant d'être éclaircis afin de vous permettre de voir en quoi votre dialogue intérieur est positif ou non.

J'ai toujours pratiqué le sport, que ce soit le football quand j'étais jeune ou plus récemment le tennis, et j'ai eu la chance de rencontrer des entraîneurs qui attachaient de l'importance à l'aspect mental du jeu et, particulièrement, à l'impact du dialogue intérieur en cours de match.

Je pense en ce moment à Paul Vishnesky. C'était un excellent joueur de tennis, un très bon partenaire en double et un entraîneur hors pair. Il avait passé pas mal de temps à étudier la psychocybernétique et le dialogue intime. Et cela se percevait dans son enseignement. Un jour, il me dit : « Si tu rates ton premier service, ne te dis pas : "Je ne dois surtout pas faire une double faute maintenant." » Il voulait dire que je ne devais pas laisser les mots « double faute » faire leur chemin avant d'avoir frappé mon second service. Et il poursuivait : « Non, au lieu de ça, tu te dis : "Vas-y, fonce !" », une injonction nettement plus positive. Et il avait entièrement raison, eu égard à tout ce que nous avons déjà dit. Ses conseils étaient fondés sur le pouvoir de la suggestion, il se fixait sur un moment précis du dialogue intérieur et visait un objectif physique spécifique. Comme je le découvris rapidement, cette technique était très efficace.

Aujourd'hui, quand je joue au tennis, je programme très précisément mon dialogue intérieur pour être certain qu'il soit productif et rationnel. Même en face d'un jeu dur ou d'un set ardu, je peux m'appuyer sur un moi qui me dit des choses comme : « L'homme fort est toujours vainqueur. Détends-toi, fais-toi plaisir. Tu aimes ça. N'oublie pas que ton adversaire aussi a chaud, qu'il est aussi fatigué que toi. Le match sera pour celui qui le désire le plus. Tu n'es pas *obligé* de gagner, simplement tu le *veux*, alors regarde bien la balle, bouge-toi et régale-toi. »

Tout cela vous paraît peut-être aberrant, mais je sais que pour moi, ça marche. Bien sûr, je ne tiens pas ce discours intérieur en même temps que je joue, mais entre les points. Quand l'échange proprement dit commence, je me concentre entièrement sur mes mouvement de jambes et sur ma frappe. Et vous aurez peut-être remarqué que je fais baisser la pression en me disant : « Je ne suis pas obligé de gagner. » Voyons les choses en face : je ne suis pas au tournoi de Wimbledon, je suis un joueur du dimanche. Donc, j'utilise mon dialogue intérieur pour remettre les choses à leur place : il s'agit de prendre du bon temps. Que je gagne ou perde, j'irai ensuite à la douche, manger un morceau et, en rentrant, j'aiderai Jordan pour son devoir de géométrie.

Nous avons vu précédemment qu'un dialogue intérieur négatif avait des conséquences physiologiques : poussées d'adrénaline chroniques, pression artérielle élevée, etc. Il va de soi que si vous émettez des pensées positives rationnelles et dynamisantes, chaque cellule de votre corps va y répondre en développant une énergie plus positive et dynamisante.

Cela fait bien longtemps que les psychologues sportifs étudient cette relation corps-esprit. Leurs recherches n'ont pas cessé de montrer que la façon dont nous appréhendons une performance physique détermine sa réussite. Les haltérophiles soulèvent davantage quand ils se tiennent un discours d'affirmation de soi, les nageurs nagent plus vite et les coureurs courent plus rapidement. Le témoignage d'athlètes olympiques montre l'importance qu'ils accordent à leur dialogue intérieur. Ce qui est valable pour eux l'est aussi pour nous, dans notre vie quotidienne ; c'est ce que m'ont enseigné mes entraîneurs. Et c'est pour cette raison que j'ai si volontiers fait mien le conseil de Paul Vishnesky : observer mon discours intérieur quand j'entre sur un court de tennis. Je ne suis pas un athlète olympique, mais ce truc marche pour vous et moi, comme pour eux.

Maintenant, considérons ce que *n'est pas* un dialogue intérieur positif. Comme je l'ai suggéré précédemment, il s'agit d'une conversation avec soi-même raisonnablement optimiste, pas d'une explosion de joie sans fondement. Il est constitué de pensées, de messages, d'une rhétorique basée sur des faits, qui vous permettent de vivre en accord avec la réalité, il ne s'agit pas d'hypothèses ou d'opinions. Le dialogue intérieur est un véritable engagement vis-à-vis du monde, pas une forme de déni, le sourire aux lèvres.

Ce n'est pas une litanie de mantras « pour se sentir bien ». (« Je suis bien, je suis intelligent et zut... » Vous connaissez la suite.) Si vous avez besoin d'élever votre vie et de changer, un dialogue intérieur positif ne vous dit pas : « Je suis assez bon comme ça. » Il se peut que vous *ne soyez pas* assez bon, que vous ayez vécu jusqu'à présent de façon léthargique. Dans ce cas, un dialogue intérieur rationnel et constructif vous dirait la vérité, pour que vous puissiez en faire quelque chose. En ayant une conversation honnête avec vous-même, vous pouvez identifier ce que vous allez mettre en tête de la liste de ce qu'il vous reste à faire. Si vous êtes paresseux, admettez-le, sinon, arrêtez de vous en accuser. Il ne s'agit pas de lancer une fusée. Vous devez simplement commencer à écouter et à travailler votre dialogue intérieur. Quoi qu'il en soit, commencez par parler des faits, et non d'une fiction.

Peut-être connaissez-vous des gens qui n'ont peur de rien, en aucune circonstance, y compris les plus graves. Ce n'est pas ce que j'appelle un dialogue intérieur positif et sain. Il s'agit pour moi de fous « à l'épreuve des balles », qui pensent être immortels. Les effets de leur dialogue intérieur sont aussi dangereux que ceux d'un dialogue critique.

Entendez-moi bien, le dialogue intérieur n'est pas un exercice d'auto-affirmation aveugle. Il s'agit de votre vérité personnelle, celle que vous vivez. Mentez-vous et vous en *payerez* le prix. Que votre mensonge personnel prenne la forme du déni, ou d'une exception à laquelle vous appartiendriez, ou encore d'un enthousiasme superfétatoire, il n'en reste pas moins que c'est un mensonge. Lequel peut être intentionnel ou résulter d'inexactitudes, de mauvaises informations qui ont, sans bruit, envahi peu à peu votre vie. Seule la vérité vraie, évaluée à l'aune de votre sincérité, doit vous servir de critère. Si vous privilégiez le doute et l'autoflagellation, c'est sur ce mode que vous vous présenterez au monde extérieur. Si vous vous savez confiant, malin et endurant, vous n'aurez pas nécessairement peur, même dans une situation à hauts risques. Vous réagirez en fonction de votre moi profond. Arrêtez de négocier avec l'opinion que vous avez de vous-même et tenez-vous-en aux faits.

La connaissance est un pouvoir. Un dialogue intérieur positif vous permet de connaître votre histoire, alors adoptez-le. Il vous permet de vous affranchir de votre éducation. Ici, je pense à mon père. Comme je l'ai déjà dit, il a été le premier de toute ma famille, que ce soit du côté de ma mère ou du sien, à fréquenter l'université. Il a outrepassé son éducation, il est allé plus loin. Telle est l'idée que je me ferais bien de son dialogue intérieur quotidien : « Notre mode de vie est pauvre et sans éducation, c'est ainsi. Mais je vais aller plus loin. Je vais me frayer un chemin vers un échelon plus élevé. Je sortirai d'ici. »

Le dialogue intérieur positif est ce qui propulse un athlète olympique vers son nouveau record personnel. Comme si l'énergie dégagée par ce discours d'affirmation le portait à un autre niveau. Après coup, l'athlète se souvient simplement qu'il était totalement absorbé dans l'instant.

Le dialogue intérieur positif est l'héritage qu'Oprah a retenu de son expérience à l'école primaire. Jour après jour, le message se répétait : « Fais de ton mieux, tu réussiras et tu seras appréciée. » Dans mon cas, j'ai pu expérimenter ma valeur personnelle et retrouver ma fierté après avoir été renvoyé de l'école pour avoir défendu mes idées et mes amis.

Un dialogue intérieur positif est entièrement en accord avec votre être authentique. Il vous dit : « Je n'ai pas à gagner le droit d'être ici. Ma qualité d'être humain, unique en son genre, me le donne pleinement. »

FAIRE L'INVENTAIRE

Je suis certain qu'à présent, vous allez demeurer attentif à votre propre dialogue intérieur et repérer exactement ce que vous vous dites à vous-même.

Comme précédemment, vous allez devoir revenir à votre journal.

Exercice 1

Pour faire cet exercice, choisissez de préférence un jour où vous ne prévoyez rien d'important ou d'extraordinaire, un jour comme les autres.

Gardez avec vous votre journal, ou un petit carnet de notes, et un stylo durant toute la journée. Maintenant, vous allez prendre une série de rendez-vous avec vous-même : toutes les deux heures, vous arrêterez ce que vous serez en train de faire et vous consignerez quelques observations sur ce que vous vous êtes dit durant ce laps de temps. Chacune de ces huit ou dix séances de prise de notes ne durera que quelques minutes. Notez tout particulièrement ce que vous avez pu vous dire à propos de :

- votre apparence,
- votre activité durant ces deux heures,
- votre travail, de façon plus générale,
- votre intelligence,
- vos compétences,
- vos dons et vos talents,
- votre valeur.

Si vous préférez ne pas attendre le délai fixé, mais plutôt consigner vos pensées quand elles vous viennent, allez-y. Il s'agit d'acquérir une compréhension profonde de votre dialogue intérieur sur une journée, sans désorganiser pour autant votre emploi du temps.

Exercice 2

Imaginez que vous deviez faire une importante présentation demain. Des clients importants, ainsi que quelques-uns de vos collègues avec votre patron, seront là à vous observer. C'est la nuit qui précède, vous êtes allongé dans le noir et vous y pensez. Que vous dites-vous ?

Prenez le temps nécessaire pour envisager, honnêtement et consciencieusement, les messages qui pourraient vous venir à l'esprit. Dans un dialogue avec vous-même, que vous diriez-vous ?

Notez le plus grand nombre de détails possible.

Exercice 3

Revenez à vos notes des exercices 1 et 2. Y voyez-vous des thèmes ou tendances communs ? Décrivez-les par écrit.

Exercice 4

Quand vous relisez vos notes des exercices 1 et 2, comment décririez-vous le ton général ou l'humeur de votre dialogue intérieur ? Positif ou faiblard ? Pessimiste, défaitiste, autodépréciateur ? Si vous le trouvez positif, y voyez-vous des raisons, ou n'est-ce qu'une sorte de confiance en soi factice et sans substance ? Vos notes vous semblent-elles, pour certains domaines, particulièrement désagréables ou critiques ? Et vous semblent-elles pour d'autres très optimistes ou sans grand intérêt ? Entourez au crayon ce qui vous semble témoigner d'un dialogue intérieur particulièrement positif ou particulièrement négatif.

Exercice 5

Regardez de nouveau vos notes des exercices 1 et 2 : que vous disent-elles de votre **pôle de détermination** ? Vous avez répondu à un certain nombre de questions au chapitre précédent, en particulier au sujet de ce pôle – est-ce qu'elle vous apportent une nouvelle vision ? Votre dialogue intérieur est-il orienté vers l'extérieur, vers l'intérieur ou sur le facteur chance ? Notez votre réponse.

Exercice 6

D'après vos notes, répondez à la question suivante : quel sorte d'ami êtes-vous pour vous-même, au cours de cette journée ? Si un ami vous murmurait à l'oreille les messages dont vous avez pris note pour les exercices 1 et 2, que penseriez-vous de lui ?

Vous vous parlez tous les jours, toute la journée. Quel ami êtes-vous pour vous-même ? Êtes-vous en train de créer autour de vous un contexte néfaste, qui empoisonne votre relation au monde ? Ou les messages que vous vous envoyez se caractérisent-ils par un optimisme raisonnable et productif ?

CHAPITRE 9

Étiquettes

« C'est l'homme qui détermine lui-même ce qu'il vaut…,
il devient grand ou petit selon sa volonté. »

J.C.F. Schiller

Il y a quelques années, un groupe de psychologues lança un projet de recherche sur des collégiens. Ils voulaient étudier la façon dont l'environnement social affectait le concept de soi, et plus spécifiquement la façon dont avaient été traités ceux que l'on considérait comme puissants et efficaces. En début d'année scolaire, une classe de 6e fut séparée en deux groupes selon un mode de sélection totalement aléatoire. Les deux groupes d'enfants étaient donc théoriquement semblables en termes de niveau d'intelligence, de capacités, de maturité, d'expériences antérieures, etc.

Les chercheurs informèrent ensuite l'un des groupes, baptisé les Blue Birds, qu'ils étaient des enfants surdoués et qu'on avait décelé chez eux des aptitudes hors du commun. On leur expliqua qu'ils allaient connaître une année difficile au rythme soutenu, étant donné leurs dons exceptionnels. De l'autre côté, il y avait les Yellow Birds à qui on expliqua qu'ils auraient à travailler très dur, à relever de nombreux défis et que cette année de classe serait pour nombre d'entre eux une lutte de tous les instants, mais que leurs enseignants feraient de leur mieux pour les aider individuellement. En gros, le message communiqué aux Yellow Birds était : « Vous êtes d'une intelligence limitée, et vous aurez du mal à aller au-delà dans votre vie future. » Pour le reste, l'expérience était identique pour l'un et l'autre groupe. Tous les élèves, quel que soit le groupe auquel ils appartenaient, reçurent exactement le même enseignement, suivirent les mêmes emplois du temps et passèrent les mêmes tests.

Heureusement, ce type de projet ne pourrait probablement pas avoir lieu de nos jours. Aujourd'hui, vous ne pouvez recevoir un agrément pour une étude psychologique qui risque de nuire à ses participants. Cette séparation artificielle de la classe ne dura que quatre mois, mais il est certain que les conséquences furent importantes et durables. Les Yellow Birds, en effet, se battirent et présentèrent des signes de grande frustration ; au vu de leurs difficultés ils finirent par se dévaloriser eux-mêmes. Et malheureusement, ces troubles ne cessèrent pas quand on leur enleva leur étiquette. Les chercheurs étudièrent leur cas dix ans plus tard : ils avaient des diplômes moins élevés et réussissaient moins bien également en sport et en musique. Ils étaient plus souvent en butte avec la loi et moins performants aux tests d'intelligence que les Blue Birds. Ces derniers étaient, de loin, meilleurs dans tous les domaines. Comprenez-vous bien la gravité de mon propos ? Ces enfants, dans presque tous les domaines, obtenaient des résultats différents, sur l'injonction d'une simple étiquette ! Conclusion : chaque groupe d'enfants se conformait au jugement qu'on avait porté sur lui. Ils l'ignoraient, ils étaient incapables de reconnaître que cette étiquette avait changé leur concept de soi ou qu'à cause d'elle ils avaient été moins exigeants envers eux-mêmes, mais c'était bien ce qui s'était passé et de façon dramatique.

Les étiquettes ont une influence incroyablement forte sur nos vies. Je parierais que vous n'en êtes absolument pas conscient, que vous ne connaissez quasiment pas celles qui vous sont attachées ni leur influence sur vous, qu'elles vous aient été attribuées par les autres ou par vous-même. Elles sont importantes parce qu'elles sont au cœur de votre moi fictionnel. Elles représentent un biais par lequel le monde a entamé votre authenticité et vous a fait comprendre ce qu'on attendait de vous, pour faire un bon élément. Les étiquettes qui vous ont le plus transformé et imposé de limites peuvent vous avoir été données par vos parents, par un groupe de condisciples cruels, vos enseignants ou vos entraîneurs. Peut-être viennent-elles aussi du plus profond de vous-même, quand vous vous observez en train de rater votre vie. Quelle qu'en soit la source, vous devez reconnaître l'existence de ces étiquettes, contester leur exactitude et vous rendre compte de l'impact qu'elles ont eu sur votre concept de soi. Et vous ne pouvez négliger leur puissance, si vous voulez retourner à votre moi authentique. Si elles ont gagné cette importance, c'est parce que leur essence est d'être intériorisées et acceptées et, quand ce processus s'opère, il vous transforme au plus profond de vous-même. Lorsque vous acceptez la validité de cette appréciation, vous la substituez à la définition de qui vous êtes vraiment. Souvenez-vous de la question que je vous ai posée au chapitre 2 : « Qui êtes-vous ? »

Nous avons vu que beaucoup répondent à cette question en termes de profession ou de fonction. Vous leur demandez : « Qui êtes-vous ? », et ils répondent : « Je suis employé de banque », « Je suis plombier », « Je suis opérateur téléphonique », « Je suis mère de famille », « Je suis professeur », « Je suis agent immobilier ». Ils se décrivent selon le rôle qui leur a été défini de l'extérieur. Ils répondent en vous disant ce qu'ils font, et non qui ils sont.

Mais il y a une autre façon de répondre à cette question sans l'énoncer verbalement. Vous pouvez répondre : « Je suis femme d'affaires » et penser à une réponse toute différente. Vous possédez sans aucun doute une série de « masques sociaux » derrière lesquels vous vous retirez quand vous rencontrez quelqu'un ou que vous devez vous présenter.

Vous disposez également d'une série d'étiquettes intérieures que vous vous attribuez. Vous ne les énonceriez jamais à haute voix, mais elles sont un élément clé de votre vérité personnelle. C'est là votre « seconde réponse » à la question et elle est faite d'*étiquettes* distinctes, qui peuvent être incroyablement méchantes et acerbes. Ce type de phénomène se produit :

- • Quand vous permettez à quelqu'un de vous définir en fonction de la façon dont il vous *perçoit*.
- • Quand vous adoptez et cristallisez ce jugement de façon durable.

Ainsi, vous avez créé en vous un concept de soi fictionnel aux limites artificielles. Les étiquettes sont des généralisations ou des stéréotypes, et ignorent qui vous êtes. Qu'elles vous soient imposées de l'extérieur ou de l'intérieur, vous les faites bientôt vôtres. En d'autres termes, quelqu'un (ou vous-même) peut vous avoir dit il y a des années que vous étiez un Yellow Bird, et vous le croyez encore.

Les étiquettes sont les icônes du discours à soi-même ou du dialogue intérieur qui a commencé enfant et se poursuit jusqu'à présent. Elles peuvent refléter les conclusions auxquelles vous arrivez quand vous vous mesurez à un « modèle » que vous impose le monde. Peut-être fallait-il être populaire et vous ne l'étiez pas, vous avez reçu l'étiquette de « pas cool » ou de « crétin ». Peut-être fallait-il avoir de l'argent et, comme vous en manquiez, on vous a traité de « perdant ». Peut-être vos frères et sœurs ont-ils fait de meilleures études, et l'on a dit de vous « ce n'est pas la grosse tête de la famille » (un jugement tellement dur et condescendant !). La charge émotionnelle de ce type d'étiquette est forte, car les mots ne se contentent pas de décrire, ils *accusent* et piquent douloureusement, et c'est ce qui leur donne ce pouvoir dévastateur.

Je m'explique : quand vous apprenez à parler, vous apprenez le nom des choses pour les identifier. Un de vos premiers mots a peut-être été « balle ». Une balle n'est ni bonne ni mauvaise. Quand votre maman était à côté de votre berceau et qu'elle vous répétait « balle, balle », elle vous aidait simplement à différencier cet objet des autres. Par contre, que se passait-il quand vous entendiez « méchant garçon » ou « méchante fille » ? Elle avait une voix différente, un visage fermé. Vous compreniez qu'elle n'était pas contente et que cela avait à voir avec vous. Les mots qu'elle utilisait sont restés liés à la réponse émotionnelle que vous avez donnée à votre mère ainsi qu'à vous-même. La douleur ressentie a fait que vous n'avez jamais plus entendu de façon neutre ces mots : « vilain garçon » ou « vilaine fille », comme vous pouvez entendre « balle ».

Votre vocabulaire s'est étendu, vous avez appris à distinguer les mots désagréables des mots neutres. Peut-être avez-vous appris ce qu'était un « salopard » ou une « chochotte ». Le mot « raté » aussi a pu se glisser dans votre concept de soi, anéantissant votre estime de vous-même, blessant votre fierté et entravant votre désir d'accomplissement. Peut-être avez-vous entendu « irrécupérable », et vous êtes-vous taxé d'« inutile » et d'« inepte ». Le mot « moche » s'est peut-être transformé en « odieux » et « indigne d'amour ».

Nous avons du mal à contester ces mots abstraits, parce qu'ils sont subjectifs, ils ne se réfèrent à aucun fait concret. Comme je l'ai dit plus tôt, vous pourriez affirmer en toute confiance que vous n'êtes pas un voleur : c'est concret, aucun problème, pas de confusion, il y a une information objective, crédible, à laquelle vous pouvez vous référer. Mais quand on vous qualifie d'« irrécupérable », de « perdant » ou de « moche », on attaque votre valeur.

Après tout, qui êtes-vous pour ne pas être d'accord ? Et vous voilà en train de penser : ils ont peut-être raison, peut-être que *je suis* un perdant, peut-être que *je suis* moche. Il est difficile de résister à ce que l'on peut difficilement quantifier. Maintenant, vous pouvez avoir entendu ces mots des milliers de fois sans problème, mais c'est quand vous les recevez à un niveau émotionnel qu'ils prennent tout leur sens. Le choc rend le mot concret. L'atteinte émotionnelle et le fondement abstrait du jugement rendent l'étiquette plus frappante et plus réelle pour vous qu'un objet, qu'une « balle ».

Si vous cherchiez le mot « étiquette » dans le dictionnaire, vous le verriez défini comme « un terme de classification ». Une étiquette nous classe parmi un groupe de gens censés être semblables, mais elle peut dire aussi que nous appartenons à d'autres groupes. À l'intérieur du groupe désigné, nous nous comportons selon un certain mode ; à l'extérieur du groupe, nous en adoptons un autre.

Quand on y pense, une étiquette fonctionne comme une injonction. Les Blue Birds s'épanouiront toujours à l'école ; les Yellow Birds se battront toujours. Vous êtes Sagittaire, donc vous aurez un comportement X dans telle situation. Vous êtes Scorpion, alors vous aurez un comportement Y. Même des gens intelligents s'adonnent à ce genre de pratiques et se soumettent, ainsi que leur entourage, à une batterie de limites prévisibles.

Le lycée est un terrain fertile où developper notre penchant à la classification. Il y a le cool et le pas cool, les athlètes, les crétins, les super-nanas, les morphales, les monstres, les camés, etc. Ces années-là représentent un moment particulièrement vulnérable de la vie, nous sommes très sensibles aux relations avec les autres et avides de nous fondre dans un groupe. À cause de notre sensibilité émotionnelle, les étiquettes que nous acceptons alors pénètrent d'autant plus profondément notre concept de soi. Nous attendons tant des autres que ne pas avoir d'étiquette devient inconcevable. Nous développons des idées très nettes sur ce que les autres « devraient être » ou « ne pas être ». Pas question qu'un nul en sport marque un but, cela viole notre désir que tout soit prévisible. Un crétin ne peut pas faire des prodiges à la guitare et devenir Buddy Holly, il est censé rester un crétin. Plus important encore, nous parvenons à nous convaincre que les injonctions d'agir liées à l'étiquette que nous portons sont réelles et incontestables. Certains tiennent parfois tellement à leur étiquette qu'ils rejettent toute remise en question comme futile, voire menaçante. D'autres y trouvent le confort d'une identité désignée. Nous pouvons même en arriver à la défendre : « C'est mon terrain. Ne me demande pas d'en sortir. Je suis un rebelle, un fauteur de troubles. Ne l'oublie pas ! » Vous pouvez craindre aussi que rien ne puisse remplacer votre étiquette, si vous la perdez.

Mais il se peut que vous ayez été placé, jeune encore, dans une catégorie qui bloque désormais votre accès à un moi authentique. Souvenez-vous que le monde a des projets pour vous qui ne laissent aucune place à votre être authentique. Le monde aime les étiquettes, elles sont pratiques. Refuser de vivre selon ce qu'elles vous imposent vous met dans une position inconfortable.

L'ÉTIQUETAGE TOXIQUE

Vous voilà prêt à identifier les étiquettes qui opèrent dans votre vie. Je vous en prie, comprenez bien qu'un étiquetage néfaste n'est pas nécessairement motivé par la haine ou le désir de contrôler les autres. Il y a un terme – « iatrogène » – qui désigne le tort provoqué par un thérapeute. Une blessure iatrogène est le résultat de bonnes intentions. Par exemple, un médecin prescrit à son patient de rester deux semaines de plus au lit et ce dernier développe des escarres. Ou un patient peut voir diminuer certaines de ses fonctions mentales, non à cause de sa maladie, mais parce que le médecin a émis la probabilité d'une diminution de ses fonctions mentales.

De même, l'étiquetage iatrogène est un étiquetage destructeur, motivé en réalité par la gentillesse. Un jugement qui voulait être utile peut se révéler dévastateur et pour longtemps, les bonnes intentions ne suffisent pas.

Les parents d'enfants handicapés, par exemple, leur feront parfois comprendre qu'ils ne sont pas capables d'évoluer dans le monde « normal ». On comprend que les parents aient peur que leurs enfants ne soient brutalisés ou blessés. Mais ce désir de protéger son enfant peut forger un adulte davantage handicapé par un concept de soi rempli de faiblesse et de peur que par son réel handicap physique. La difficulté première de la jeune Helen Keller n'était peut-être pas sa cécité ou sa surdité, mais son père hyper-protecteur. Imaginez la perte pour le monde s'il avait pu lui imposer définitivement l'étiquette bien-pensante et étriquée qu'il avait posée sur elle et son désir de la garder enfermée. À certains enfants, on dit qu'ils ont une « constitution délicate » ou qu'ils sont « extraordinairement sensibles ». On peut coller sur un enfant un nombre infini d'étiquettes, sans malice aucune, mais elles peuvent avoir des conséquences terribles à long terme.

Donc, soyez vigilant sur les effets possibles d'une étiquette iatrogène dans votre propre vie. Cherchez un *certain* étiquetage qui aurait affaibli votre conscience de vous-même, votre sens du soi, en vous enfermant dans un réseau d'auto-limitations, même si tout cela s'est produit avec amour et dans le souci de vous protéger. J'en profite pour ajouter que je ne vous invite pas à râler contre vos parents parce que vous vous sentez impuissant. Oui, vos parents ou vos enseignants vous ont peut-être collé des étiquettes iatrogènes, mais vous êtes responsable de vous-même. Votre tâche est de les retrouver en vous, et de décider si vous préférez continuer à vous en servir ou non. À vous de choisir.

VIVRE SOUS VOTRE ÉTIQUETTE

J'ai soigné un jour une femme de 45 ans qui avait le concept de soi le plus mal en point que j'aie jamais rencontré. Beth Ann était l'aînée de quatre enfants. Elle avait trois frères, tous d'âges très proches, et était donc la seule fille, ce qui n'était pas véritablement avantageux.

Son père, Joe Bob, était un homme autoritaire à la carrure puissante, une forte personnalité, d'un chauvinisme puissant. C'était un « vrai mec » passant son temps à la pêche, à la chasse, à pratiquer du sport ou à assister à des matchs. Comme il voulait un garçon, « un pote de virées », il ne fit rien pour cacher sa déception à la naissance de Beth Ann. Il traitait sa femme comme une « aide domestique » et, en grandissant, Beth Ann fut tout au plus tolérée. Quand ses frères purent accompagner leur père, la fillette n'exista plus à ses yeux. Il consacra tout son temps et toute son énergie à ses fils. Beth Ann aurait voulu être acceptée parmi eux mais n'y parvint pas. Il la rejeta au point de lui en vouloir si elle avait besoin d'argent, de temps ou d'attention. Les garçons avaient de beaux vêtements, des tenues sportives, de l'argent de poche et plus tard de belles voitures. Beth Ann, par contre, vivait telle une Cendrillon moderne, dans une toute petite pièce qui servait aussi de remise, et conduisait la très vieille camionnette de sa mère. Elle n'avait droit à aucune intimité, aucun respect, aucune attention de la part de son père ou de ses frères. Tandis que, pour Joe Bob, il n'était pas question de rater une activité des garçons, il ne s'intéressait pas à la scolarité de sa fille qui se vivait comme un être inférieur, une citoyenne de seconde classe car, dans le système familial, elle *était* un membre de seconde classe. Les enfants apprennent à travers ce qu'ils vivent, et Beth Ann avait retenu la leçon.

Fidèle à son étiquette, Beth Ann avait appris qu'elle n'avait pas droit à grand-chose et par conséquent elle attendait très peu de la vie. Dans ses relations avec les garçons, elle se montrait si passive et servile qu'elle se retrouvait tout naturellement exploitée et considérée comme terriblement ennuyeuse, sans esprit, ni courage. Même en face de moi, qu'elle payait pour cela, elle avait l'impression de mal agir en m'obligeant à écouter ses problèmes. En se laissant étiqueter par son père et, plus important, en s'étiquetant elle-même, elle avait gelé toute autre possibilité de considérer sa valeur personnelle. L'étiquette contrôlait chacune de ses pensées, de ses sentiments, de ses actions et elle vivait constamment en fonction d'elle. Cette étiquette était devenue sa prison. Elle s'y conformait chaque jour et son emprise devint de plus en plus forte jusqu'au moment où son esprit fut tellement perturbé qu'elle chercha enfin de l'aide.

Le père de Beth Ann ne lui adressait jamais la parole, mais elle se condamnait elle-même pour expliquer ce rejet. Elle en arriva à douter et à abandonner sa véritable conscience d'elle-même. La réaction est parfois moins évidente, mais non moins dévastatrice.

Certains réagissent aux étiquettes en se conformant totalement à leur message implicite et, d'autres fois, en s'y opposant radicalement, en tombant dans une rébellion extrême. Quelqu'un qui, comme Beth Ann, a été rabaissé et étiqueté de la sorte pourrait répondre avec arrogance et un air, totalement fabriqué, de supériorité. Certains prétendent ainsi ne pas attacher la moindre importance au refus qui leur a été imposé. Il est important de comprendre que, dans les deux cas, que vous acceptiez ou que vous vous rebelliez, votre étiquette vous contrôle et vous dicte votre vie. On peut aisément comprendre comment ce type de traitement parvient à neutraliser les pensées d'une jeune fille vulnérable et impressionnable. Mais comment cela peut-il persister à l'âge adulte ? Pourquoi une femme mûre et compétente continue-t-elle à être manipulée par les voix de son enfance ? La réponse est essentielle, mais pas du tout évidente.

Vous ne pouvez accepter qu'une étiquette devienne une partie de votre vérité personnelle et de votre concept de soi sans en retirer un profit. Vivre en abdiquant vous procure certains avantages – sociaux, spirituels, économiques ou autres –, c'est ce qui permet qu'une étiquette fausse et très douloureuse perdure et résiste fortement au changement. Si vous n'y trouviez aucun bénéfice, vous n'accepteriez pas le jugement des autres. Ce peut être une excuse pour rester passif, pour exprimer sa colère ou pour jouer les victimes mais, quoi qu'il en soit, vous ne vous mettriez pas dans cette situation si vous n'y trouviez une compensation, aussi coûteuse qu'elle soit.

J'ai rencontré aussi des tas de gens ordinaires qui s'intitulaient eux-mêmes « patients », non qu'ils aient été malades ou aliénés, mais ils trouvaient un grand intérêt à vivre sous cette étiquette. Il y trouvaient une identité. Que leurs affections aient été réelles ou imaginaires, qu'ils aient été vraiment malades ou hypocondriaques, cela annonçait la façon dont ils voulaient être traités et se traiter eux-mêmes. Ils donnaient ainsi une indication de ce qu'ils pouvaient faire ou ne pas faire. Ils sentaient qu'en étant « malades », ils acquéraient « l'honneur » d'être un patient, un peu comme un soldat qui reviendrait de guerre. La considération que leur procurait ce statut ne les incitait pas vraiment à quitter leur lit. J'ai été souvent étonné de voir tant de mes patients fiers de leurs blessures ou maladies. Ils se racontaient les uns aux autres comment ils avaient été blessés ou les caractéristiques de leur affection et rivalisaient de détails dramatiques. Ces rencontres devenaient pour eux une raison de vivre. Autrefois très actifs, ils étaient réduits à un rôle de parasite de la société. Ils tournaient dans l'hôpital, comparaient leurs ordonnances respectives, mais ne projetaient jamais de retourner à leurs rôles dans la vie active.

Leur message implicite était : « Je suis un patient, alors respecte cette étiquette, avant tout. Je suis faible et ne peux pas faire grand-chose pour moi, ni pour les autres. Aie pitié de moi et respecte-moi, mais n'attends rien de moi. » Beaucoup d'étiquettes telles que « patient » ou « étudiant » ont l'avantage de représenter la possibilité de prendre une pause socialement autorisée. Peut-on exiger de quelqu'un qui est malade et sous traitement qu'il se lève et aille travailler ? C'est bien pratique si la paresse est l'unique mal qui vous accable, qu'en pensez-vous ? Le problème, c'est qu'une fois encore, tout cela est purement fictionnel ; vivre sous une étiquette, c'est ignorer complètement le véritable soi et tous les talents et capacités qui y sont enfouis.

Pour certains, s'en tenir à l'étiquette offre simplement la sécurité d'une identité. Ainsi, vous êtes au moins « quelque chose ». Et tout le monde veut être quelque chose, non ? Mais si vos véritables capacités dépassaient les limites que vous impose votre étiquette ? Tout comme Beth Ann, vous vous retrouveriez enfermé dans une véritable prison.

Je me souviens d'une réunion organisée à l'université pour mes 30 ans. Les « jolies filles » étaient toujours jolies, mais elles n'étaient pas intéressantes. La nécessité étant mère de l'invention, bien que certaines filles fussent non seulement jolies, mais aussi intelligentes et bosseuses, d'autres ne le concevaient pas ainsi. Elles avaient obtenu beaucoup de choses sans effort, et s'étaient sorties de tout en comptant simplement sur leur beauté. Résultat : il était pour elles très confortable d'être jolies. Elles n'avaient jamais essayé de devenir intéressantes ou intelligentes, car elles pensaient ne pas en avoir besoin. Et il était clair que cette étiquette, toute confortable qu'elle fût, était à présent une malédiction. Elles ne pouvaient plus coller au cliché « jeune et jolie », mais essayaient toujours d'y adhérer et vivaient dans le passé, entièrement dévouées à leur vieille étiquette.

Voici un autre inconvénient des étiquettes : elles sont presque toujours tournées vers le passé. Elles parlent de ce que vous avez été, et non de ce que vous êtes. Si vous vous y conformez, elles peuvent, envers et contre tout, prédire à coup sûr où vous allez.

En vous focalisant sur les étiquettes que vous avez accumulées, vous regardez en arrière. Et vous autorisez votre passé à envahir votre futur.

Ce qui est vrai pour les autres facteurs intérieurs l'est aussi pour les étiquettes : vous déformez l'information pour leur donner raison. Si vous décidez que votre enfant est infernal, que votre chef est un crétin, ou que vous êtes un perdant, vous rassemblerez avec frénésie toutes les informations qui pourront étayer ces jugements, et vous rejetterez toute donnée contraire. Vous mettrez votre « radar » sur le mode confirmation et ne retiendrez que les exemples qui soutiennent la véracité de votre opinion. Et vous ferez de même qu'il s'agisse de vous ou de quelqu'un d'autre.

Tout comme les reines de beauté de mon raout universitaire, si votre étiquette consiste à avoir été la plus jolie fille de la classe, votre beauté va faner et, en vieillissant, vous serez obligée d'éviter les miroirs et les gens sincères, sous peine d'être très malheureuse. Si vous vous considérez essentiellement comme une mère, votre étiquette et ses limitations ne vous seront guère utiles, au contraire, quand vos enfants quitteront le nid pour aller à l'université. Si vous vous dites : « Ce type est un idiot » en voyant quelqu'un, vous bloquez l'arrivée d'informations puisque vous avez déjà décidé de ce qu'il était. Votre « jury » a décrété : « C'est un idiot, inutile d'aller plus loin. » Si votre étiquette personnelle indique que vous êtes un perdant, vous l'affichez sur vous en permanence. Vous pouvez tenter d'adopter un profil de « gagnant », mais votre étiquette demeurera un destin à accomplir.

Je vous garantis que si vous êtes encombré par une foule d'étiquettes, votre radar cherchera et trouvera toujours de quoi les soutenir. Vous vivrez en fonction d'elles et, comme beaucoup de gens, vous fermerez la fenêtre à de nouvelles données. Pourquoi ? Parce que – encore une fois comme bien d'autres – vous préférez avoir raison qu'être heureux, et vous y trouvez, même si c'est illogique, des avantages importants.

EXERCICES

Il est temps de faire un diagnostic personnel. Comment vous étiquetez-vous ? Quelqu'un vous a-t-il dit que vous étiez un perdant ? Avez-vous accepté un jour une étiquette afin de vous intégrer à un groupe ? Avez-vous apposé sur votre vie la mention « voie sans issue » ? Dans ce cas, quels en sont les effets sur votre vie ?

Pour vous libérer de votre moi fictionnel, il faut que vous examiniez de près les étiquettes qui peuvent vous avoir pris au piège ; mesurez-les, et effacez-les. Les exercices qui suivent vous y aideront.

Exercice 1

Notez simplement sur un papier la liste de toutes les étiquettes que l'on vous a données. Retournez pour cela aussi loin que possible dans votre mémoire. Votre liste comportera des étiquettes dont vous savez qu'elles ont eu une influence sur votre concept de soi, et d'autres que vous avez rejetées.

Exercice 2

Copiez dans votre journal le schéma à trois colonnes qui suit. Puis, retournez à votre liste de l'exercice 1 et entourez les étiquettes dont vous pensez qu'elles vous viennent de vos parents.

Beaucoup d'entre elles vous accompagnent depuis si longtemps que vous pourrez difficilement vous souvenir de la première fois où vous les avez entendues, mais essayez de vous souvenir de la première fois où elles vous ont atteint et de votre réaction. Remplissez cette grille de façon la plus détaillée possible.

Étiquette	Première fois	Réaction
....	....	....
....	....	....
....	....	....

Exercice 3

Retournez à la grille de l'exercice 2 et cochez les étiquettes dont vous sentez qu'elles font partie aujourd'hui de votre vie. Agissez-vous aujourd'hui en pensant qu'elles sont vraies et vous reflètent ?

Exercice 4

Maintenant, copiez ce schéma à quatre colonnes dans votre journal.

Regardez une nouvelle fois la liste de l'exercice 1. Quelles étiquettes vous ont été données par **d'autres que vos parents** ? Vous souvenez-vous quand, et ce que vous avez fait ? Complétez cette grille avec cette information.

Étiquette	Donnée par	Première fois	Réaction
....	....	....	....
....	....	....	....
....	....	....	....
....	....	....	....

Exercice 5

Cet exercice requiert trois colonnes. Vous les intitulerez suivant le modèle proposé plus bas.

Il est temps maintenant de vous rappeler quelles étiquettes de votre liste sont devenues une partie de vous. Tout cela est souvent enfoui dans notre conscience, si bien que cet exercice demande la plus grande concentration. Vous allez faire la liste des étiquettes adoptées à la faveur d'un événement, et comme *une conclusion définitive sur vous-même*.

Exemples : si vous avez été blessé et rejeté lors d'une rupture amoureuse, vous êtes-vous considéré alors et maintenant encore comme un perdant ?

Après un divorce douloureux, avez-vous endossé l'étiquette de l'échec et l'avez-vous gardée ?

Après avoir raté un examen, vous êtes-vous classé parmi les niais ?

Un incident professionnel vous a-t-il amené à vous stigmatiser de façon particulière ? Quel incident et quelle étiquette ?

Quels sont les jugements sur vous-même auxquels vous adhérez encore ? Pour chacun, tentez de vous souvenir du moment où vous vous y êtes identifié, autrement dit où vous l'avez accepté comme vrai. Dans quelle situation était-ce ?

Utilisez cette grille pour rassembler ces informations.

Étiquette	Circonstance	Réaction
....	....	....
....	....	....
....	....	....

REVENIR À VOUS-MÊME

Nous traiterons vos réponses en détail un peu plus tard. Pour l'instant, je veux juste regarder les différentes étiquettes que vous avez relevées. Imaginez qu'elles soient mentionnées sur votre C.V. et lisez-les comme le ferait un employeur potentiel. Dirait-il quelque chose du genre :

« Attendez, mais qui est-ce, celui-là ? Je crois voir un gros paresseux, un parasite et un employé sans ambition. Formidable ! Pendant que nous y sommes, autant engager toute l'équipe ! »

Absurde, non ? Si tel n'est pas ce que vous voudriez que l'on pense de vous, alors pourquoi adoptez-vous ces étiquettes ? Vous devez vous résoudre à ne plus tendre la perche pour vous faire battre en vous assignant des limites. Quel que soit le bénéfice de vos étiquettes, décidez-vous à quitter cette zone de confort, une fois pour toutes.

CHAPITRE 10
Scénarios de vie

« Sur votre tombe seront inscrites deux dates que liront vos amis, mais seul importera ce qui a pu se passer entre l'une et l'autre. »

Kevin Welch

Le chapitre sur le dialogue intérieur vous a appris que vous étiez engagé dans une conversation permanente avec vous-même. Vous avez découvert que ce discours intérieur avait des conséquences concrètes et immédiates. S'il est raisonnablement positif, il vous donne force et énergie. Votre corps et votre esprit fonctionnent à partir d'une « zone » qui vous ouvre de nouvelles possibilités d'épanouissement. Si votre dialogue intérieur est négatif, vous l'éprouverez jusque dans vos cellules. Il comprend et reflète à la fois votre vérité personnelle et, partant, votre concept de soi. Empoisonné, il se révélera tel dans tout ce que vous sentez, dites et faites, dans tous les messages négatifs que vous pourrez émettre autour de vous. Et, bien sûr, on vous répondra sur le même mode.

En répertoriant votre discours intérieur, vous avez peut-être pris conscience qu'un aspect de cette parole était différent des autres. Il s'agit, certes, d'une conversation avec soi-même, à cette différence près : vous avez la sensation qu'elle colporte une grande amertume, issue de votre passé, mais elle apparaît et disparaît très rapidement, un peu comme une nébuleuse.

Contrairement au reste de votre dialogue intérieur qui prend place en temps réel et que vous pouvez écouter quand vous le désirez, cette activité mentale profonde est très difficile à manipuler. Elle est incroyablement fugace et particulièrement nocive. C'est pour cela qu'elle nécessite un traitement particulier et une attention très spéciale. Ce type de discours intérieur particulièrement dangereux est ce que j'appelle une *bande enregistrée*.

Il s'agit d'un discours intérieur négatif que vous avez appris et répété souvent et depuis longtemps. Vous l'avez rabâché. Il a tourné dans votre tête, pendant des heures, des jours, des mois, des années. Pour finir, le message est intégré si profondément qu'il est devenu comme une réponse automatique : il peut se déclencher sans que vous sachiez pourquoi. Souvenez-vous de cet exemple que je vous ai déjà donné, la réponse immédiate et très puissante des gens qui ont la phobie des serpents quand on leur crie : « Attention. Un serpent ! » Quand votre *bande* tourne, cela peut être terrible, elle peut envahir votre conscience, silencieusement, mais implacablement. C'est une réaction si forte, si rapide qu'aucune autre pensée, rationnelle, raisonnable, ne peut émerger en sa présence.

Admettons que vous appreniez qu'un marionnettiste, placé à votre côté, contrôle tous vos mouvements, vous voudriez le voir sur-le-champ. Vous seriez choqué et désireux d'en savoir plus, puisqu'on vous annonce que vous n'êtes pas pour le moment le capitaine de votre propre vie, que vous ne choisissez ni ce que vous faites, ni le moment où vous agissez. Eh bien, ce sont les prémices de ce chapitre. Je veux, en premier lieu, vous aider à comprendre comment fonctionnent ces bandes et vous aider à déceler celles qui sont à l'œuvre. Ensuite, nous examinerons les convictions **arrêtées qui vous limitent**, et constituent le contenu de vos *bandes*. Enfin, nous parlerons de la façon dont ces *bandes* élaborent un scénario de vie qui, tel le marionnettiste, dicte nos réussites et nos échecs.

LES ENREGISTREMENTS EN BOUCLE

J'ai trouvé ce nom parce que j'ai grandi à une époque où les ordinateurs étaient gigantesques et fonctionnaient avec d'énormes bandes magnétiques qui « dictaient » à la machine ce qu'elle devait faire. La bande tournait et l'ordinateur ne faisait qu'exécuter le programme. Ici, c'est la même chose : vous aussi, vous pouvez être dirigé par vos « bandes », sans faire appel à votre initiative personnelle. Quand vous aurez terminé cette partie du livre, vous penserez sans doute : « Ça y est, j'ai compris ! Maintenant, je sais pourquoi je continue à me retrouver là où je ne veux pas être ! J'ai été programmé pour agir ainsi et, pour obtenir ces résultats, j'ai été guidé par une pensée très puissante dont je n'étais pas conscient. »

Je veux m'assurer que cette notion de *bandes* est bien claire pour vous. Elles sont aussi naturelles et incontrôlables qu'un réflexe et agissent de façon aussi indépendante que vos organes. De même que votre cœur pompe le sang, que vos poumons absorbent de l'oxygène et rejettent du gaz carbonique, les bandes tournent de leur propre chef et sans que vous en ayez conscience. Comme je l'ai déjà suggéré, les bandes ont une parenté avec le dialogue intérieur, mais appartiennent à une espèce en soi. Ce sont des pensées installées depuis longtemps, rabâchées, rapides comme l'éclair et automatiques qui : 1) ignorent totalement les données présentes ; 2) vous amènent à un résultat spécifique, le plus souvent sans que vous en soyez conscient.

Supposons par exemple, Madame, que vous rencontriez quelqu'un, vous discutez avec lui un moment et vous vous dites : « Ce type est assommant. Il est tellement ennuyeux, je me verrais bien tranquille chez moi, en chaussons d'intérieur, à manger du beurre de cacahuètes à même le pot. » Ça, c'est votre dialogue intérieur. C'est une *conversation en temps réel*, en réaction à un *stimulus présent*. Elle se produit ici et maintenant. Vous êtes là, cette personne est là et vous réagissez à ce qui se passe, maintenant. Vous pourriez, par exemple, décider : « Hé, je me casse, salut ! »

Une *bande* est différente en ce sens qu'elle est entièrement *le produit de l'expérience passée*. Ce qui fait que vous ignorez l'*ici et maintenant*. Dans notre exemple, si vous aviez obéi à votre bande en plantant là cet ahuri qui vous faisait perdre votre temps, votre décision aurait été basée sur un mécanisme préétabli, sans relation avec les actes de votre interlocuteur. Imaginons que vous ayez rencontré à la file sept de ces « casse-pieds ». Le dernier vous a vraiment tapé sur les nerfs, il a bu tout votre vin, mangé toutes vos provisions puis est sorti avec votre petite sœur. Vous lui en voulez vraiment, surtout que se rajoutent les six autres expériences précédentes. Celles-ci et ce qu'elles ont créé au niveau de votre concept de soi constitueraient le message essentiel de vos bandes. Vous seriez détentrice d'une bibliothèque entière de messages, parmi lesquels :

- Les hommes sont égoïstes, dans les relations.

- Je tombe sans arrêt sur des perdants, qu'est-ce qu'il y a ?

- Les hommes m'utilisent toujours, je dois sans doute le mériter.

- Si je ne les « coince » pas la première, ce sont eux qui me « coinceront ».

Notez que chaque bande : 1) inclut un jugement sur vous-même ou sur les autres : « Les hommes sont… » ou « Je choisis… » 2) implique un contexte spécifique : « Quand il s'agit de relations… » ou «… se servent toujours de moi » 3) augure du résultat : « à chaque fois » ou « me coincera ».

Dans ces circonstances, je plains le malheureux qui arrivera sur le pas de votre porte, habillé sur son trente et un, sa voiture impeccable, prêt à passer une bonne soirée avec vous. Son sort est réglé avant même qu'il n'ait ouvert la bouche. Il pourrait être la crème des hommes ou plus beau que Tom Cruise. Il est cuit. Pourquoi ? Parce que, au cœur de votre concept de soi, vous vous passez ces bandes, plutôt que de gérer l'ici et maintenant. Vous pouvez inconsciemment connaître l'existence ou le contenu de ces bandes, mais au cœur de votre concept de soi, le message est : « Danger ! Attention ! Repousse-le, protège-toi ! » Votre comportement, et donc l'issue de la relation, sont déterminés historiquement. Et qui plus est, à cause de ces enregistrements flashes, rabâchés et automatiques, votre décision se fait si vite que le pauvre gars n'a pas une chance de s'en sortir. Vous ne voyez pas l'homme qui est devant vous, vous êtes trop occupée à regarder le passé par-dessus votre épaule.

Comprenez qu'être contrôlé par vos bandes est très différent d'apprendre de vos erreurs. Vos erreurs passées vous enseignent et vous pouvez ensuite prendre *consciemment* des décisions avisées. Quand une bande est aux commandes, vous prenez vos décisions sans en être conscient, vous êtes un passager de votre vie. C'est ce qui les rend si dangereuses.

Prenons un autre exemple. Supposons qu'au cours d'un entretien pour un poste que vous convoitez, vous appreniez que vous faites partie des candidats retenus pour la sélection finale. Vous avez déjà passé plusieurs épreuves avec le plus grand succès. Vous commencez à vous dire que cela semblait impossible au départ, mais ma foi vous êtes toujours là, dans la course. Vous pourriez raisonnablement penser : « Vous savez ? Je crois que j'ai été performant, il faut que je reste concentré et remporte l'affaire. »

Et voici qu'intervient notre maudite bande. Tout a commencé quand vous avez été congédié de votre poste d'adjoint du préposé à la fourrière il y a quarante ans, quand vous étiez à l'université. Vous étiez content d'avoir trouvé ce job et cela vous a profondément, très profondément blessé. Vous étiez tellement fier que vos amis vous voient dans cet uniforme, d'autant plus que le salaire était intéressant. C'était la première fois, en vérité, que vous ratiez quelque chose auquel vous teniez et cela vous a transformé, d'un certain point de vue. À partir de cette histoire qui date de quarante ans, votre bande va vous distiller ce message : « Tu n'as pas été une flèche. Tu rates tout depuis ton plus jeune âge. Regarde la situation en face : tu as 45 ans et tu es obligé de chercher un nouveau poste. Tu es le type qui se fait toujours virer. Ils vont tout de suite s'en apercevoir. » Puis elle énoncera le résultat : « Laisse tomber. Tu n'auras jamais ce poste. »

Si cette bande « se met en marche » juste avant votre dernier entretien, il se peut très bien que vous vous retrouviez en train de saboter vos efforts pour faire bonne impression. Vos gestes, votre comportement, la personnalité qui se dégage de vous peuvent suggérer à l'interviewer que vous vous dites : « Mon Dieu, je n'arrive pas à croire que vous puissiez songer à m'accorder ce poste. Vous n'avez pas vraiment l'intention de m'engager, non ? » Et l'interviewer pensera, lui : « Eh bien, si vous avez des doutes, ce n'est pas à moi de vous persuader du contraire. »

Contrairement à votre dialogue intérieur, qui réagit aux événements ici et maintenant, les bandes fonctionnent intérieurement et affectent les trois temps de votre vie : passé, présent, futur. En d'autres termes :

Une *bande* est toujours tournée vers le passé.

Une *bande* fonctionne en réaction avec votre passé, en relation avec un moment particulier ou une observation personnelle de votre propre histoire. C'est un message préenregistré avec une composante émotionnelle très puissante. C'est une mémoire encodée, de longue durée, qui résiste très fort au changement. Un événement douloureux survient, vous évaluez vos réactions en réponse à cet événement et la bande est enregistrée. Des années plus tard, vous ne réévaluez pas vos propres réactions à chaque fois que cela serait nécessaire. Vous persistez à vous référer à votre bande qui vous intime immédiatement comment réagir.

Une *bande* opère comme un jugement de ce que vous êtes dans le présent.

La bande encode cette perception venue du passé, juste en dessous de votre seuil de conscience, où elle passe encore et encore jusqu'à ce que le message, ainsi rabâché, devienne automatique. L'enregistrement s'est fait à votre insu et se mettra en marche dès qu'une situation identique se présentera. L'information préenregistrée s'adresse à tous les aspects imaginables de votre concept de soi : votre intelligence, votre valeur, vos idéaux, vos forces et votre potentiel. Tant que vous prendrez cette bande pour la voix de la vérité, tout jugement exprimé dans son message devient votre réalité.

Une *bande* conditionne les résultats que vous obtiendrez dans l'avenir.

Sur la base de ces jugements, la bande prédit et, par conséquent, contrôle vos pensées et votre comportement ainsi que les résultats que vous obtiendrez. Vous prenez des décisions dans le présent et vous émettez des prévisions pour le futur, sur la base de ces bandes.

Prenons par exemple un jugement négatif du type : « Je suis stupide. » Comme nous l'avons vu, les bandes se fondent sur une histoire qui a eu lieu sur votre parcours ; en réaction à un événement particulier de votre vie, votre dialogue intérieur a enregistré en temps réel que vous étiez stupide. Les faits lui donnent raison, vous répétez donc ce jugement à voix haute et assez longtemps pour que votre esprit en soit marqué au fer rouge.

Revenons vite au présent. Dans le contexte de cet entretien d'embauche ou d'un examen, la bande qui passe à la vitesse de la lumière, juste en deçà de votre seuil de conscience, pourrait vous suggérer : « Je suis stupide, *par conséquent*, je ne serai pas pris pour ce job » ou « Je suis stupide, *par conséquent*, il est impossible que je réussisse cet examen. » La bande anticipe le résultat, toujours négatif : « Je suis stupide, par conséquent (quelle que soit la situation) ça ne marchera pas pour moi. » Et rappellez-vous que chaque pensée entraîne un événement physiologique correspondant. Dès que vous commencez à vous déprécier mentalement, votre corps et votre énergie suivent très vite le mouvement.

Peut-être êtes-vous en train de penser : « Hé, une petite minute ! Et les enregistrements positifs, alors ? Si mon histoire personnelle est positive, et que ceux-ci me conditionnent à croire que je ne peux pas échouer et que je m'en sortirai toujours au mieux ? » Désolé, mais si vous croyez à cela, nous avons deux soucis : vous vous trompez et je n'ai pas dû bien vous expliquer *ce qu'étaient* les bandes. Il n'existe pas de *bande positive*. Vous allez me répondre : « Ah bon, mais comment une bande qui véhicule des choses positives peut-elle devenir négative ? Et le pouvoir de la pensée positive, alors ? »

Replacez-vous dans une situation réelle. Supposez que vous soyez dans un avion, en janvier, à New York, au bout de la piste d'envol. Il y a du vent, de la glace, il neige, le pilote doit prendre une décision : va-t-il décoller ?

Supposons donc qu'au lieu d'évaluer les *conditions présentes*, votre pilote décide de partir parce qu'il croit en lui et que tous ses décollages jusqu'à présent se sont toujours bien passés. Sa bande lui suggère : « Hé, je m'en suis toujours parfaitement sorti, je suis toujours retombé sur mes pieds ! »

Avec cette bande en boucle dans la tête, le pilote ne tient pas compte des signaux d'alarme, ni du danger, ni du fait qu'il fait face à une situation dont les paramètres vont au-delà de ses strictes compétences. Mon premier instructeur de vol m'a dit un jour une chose que je n'ai jamais oubliée : « J'ai connu beaucoup de pilotes téméraires et de vieux pilotes, mais je n'ai jamais rencontré de vieux pilotes téméraires ! » Si dans ces circonstances, votre pilote s'enhardissait à décoller, vous iriez peut-être à la mort. Sa bande est « positive », en ce sens qu'elle porte un message d'affirmation, mais qui n'est *pas basé sur l'ici et maintenant*. De ce fait, elle ne peut *pas* représenter un plus, dans tous les sens du mot. Quand je suis dans un avion, je veux que mon pilote soit attentif à la situation présente et prenne une décision en fonction des informations actuelles et réelles, et non de ce qui a pu se produire un, deux, ou quatre ans auparavant.

Conclusion : quelle que soit la situation, les questions appropriées sont les suivantes : « Puis-je faire face à cela ? Est-ce que je le veux ou pas ? » Or, si vous êtes à la merci de ces enregistrements en boucle, vous n'entamez même pas ce dialogue avec vous-même. Au contraire, votre réaction préenregistrée vous dicte, de manière réflexe, l'issue de la situation que vous rencontrez.

Il me revient en mémoire à ce sujet un reportage du journal télévisé il y a quelques années, juste avant un grand rodéo qui devait débuter au Texas. Le reporter interrogeait Gus, le chef d'entretien des parcs à bestiaux. Tout en fronçant le nez d'un air dégoûté, le reporter lui demanda : « Mince alors, Gus, comment faites-vous avec cette odeur ? »

L'homme le fixa d'un air ébahi et répondit : « Quelle odeur ? » Il était tellement habitué à ses « conditions environnementales » qu'il n'avait plus conscience de cette odeur nauséabonde. Il en était imprégné, elle faisait partie de lui. Il s'était adapté.

C'est ainsi que fonctionnent vos bandes. Peut-être les avez-vous un jour entendues, consciemment, mais avec le temps, vous vous y êtes si bien adapté que vous ne les remarquez même plus. La mauvaise odeur fait partie de la routine maintenant. Eh bien, voici une opportunité de faire un pas en arrière et de sentir de nouveau cette fameuse odeur. Je veux que vous preniez conscience de ces messages dès à présent, afin de commencer à faire des choix, ici et maintenant.

Comme tout autre dialogue intérieur, vos bandes vous sont aussi personnelles que votre ADN. Pour vous stimuler et vous aider, je vous propose de jeter un œil sur une liste de discours en boucle assez courants – de messages qui passent dans la tête de la plupart d'entre nous, j'en suis convaincu. Certaines des dix affirmations suivantes vous sont-elles familières ?

1 Je ne ferai jamais d'expérience positive, ma famille était si détraquée que nous n'avons jamais appris à profiter des choses.

2 Je suis tellement moche, mon corps et mon visage n'ont rien à voir avec les standards que tout le monde apprécie : je vais devoir me contenter du bas de l'échelle.

3 Mon avenir sera triste et stérile, comme mon passé. Je ne dois pas m'attendre à réussir, tel n'est pas mon destin.

4 J'ai commis certaines mauvaises actions et je ne serai jamais pardonné. Je dois porter ma culpabilité comme une croix. Les gens me décevront et me blesseront toujours.

5 On a abusé de moi, étant enfant. Tous les hommes feront ce qu'ils veulent de moi et resteront insensibles à ce que je ressens.

6 Ma famille était modeste. Je resterai d'un milieu modeste. Je ne peux rien y faire.

7 Mon père était un perdant, et je serai moi aussi un perdant, quoi qu'il arrive.

8 Je suis un meneur. Les gens attendent de moi que je sois fort et montre l'exemple. Je ne dois jamais laisser voir mes faiblesses. Je dois être fort, ne jamais montrer mon véritable moi, pour le restant de ma vie.

9 La paresse est un péché ; je dois m'interdire la détente.

10 Je ne suis pas digne du respect et de la considération des autres.

Une, ou plusieurs, de ces bandes, ou peut-être une version différente de l'une d'entre elles, est peut-être à l'œuvre dans votre vie. Je vous encourage à aller plus loin, en commençant à penser au contenu de votre propre bande.

CROYANCES FIGÉES

Pour en apprendre davantage sur le contenu de vos bandes, il faut vous familiariser avec ce que j'appelle les **convictions figées**. En gros, quand une bande défile dans votre tête et vous entraîne automatiquement vers une conclusion et un résultat précis, elle « prend des ordres » auprès de vos perceptions organisantes, qui se situent à un niveau décisionnel supérieur et puissant, gouvernant la façon dont les choses sont *censées* marcher. Ces perceptions ou ces vues sur le monde sont vos convictions figées.

Elles reflètent votre compréhension globale de votre place dans le monde. Elles sont « figées » en ce sens que vous ne leur apportez ou ne leur ôtez aucune information nouvelle, ce sont des perceptions devenues rigides et immuables. Les convictions figées vous accompagnent partout et fondent chaque domaine de votre vie. Elles influencent toutes vos valeurs, votre idée de ce qu'est un être humain, vos traits de caractère et vos caractéristiques essentielles. Elles vous dictent vos limites et conditionnent vos attentes pour l'avenir. Vos convictions figées influent puissamment sur différents aspects de votre vie, qu'il s'agisse de vos relations amoureuses, de votre réussite professionnelle, de votre couple ou de vos enfants.

Elles s'expriment à travers des formules comme « tu devrais » ou « il faudrait ». Elles sont, à la vérité, des injonctions : il faut que vous vous conformiez à une vision particulière de ce qu'est la vie, que vous ne fassiez pas de vagues ou ne perturbiez pas le rôle des autres. Si vos convictions n'étaient pas arrêtées, vous pourriez poser des questions et former de nouveaux espoirs qui rompraient l'ordre qui vous est assigné. Mais ces convictions sont là pour vous mettre « à la tâche ». Elles vous maintiennent à votre place et figent les limites de vos désirs.

Pour maîtriser les convictions restrictives ou figées, le plus simple est peut-être de comprendre qu'elles *définissent le rôle que vous jouez dans la vie.* En d'autres termes, les connaître, c'est connaître une partie du **scénario** de votre vie.

Vous savez sans doute que le présentateur du journal télévisé porte généralement une *oreillette*, qui lui transmet les instructions de son rédacteur en chef. Si celui-ci désire que le présentateur pose une question particulière, si le show dérape, ou s'il faut lancer l'écran publicitaire, son chef lui aboie des ordres qu'il est le seul à entendre. Grâce à cette astuce technique, le présentateur « reste dans le scénario ».

Dans le même ordre d'idées, *vous* êtes le héros d'un scénario, d'une série d'injonctions qui guident votre vie.

Qu'est-ce qu'un scénario ? Nous pourrions y répondre à travers ces quelques associations d'idées :

• Un scénario, c'est le texte d'une pièce ou d'un film.

• Un scénario dit tout ce qui doit arriver.

• Un scénario contient le début, le milieu et la fin de l'intrigue.

• Quand vous connaissez le scénario, vous savez comment tout va se dérouler.

• Le scénario est comme une recette qui indique comment mélanger les ingrédients.

• Le scénario pilote toutes les actions du film.

• Le scénario, c'est ce que les acteurs mémorisent.

• Le scénario est le plan directeur auquel chacun est censé adhérer.

• Quand les acteurs sont perdus, le scénario les ramène sur les rails.

Vous conviendrez probablement que c'est le scénario qui donne son sens au film. Vous conviendrez également qu'il détermine tout le reste : les dialogues, les costumes, la distribution, les décors et la mise en scène. Après quelques répétitions, les acteurs abandonnent leur texte et « deviennent » tout simplement leur personnage. À partir de là, le scénario ne représente plus seulement des mots alignés sur une page, il vit dans la tête des acteurs. Même s'ils ne le lisent plus, il est vivant et actif, il guide les actes et les paroles des acteurs. Pas d'improvisation, pas de place pour la créativité, l'acteur doit suivre étroitement le scénario pour que les autres acteurs, l'histoire et les mouvements de plateau puissent s'organiser. Si un acteur voulait prendre son indépendance, il rencontrerait une forte désapprobation, car cela romprait le déroulement convenu et gênerait considérablement la bonne marche de l'entreprise. Parlons maintenant de vous : vivez-vous selon un scénario préétabli ? Un rôle vous est assigné, vous devez dire certaines choses, agir d'une certaine façon. Les autres acteurs de votre « film » attendent-ils que vous agissiez d'une manière bien précise, sans place pour l'improvisation ni de nouveaux dialogues ? Vous craignez que le désordre créé en prenant votre indépendance ne soit inacceptable ?

Si vous vivez selon un scénario écrit par vous ou par un autre il y a des années, savez-vous ce qu'il contient ? Vivez-vous votre « texte » et suivez-vous votre scénario ? Serait-il identique si vous le réécriviez aujourd'hui ? Faites-vous de votre vie ce que vous auriez décrit dans votre scénario si vous l'inventiez aujourd'hui ? Le lieu et les gens avec qui vous vivez correspondent-ils à ce que vous choisiriez si vous en aviez la possibilité ? Votre scénario vous a-t-il amené à poursuivre vos désirs ou à vous conformer aux lignes d'un scénario formulé il y a déjà bien longtemps ? Vous êtes-vous émancipé ou vous êtes-vous contenté de suivre le scénario ?

Comme je l'ai déjà suggéré, votre scénario est construit sur une pierre angulaire que sont vos **convictions arrêtées, figées ou restrictives** ; c'est de là qu'il tire ses forces. Ce sont elles qui vous dictent votre rôle. Vous avez tellement répété votre scénario, et depuis si longtemps, que vos convictions sur vous-même, vos possibilités et vos responsabilités, se sont figées. Elles ont atteint l'immuablilité de la pierre – que nous allons pourtant entailler.

Examinons à quel point votre scénario dépend de vos convictions arrêtées. Ces convictions décrivent « l'action » du scénario. Elles vous procurent une grille pour comprendre les événements de votre vie et influencent la façon dont vous réagissez à ces événements.

Les convictions figées vous dictent les mots que vous prononcez. Tout comme votre dialogue intérieur sous-tend votre discours, elles censurent votre parole et s'assurent que vous restez dans la ligne tracée.

Ces convictions vous disent comment les choses vont tourner. Elles structurent vos attentes et vos espoirs. Elles anesthésient votre peur de l'inconnu en vous poussant dans une direction connue, familière, à défaut d'être satisfaisante.

Quand vous commencez à sentir que vous sortez des rails ou que vous perdez le contrôle, elles vous offrent un refuge. Comme un acteur paniqué qui se jette sur sa brochure, vous retournez vers elles. Elles vous disent quoi dire et quoi faire et vous vous sentez immédiatement en sécurité. Vous retrouvez l'équilibre.

Les convictions arrêtées influencent le « casting » de votre vie : elles déterminent le choix de ceux qui la partagent, influencent le « décor », et ont même leur mot à dire sur les « masques » et les « costumes », autrement dit votre apparence physique, les vêtements et le style à travers lesquels vous avez décidé de vous présenter aux autres.

Or, voici l'élément clé que vous devez comprendre : lorsque vous êtes à la merci de vos convictions arrêtées – en d'autres termes, quand vous vivez selon votre scénario –, *vous résistez à tout changement de script*. Quand les événements vont *à l'encontre* de vos convictions arrêtées, alors même que vous reconnaissez n'avoir jamais été plus heureux qu'à présent, la conscience du destin tracé au préalable vient contrer vos perceptions. Vous êtes pris de nausée, vous appréhendez l'échec. Votre dialogue intérieur vous taraude : « Oh, là là ! Je vais me planter d'un instant à l'autre. Ce n'est pas mon destin. Ce n'est pas moi, ça. » Ce qui arrive, c'est que vous ne pouvez vous réjouir d'être heureux. Vous serez malheureux si votre scénario le dit, si tel est le destin que vous vous réservez. Vous demeurez malheureux, même après être devenu heureux, parce que le « bonheur » ne fait pas partie de votre script, qu'il appartient à d'autres personnages du film, mais pas à vous. Alors, au lieu de vous réjouir de ce que vous ressentez, vous craignez que quelque chose ne tourne pas rond, que ce soit le calme avant la tempête, puisque vous connaissez le scénario et que le bonheur n'est pas au programme.

J'ai travaillé une fois avec une patiente qui approchait de son trente-cinquième anniversaire. Nancy était mariée à un homme brutal et n'aimait pas le travail qu'elle faisait depuis dix ans. Avec une moue un peu cynique, elle m'avoua qu'elle avait baptisé son scénario de vie : *La bonniche de service*. Chacun de ses mouvements reflétait cet état d'esprit. Très tôt, elle avait intégré une bande qui disait qu'elle serait au bas de l'échelle dans tous les domaines de sa vie. Cette idée s'était inscrite profondément dans son concept de soi et elle était à présent programmée pour combattre tout ce qui n'y correspondait pas. Telle une brebis docile, elle acquiesçait au scénario qui exigeait d'elle un comportement subalterne. La pierre angulaire de ce scénario – ses convictions arrêtées – ne lui permettait pas de s'en écarter. Tout au long de son parcours, elle en avait adopté les devoirs et les obligations et avait appris son texte : elle n'aurait jamais mieux que ce qu'elle avait et elle devait accepter ce qu'on voulait bien lui donner. L'ironie, c'est que rien, dans ce scénario, ne reflétait vraiment qui elle était : une femme intelligente, séduisante, cultivée et compétente dans de nombreux domaines, s'intéressant à l'art avec passion.

Peu après l'université, Nancy avait été abordée par un homme qu'elle disait très désirable (elle me le décrivit comme un sosie de George Clooney), à la carrière établie. Mais elle se dit à elle-même : « Il est trop bien pour moi. Je ne pourrais pas l'intéresser très longtemps. Il me quitterait pour une femme plus jolie. » Résultat : elle avait épousé un jean-foutre perfusé à la bière dont elle savait qu'il était infidèle et brutal, uniquement parce que son scénario intérieur lui disait qu'elle n'était pas digne d'un autre destin.

Nancy avait tout ce qu'il fallait pour faire un excellent prof d'université, mais quand il lui fallut choisir une voie, elle se dit : « Je ne suis pas assez intelligente pour me lancer dans quelque chose de vraiment bien. Je ferais mieux de prendre un emploi subalterne, je serai tranquille. » (C'est incroyable, le nombre de gens qui ont des emplois qui ne leur conviennent pas : des emplois qui menacent leur stabilité mentale, leur bien-être émotionnel et finalement leur santé physique, des emplois qu'ils ont choisis pour être « tranquilles ».) Par ailleurs, un travail subalterne peut être entrepris avec passion et avoir du sens. Mais s'en remettre à son moi fictionnel pour des choix professionnels n'est pas une bonne solution. C'était une véritable défaite et, à un certain niveau, Nancy le savait.

Malheureusement, le scénario de Nancy était si puissant qu'elle ne put jamais s'en échapper. Plus nous parlions, plus une vie excitante et pleine de sens s'ouvrait à elle, plus Nancy devenait inquiète. L'idée de « quitter le scénario » pour trouver la vraie Nancy était plus qu'elle ne pouvait supporter. Elle insista pour rester avec son mari minable dans une triste banlieue, à faire un travail sans intérêt. Je ne faisais, malheureusement, pas partie de son scénario, avec mes questions insidieuses et insistantes. Nancy, bientôt, s'excusa et cessa de venir me voir. Elle avait échoué et moi aussi. Aujourd'hui, elle est toujours en sécurité dans son petit monde limité. Son « job » dans la vie, comme elle le voit, est subalterne. Je suppose que ce scénario la limitera à jamais. Sachez que je n'ai pas l'intention de réitérer cet échec avec vous, ni de vous voir passer à côté de vous-même.

La peur du changement, même positif, est une entrave considérable. L'idée de dévier du chemin étroit des convictions arrêtées et du scénario qui les renferme peut paraître insupportable à certains.

Dans l'un des lieux où j'ai grandi se trouvait un grand champ, derrière la maison. J'avais l'habitude d'y rejoindre mes copains pour des courses de bicyclette ou des bagarres dans la boue. Un fossé de deux mètres de large sur un mètre de profondeur traversait le champ d'un bout à l'autre.

Le jeu que nous préférions consistait à se lancer pour traverser le fossé, que nous appelions « la Vallée de la Mort », en fonçant sur nos vélos par-dessus un « pont » fait d'une planche. J'ai compris très vite que quand je m'approchais du pont en envisageant un désastre – glisser sur le bord, ou simplement rater la planche –, il se produisait. Si je me concentrais sur le fait de me lancer tranquillement vers le bord opposé, tout allait bien. C'est comme si, en suscitant de bonnes images dans mon esprit, je pouvais contrôler mes muscles et, par conséquent, mon vélo, et passer au-dessus de la Vallée de la Mort. Quand j'approchais du bord, j'essayais toujours de me focaliser sur un point, de me fermer à toute autre donnée, car je croyais que cela me ferait dégringoler la tête la première dans le fossé.

Maintenant, se concentrer sur un but valable est une bonne chose, mais supposons qu'il n'y ait pas de fossé, mais juste une planche par terre. Quand les gens adoptent des convictions figées, quand ils se retrouvent bloqués à un certain point de leur vie, c'est parce qu'ils pensent qu'ils n'ont pas le choix. Ils se cramponnent à l'idée de marcher au *centre de cette planche étroite, alors même s'il n'y a pas de fossé*. Ils ne veulent pas dévier de leurs convictions arrêtées, parce qu'ils pensent en être incapables. Même lorsqu'un trajet plus facile, plus sûr et plus agréable est à portée de leur main, ils crapahuteront sur la route qui leur est tracée, simplement parce qu'ils s'y sentent en sécurité. Marchez-vous sur une planche

« imaginaire », quand, en vérité, vous pourriez aisément avancer à droite ou à gauche de celle-ci ? Je traversais la planche étroite de ma Vallée de la Mort quand j'étais enfant, pour m'amuser, mais si vous faites de même dans votre vie d'adulte, je parierais que cela n'a rien de drôle…

Je me souviens d'un groupe d'avocats de Géorgie qui devaient venir dans nos bureaux pour discuter de leur stratégie dans un énorme procès très complexe qui allait s'ouvrir. Comme nous en avons l'habitude, nous les avions logés dans un très bel hôtel, pratique, avec tout le confort et les services imaginables. Les chambres étaient vastes, il y avait de nombreux espaces de travail, un room-service 24 heures sur 24 et une ambiance calme et intime. Quand nous envoyâmes une voiture les chercher pour la réunion du second jour, ils étaient introuvables. La réception nous informa qu'ils avaient quitté l'hôtel.

Le groupe fit bientôt son entrée dans notre salle de conférences. Ils semblaient avoir passé la nuit sur le palier, coincés à la porte par les chiens de garde de l'hôtel ! Nous leur avons demandé pourquoi ils n'y étaient pas restés et comprîmes qu'ils avaient résilié leurs réservations dans ce luxueux établissement pour aller dans un autre qui, à ma connaissance, aurait tout juste pu servir de baraque à soldats. L'air conditionné n'y marchait que la moitié du temps et l'établissement était situé en bordure d'autoroute. Le bruit était à devenir fou. Résultat : ils avaient dû dormir la fenêtre ouverte et arbitrer entre le vacarme et l'air frais. Les chambres étant minuscules, ils avaient laissé leurs vêtements et leurs affaires dans leurs voitures de location à l'extérieur de l'hôtel.

Après qu'ils se furent expliqués, il devint clair que ces avocats s'étaient sentis bien mieux à leur hôtel, même si cela ne leur aurait pas coûté un centime de résider dans un établissement quatre étoiles. Ils disaient n'avoir pu y rester, parce que c'était trop spacieux et trop calme. Conclusion : ils ne se sentaient pas à leur place dans un environnement qui allait au-delà de leurs expériences personnelles. Leurs convictions arrêtées et leurs scénarios respectifs ne leur réservaient tout simplement pas de traitement royal ; et ils ne supportaient pas de dévier de leur scénario, fût-ce pour un court instant.

Est-ce ainsi qu'à votre tour vous abordez la vie ? Le ronron incessant de votre dialogue intérieur a-t-il à voir avec :

- C'est « moins bien », mais « moins bien » est assez bien pour moi.
- Je ne peux pas faire ça.
- Je ne réussirai jamais ce qu'il/elle a réussi.
- Je ne mérite pas ce qu'ils ont.
- Je sais que je vais me faire avoir, mais je suis censé être gentil. Alors je vais l'être, au lieu de me plaindre.
- Je suis toujours passé en second dans cette relation, je suis un soutien ; j'y arrive mieux quand quelqu'un d'autre prend les décisions. Je peux les exécuter, mais je n'ai pas les qualités d'un chef.

Ce qu'il y a, c'est que les convictions les plus arrêtées sont des **convictions limitées**, et elles sont généralement négatives. Nous nous persuadons que nous ne sommes pas capables de faire telle chose, quoi qu'il en soit, que nous ne le méritons pas et que nous ne sommes pas qualifiés pour l'obtenir.

Comme dans le cas de Nancy, des convictions arrêtées vous imposent des restrictions tellement importantes que la possibilité d'être libre, déchargé du train-train quotidien, nous paraît une menace. Que vos convictions arrêtées ressemblent ou non à celles que nous avons recensées, tout ce qui jette le doute sur elles peut sembler menaçant. Les gens se limitent eux-mêmes de façon si spectaculaire que c'en est tout bonnement stupéfiant.

Nous imaginons nos vies, sans penser aux problèmes ou à l'inconfort qui en découlent. Nous choisissons notre environnement selon notre scénario personnel. Tout le monde projette une certaine réussite, un entourage, un style de vie et, bien que nous soyons conscients d'en désirer davantage, nous n'osons pas nous orienter vers le changement. Étonnamment, beaucoup choisiront avant tout un style de vie familier, bien qu'insatisfaisant, plutôt qu'une alternative dont ils sont moins proches, fût-elle de toute évidence plus intéressante.

Souvenez-vous que vous n'êtes pas le seul, dans votre vie, à être manipulé par un certain nombre de convictions. Votre entourage aussi peut être manipulé par un scénario qui prévoit comment vous devez vous comporter ou ce que vous devez dire. Quand vous prenez la décision de dévier du script, vos proches peuvent se sentir inquiets et menacés.

Je me souviens, par exemple, d'un incident qui s'est répété régulièrement, sous diverses formes, à la suite des séminaires que j'ai animés pendant des années. Durant la session, les participants passaient par un certain nombre d'exercices centrés sur leurs convictions figées sur eux-mêmes.

Ces « échauffements » étaient conçus pour les pousser hors de toutes ces petites limites que leurs rôles leur imposaient. Vers la fin du séminaire, il nous arrivait de demander à un comptable, habituellement sinistre et archi-réservé, de monter sur scène interpréter le rôle de Tina Turner ou d'Elvis Presley (et croyez-moi, cela valait le coup d'œil). Il se mettait à chanter à pleins poumons, en secouant sa perruque tandis que le reste du groupe dansait en lui hurlant des encouragements. Inévitablement, il rentrait chez lui, épuisé, mais pourvu d'un tout autre regard sur le monde. J'ai reçu plus d'une fois les appels d'épouses éplorées après un retour de séminaire : « Qu'avez-vous fait à mon mari ? »

Je répondais : « Qu'est-ce qui ne va pas ? » Et elle : « Eh bien, voilà bientôt deux semaines que Dave est rentré et il prend les enfants dans ses bras, il leur chante des chansons, il leur parle, qu'est-ce que vous lui avez fait ? » En d'autres termes, le changement de son mari la mettait très mal à l'aise.

Elle pensait : « Je n'aime pas ça. Je me fiche que ce soit positif, je me fiche que ce soit constructif, je n'aime pas ça. »

À chaque fois que je posais la question : « Qu'est-ce que vous n'aimez pas ? », la réponse était généralement : « Eh bien, il est tellement *différent*. Il est devenu fou ou quoi ? »

– Mais est-ce qu'il agit de façon autodestructrice ?

– Non.

– Est-ce qu'il vous bat, vous ou vos enfants ?

– Non.

– Est-ce qu'il est tendre et généreux ?

– Oui.

– Est-ce qu'il a l'air heureux et paisible ?

– Oh, oui, j'ai l'impression.

– A-t-il fait quelque chose d'insensé, comme partir avec la baby-sitter ?

– Non.

– Vous voudriez venir au stage de la semaine prochaine ?

– Oui ! Je veux dire, non ! C'est-à-dire que je ne sais pas. Je vous rappellerai. Et merci, je suppose.

Le problème, c'était que Dave avait abandonné ses convictions figées à propos de lui-même, mais pas sa femme. Dans le scénario initial, édictant *Comment les choses sont censées se passer*, Dave devait continuer à jouer son rôle de colocataire émotionnellement absent, et non pas devenir un mari et un père optimiste et plein d'énergie. Ceci est arrivé plus d'une fois. Plus quelqu'un se libérait de ses convictions arrêtées, plus nous avions des chances de recevoir un appel angoissé de son épouse, ou parfois de lui-même. La leçon, ici, est toute simple : votre décision de vous débarrasser de vos convictions figées peut ne pas être appréciée par votre entourage, car cela affecte sans nul doute leurs propres convictions à votre égard. Changer peut être douloureux, même si c'est pour le meilleur.

Si quelqu'un vous demandait aujourd'hui : « Quel est le scénario de votre vie ? », que diriez-vous ? « Je suis une mère », « Je suis un parent gâteux », « Une femme de devoir », ou « Un mari respecté », « Un professionnel accompli », « Le roi de l'argent » ?

Ou vous définiriez-vous en fonction de vos ascendants : « Je suis la fille de John et Mary Smith. » Dans ce cas, suivez-vous le scénario familial ?

IDENTIFIER VOS *BANDES* PERSONNELLES

Au début de ce chapitre, vous avez appris que vos bandes se sont répétées en boucle tant de fois qu'elles opèrent à la vitesse d'un flash. La bonne nouvelle, c'est que vous pouvez les ralentir, les ralentir à une vitesse audible et analysable. Vous pouvez ainsi les écouter consciemment et vous poser des questions clés sur vos convictions à différentes périodes de votre vie. Que racontent donc vos propres *bandes* ?

Soyez patient avec vous-même au moment de les arrêter et de les « écouter». Faites une pause et prenez une respiration avant d'émettre des hypothèses. Prenez le temps de vous poser des questions et notez vos idées. Les exercices suivants peuvent prendre plusieurs jours. Il vous faut écouter, analyser et enregistrer avec soin. (Utilisez de nouveau votre journal de bord.)

Premier exercice

Supposons que vous vous apprêtiez à rencontrer quelqu'un que vous respectez énormément, une célébrité peut-être, une personne très riche et puissante, ou quelqu'un dont les valeurs et les convictions sont importantes pour vous ; en un mot, quelqu'un que vous admirez pour une raison quelconque. Normalement, vous ne vous poseriez pas de questions sur vous-même avant cette rencontre, vous pourriez peut-être vous sentir un peu mal à l'aise, mais vous iriez au rendez-vous. Maintenant que vous pensez à cette rencontre imaginaire, je veux que vous vous interrogiez très attentivement. Il est important que vous soyez honnête et extrêmement minutieux. Si vous pensez que vous auriez été intimidé, reconnaissez-le pour vous-même. Si vous avez été effrayé, anxieux, ou vous êtes senti un peu bête ou bien peu digne d'attention, admettez-le pour vous-même.

En pensant à la rencontre qui doit avoir lieu, que vous dites-vous *précisément* ? **Prenez du temps pour y réfléchir, et notez les mots qui vous viennent pour décrire comment vous vous sentiriez à l'approche de la rencontre. Ces notes nous renseignent sur le contenu de vos bandes à votre sujet, et en ce qui concerne vos compétences, vos convictions et ce que vous valez.**

Deuxième exercice

Chaque jour de la semaine prochaine, en vous réveillant le matin, notez votre état d'esprit et ce que vous attendez de la journée. Êtes-vous optimiste ? Avez-vous peur, êtes-vous anxieux ? Êtes-vous amer ou froissé ?

Entendez-vous quelque chose comme : « Tu es toujours hors des cercles du pouvoir. Tu ne peux pas atteindre le sommet. Aujourd'hui est peut-être le jour où tout le monde va s'en apercevoir. » Souvenez-vous, je ne parle pas de votre dialogue intérieur, qui peut être consciemment encourageant, en parallèle avec une « boucle » nettement moins optimiste. N'oubliez pas que la bande augure d'un résultat précis. Alors creusez la question et demandez-vous comment vous envisagez la journée à venir.

Troisième exercice

Supposons que votre patron vous ait envoyé un message disant qu'il voulait vous voir à 16 heures le jour même. (Si vous préférez, vous pouvez choisir quelqu'un en position d'autorité vis-à-vis de vous : un député, un ministre ou encore le patron de votre épouse.)

Refaites quatre fois cet exercice, mais en utilisant une série de situations différentes à chauqe fois, telles que :

• Vous savez que vous avez fait une erreur.

• Vous savez qu'un licenciement est imminent ou que quelque chose de négatif menace de se produire.

• Vous n'avez aucune idée de l'objet de la rencontre.

• Vous savez que vos performances vont être évaluées.

J'aimerais maintenant que vous repreniez cet exercice, mais cette fois-ci, en relation avec quelqu'un de votre entourage personnel. Imaginez que votre conjoint, un parent, un ami ou même votre enfant vous a demandé s'il pouvait vous voir un moment pour parler.

Faites l'exercice comme précédemment, mais en déclinant ces quatre situations légèrement différentes :

• Une relation pose problème.

• Quelque chose de néfaste, de tragique ou d'injuste se sont produits récemment.

• Vous ne savez toujours pas en quoi consiste la rencontre.

• Vous n'avez pas parlé, du moins de façon intime, avec cette personne depuis longtemps.

Notez toutes les idées que vous pouvez identifier sous votre discours intérieur conscient, c'est-à-dire toutes les idées qui vous viennent à l'esprit quand vous commencez à poser ces questions et à tenter de reconnaître vos prédictions.

LE RECENSEMENT DE VOS *BANDES*

En examinant vos bandes, discernez-vous certaines similitudes ou modèles récurrents ? Associez-vous un type particulier de scénarios avec un discours intérieur négatif ? Par exemple, vos bandes concernent-elles des rencontres professionnelles, ou des membres de votre famille, des connaissances ? Peut-être les avez-vous identifiées plus facilement en les reliant à un moment spécifique de la journée, le matin par exemple, lorsque affluent vos premières pensées. Peut-être en êtes-vous plus conscient dans un contexte particulier, par exemple en vous préparant à prendre la parole. Reprenez votre journal et identifiez les grandes lignes, les modèles récurrents qui les caractérisent.

LE RECENSEMENT DE VOS SCÉNARIOS

Passons maintenant au recensement de vos scénarios et de vos convictions figées.

Premier exercice

Prenez le temps de considérer tous les scénarios que vous avez interprétés au long de votre vie. Il doit probablement y en avoir un certain nombre : ils concernent l'ami, le travailleur, le parent aimant, le bon copain, le danseur, l'enseignant, l'athlète, le partenaire, le malade, l'enfant de ses parents, etc.

Rappelez-vous qu'un scénario régit ce que vous dites et faites. Il détermine aussi les attentes et les rôles de votre entourage. Alors, essayez dans un premier temps de vous souvenir des rôles que vous avez joués, qui ont régi certains de vos actes et dont vous avez senti sur le moment qu'ils déterminaient le résultat final. Essayez de vous souvenir de ces étapes et des circonstances dans lesquelles votre rôle a influencé ou déterminé la façon dont votre enourage a répondu ou réagi. Votre scénario montrera l'évidence de certains autres facteurs internes que nous avons évoqués. Par exemple, vous retrouverez dans ce scénario certaines de vos *étiquettes*, le *pôle de détermination* qui le conditionne, et des *bandes* déroulant leur contenu automatique. Servez-vous de ces concepts pour vous aider à identifier votre scénario dans le détail. Et revenez une nouvelle fois à votre journal de bord.

D'abord, vous donnerez simplement au scénario un titre qui corresponde au rôle que vous y jouez : la mère, la femme d'alcoolique, le salaud, le crétin…

Ensuite, dans des termes simples, faites la liste des actes ou des comportements que ce scénario vous rappelle. Il s'agit de vous remémorer les *actes que vous avez posés* en étant en conformité avec le rôle qui était écrit.

Puis, en un ou deux paragraphes, décrivez comment les autres répondent ou réagissent envers vous. Qu'est-ce que ce rôle provoque chez les autres acteurs du scénario ?

Après avoir accompli ce premier exercice sur un scénario, passez aux autres et utilisez le même mode d'emploi pour en recenser les détails.

Deuxième exercice

Maintenant que vous avez identifié certains des scénarios que vous avez interprétés, reprenez-les et procédez comme suit :

1 Cochez les rôles dont vous sentez qu'ils sont plus conformes à ce que vous voulez vivre. De quels scénarios seriez-vous le plus fier d'évoquer à quelqu'un ? Quels rôles vous plaisez-vous à jouer ? Cochez-les.

2 Si vous vous décriviez à quelqu'un d'autre, de quels rôles auriez-vous le plus honte ? Cochez ensuite ceux que vous détesteriez vraiment devoir jouer.

3 Pour chaque scénario identifié, qu'il soit positif ou négatif, rédigez deux paragraphes sur la personne et/ou les circonstances qui vous l'ont imposé. Rédigez ensuite deux

paragraphes reprenant les raisons qui, à votre avis, ont poussé cette personne à vous attribuer ce rôle et ce qui en a résulté.

FAIRE LE BILAN

Il vous faut à présent évaluer ces rôles et ces scénarios et déterminer quelle puissante relation ils entretiennent entre eux. Vous chercherez à comprendre comment, combinés les uns aux autres, ils ont participé à la définition de ce que vous êtes devenu, et s'ils contribuent ou font obstacle à votre authenticité. Il est extrêmement important que vous connaissiez les aspects qui sont en accord avec votre moi authentique et ceux qui ne le sont pas. Vos réponses émotionnelles à ces scénarios vous donneront, à cet égard, des indices vitaux.

J'ai un ami dont le scénario était d'être un grand athlète. Il aimait tout particulièrement le football et a été junior, puis a joué dans l'équipe de son lycée, à l'université et enfin chez les professionnels. Mais, c'est inévitable, il devint beaucoup trop rapidement trop vieux et fut forcé d'abandonner. Un jour qu'il se plaignait à moi d'être fatigué, vieux et blessé, je lui demandai de faire revenir des images de son passé sportif. Je lui intimai de remonter jusqu'au moment où il portait le maillot de son équipe. C'était plutôt incroyable, même pour moi qui connaissais le processus, de le voir changer physiquement sous mes yeux. L'énergie revenait, ses yeux scintillaient, il se redressa sur son siège. Sa voix vibra avec force. Dans son esprit et dans son cœur, il était en train d'expérimenter la mémoire sensitive et musculaire de ce *rôle* qu'il avait si chèrement aimé. En l'espace de quelques instants, ses émotions l'avaient métamorphosé.

Il se trouve que les émotions associées aux rôles que nous avons joués sont puissantes. Et cela reste vrai qu'elles soient positives, comme pour mon ami, ou négatives, lorsqu'un rôle a été source de souffrance. Il est important que vous puissiez discerner dans votre vie les rôles et les émotions qu'ils ont suscités.

Voici comment :

Utilisez votre liste de scénarios. Je veux que vous vous « projetiez » dans chacun d'eux successivement en parlant comme le personnage durant quelques minutes. Trouvez les mots que vous diriez dans ce rôle particulier, et **dites-les à haute voix**. Par exemple, si vous avez choisi le scénario de la « mère », faites comme si vous materniez quelqu'un. Que lui diriez-vous ? Je vous donne un exemple : « Maintenant, fais attention, couvre-toi bien, je ne veux pas que tu attrapes froid. Souviens-toi que ta mère t'aime et qu'elle ne veut pas se faire de souci pour toi. Allez, prends ton écharpe et sors jouer. Et fais bien attention. Ah non, tu t'y prends très mal, laisse-moi faire. Et reviens toutes les heures, que je sache où tu es. »

Comprenez-moi bien. Je ne vous dis pas que ce premier scénario, ou n'importe lequel des autres, est bon ou mauvais de façon inhérente. Mais des sentiments sont attachés à chacun d'entre eux, et je veux que vous portiez attention à votre ressenti dans le rôle. À vous d'improviser assez longtemps pour pouvoir identifier précisément les sentiments et les émotions qui vous viennent. Ces sentiments peuvent être positifs et apaisants, ou provoquer anxiété et colère. C'est ce que je veux que vous notiez. Quelle que soit votre expérience, ces sentiments sont vraisemblablement significatifs et je veux que vous les identifiiez.

Pour finir, *rédigez avec le plus de détails possible le scénario que vous auriez écrit si vous en aviez eu le choix*. N'essayez pas de faire plaisir à quelqu'un, ne vous demandez pas s'il est convenable ou non. Laissez-vous aller à vos rêves. Quel scénario choisiriez-vous si vous aviez carte blanche ? Quelle émotion ressentiriez-vous et avec qui voudriez-vous la partager ? C'est, encore une fois, un travail qui demande attention, concentration et volonté. Consacrez à ce « scénario de rêve » assez de temps, d'énergie et de créativité pour en avoir une idée précise. (Au fait : si cet exercice ne vous semble pas drôle, c'est que vous vous y prenez mal ; recommencez-le, mais en vous faisant plaisir.)

Désormais, j'espère que vous allez plonger, sérieuse-ment, dans l'histoire que vous voulez *vous* écrire et décider du rôle que vous voulez y jouer. J'espère également que vous savez désormais ce que l'on ressent lorsqu'on *tient* le scénario qui nous convient. Peut-être ce scénario ne sera-t-il pas très populaire, car il peut aller à l'encontre des attentes de vos proches. Mais ce sera *le vôtre*, pas celui d'un autre.

Il vous appartient de faire vivre ce scénario. Bonne lecture…

Introduction au plan
d'action en 5 étapes

« J'ai découvert, en vol, que la négligence et l'excès de confiance sont généralement bien plus dangereux qu'un risque délibérément accepté. »

Wilbur Wright, Extrait d'une lettre à son père, 1950

J'ai suggéré plus haut que votre vie pouvait être considérée comme une chaîne, laquelle se compose, bien sûr, d'une série de maillons reliés les uns aux autres. Vous avez bien travaillé à définir quels en étaient les maillons importants. Il est temps maintenant de mettre tout ce travail à plat, d'évaluer son sens pour vous et de planifier les actions qui en découlent.

Ayant grandi auprès de mon père, qui travaillait dans la région des grands champs de pétrole du Texas, de l'Oklahoma et du Colorado, je me souviens avec beaucoup d'acuité des premières chaînes que j'aie vues de ma vie : celles des tours de forage. Il était très difficile de saisir les maillons de ces chaînes épaisses et couvertes d'une graisse noire. Travailler là-bas était un boulot aussi dangereux et difficile que salissant. Durant mon enfance, à chaque fois que j'entendais une histoire de prisonnier enchaîné dans un donjon, j'avais toujours l'image de ces énormes et hideuses chaînes, chargeant lourdement le cou et les chevilles d'une pauvre âme. Elles représentaient pour moi une sorte de force irrésistible. Les chaînes avaient un pouvoir sur vous, elles vous retenaient en arrière et vous enlevaient votre liberté. Cela doit vous donner une idée de ma façon de voir votre chaîne personnelle de vie. Ce n'est pas une image mentale très engageante, mais elle n'en est pas moins parlante. Je suis convaincu que les actes que nous posons dans nos vies sont bien trop souvent le produit de pulsions négatives, et de notre chaîne de vie reliant notre passé au présent, et le présent à notre futur.

Votre concept de soi, qu'il soit fictionnel ou authentique, est le produit de cette chaîne. Et que cette continuité soit positive ou négative, elle existe. Et je dirais même que mon livre traite très exactement de cela. Les deux prochains chapitres vous montreront comment forger les nouveaux maillons de cette chaîne et le concept de soi auquel vous aspirez.

Nous avons commencé par jeter un œil sur votre existence passée, parce que je crois que le meilleur indicateur de votre comportement futur est votre attitude passée. Par conséquent, les maillons successifs de votre histoire conditionnent votre futur. Pour la plupart des gens, cela signifie que si leur vie a été un chaos dans le passé, il y a de fortes chances que cela se poursuive dans le futur. Mais il ne doit pas en aller de même pour vous. Vous avez désormais les moyens de modifier cette force cinétique en brisant votre chaîne pour en créer une autre. Une fois que vous aurez identifié quels maillons du passé influencent quelles expériences de votre vie actuelle, vous saurez où concentrer votre énergie. Si votre histoire vous prédit un futur que vous voulez changer, vous allez pouvoir vous créer une autre histoire.

Au début, votre nouvelle histoire ne s'inscrit que l'espace d'un jour, puis d'une semaine, puis d'un mois, puis d'un an. Vous vous retrouvez bientôt dans une nouvelle vie, augurant d'un tout autre futur. Si vous avez été ivrogne ou boulimique chaque jour pendant des années, il sera fort probable que vous continuerez à l'être cette année. Or dès que vous agissez différemment ne serait-ce qu'un seul jour, votre vie se met en alerte : « Eh, qu'est-ce que c'est que ça, une nouvelle donne ? » Une nouvelle anticipation intervient. Chaque journée supplémentaire de ce nouveau comportement rend cette anticipation de plus en plus forte et de plus en plus juste. L'enjeu, ici, est de s'affranchir de ce qui est vieux et d'encourager ce qui est nouveau. La raison pour laquelle nous avons passé tant de temps à analyser votre passé est qu'il fallait s'assurer de votre lucidité, de votre clairvoyance et de votre capacité à identifier quelles parts spécifiques de votre passé conditionnaient votre présent. À présent, vous le savez.

Votre propre expérience de vie et les réactions internes qu'elle a entraînées ont façonné un concept de soi qui vous a défini jusqu'à maintenant. Ceci, aussi sûrement que le marteau du forgeron martèle et forge le métal chaud sur l'enclume. Vous vous êtes influencé vous-même à travers vos perceptions et discours intérieurs, et vous avez été influencé et défini par l'ensemble des comportements et des messages que les autres vous renvoyaient. Vos moments clés, vos choix déterminants et vos personnages essentiels font partie des « outils » qui ont martelé le métal de votre concept de soi.

Et il se peut fort bien que tout cela ait eu lieu sans que vous en ayez jamais été conscient. En regardant en arrière, il se peut que vous ayez le sentiment que cette « chaîne de vie » était enroulée autour de votre cou avant même que vous ne sachiez parler. Et il se peut que la vôtre vous étouffe et vous entrave. Comme je l'ai dit à maintes reprises, on ne peut changer que ce que l'on connaît. Mais l'inverse est vrai : vous pouvez changer ce que vous *connaissez*. Soyez réaliste à propos de votre propre chaîne, et les maillons qui doivent être brisés ou écartés laisseront place au bon vouloir du moi authentique.

Pour y parvenir, je vous propose donc un plan audacieux. Il est temps pour vous de devenir le « forgeron » de votre propre vie ; il est temps de cesser d'obéir passivement aux facteurs internes et externes de votre vie. Il est temps de mettre au défi et de canaliser ces forces en toute conscience.

Agir ainsi protégera votre concept de soi et le déplacera sur l'échelle de l'authenticité. Il est temps de commencer à prendre une autre direction, ancrée ici et maintenant, plutôt que de poursuivre dans votre ancienne direction, sous l'influence d'une histoire usée, incohérente et dépassée. Vous pouvez créer un nouvel élan qui vous autorise à être et à faire ce que vous prisez véritablement.

Pour redéfinir votre vie et votre concept de soi, il vous faut accomplir deux choses. Premièrement, acquérir des outils spécifiques. Deuxièmement, vous engager à être totalement et courageusement honnête dans l'évaluation et l'usage des informations que vous avez accumulées jusqu'ici. Une partie des informations que vous avez recueillies furent particulièrement déplaisantes à reconnaître et il s'agit maintenant d'en faire quelque chose. L'introspection sans l'action équivaut à peu près à s'endormir en marche. Au moins, quand on est endormi, on peut s'accrocher à l'idée que l'ignorance est une bénédiction. Faire tout le travail de défrichage des comment et des pourquoi de sa vie, et puis s'arrêter là, pour repartir suivre son vieux train-train, ce n'est pas possible. Vous devez être responsable et disposé à agir pour traiter efficacement la vérité brute et accomplir de véritables changements. Sinon, vous perdriez votre temps. Ce que je veux dire, c'est que si vous voulez maximiser votre qualité de vie et échapper aux pièges qui vous ont retenu en arrière jusqu'ici, vous devez avoir le courage de la sincérité et oser modifier votre schéma de vie tant sur le plan interne qu'externe. Plus d'arguments contradictoires, plus d'excuses, plus de raisons extérieures invoquées pour expliquer les choix que vous avez faits. Vous devez décider quels éléments de votre concept de soi ont de la valeur à vos yeux et doivent rester, et quels autres doivent disparaître. Il est temps de trier le bon grain de la vérité authentique de « l'ivraie » fictionnelle, afin de vous en débarrasser et de vivre une existence cohérente avec la personne que vous êtes véritablement. Comme je l'ai déjà souligné, cette phase d'identification vous a demandé un grand courage, et la phase d'application qui s'annonce en exigera tout autant.

Souvenez-vous que tout le monde ne verra pas forcément d'un très bon œil que vous rejetiez les rôles jusqu'ici passivement endossés, en faveur de choix qui vous correspondent vraiment.

Pour faire avancer le processus, revenons un moment sur la manière dont s'est construit votre concept de soi, afin d'organiser au mieux votre future démarche.

Premier point

Votre vie a commencé sous une constellation de dons, de talents, de capacités, de traits de caractère et de caractéristiques qui dessinent votre spécificité. Vous avez en vous les talents, les capacités, la perspicacité et la sagesse nécessaires pour la mission qui vous attend. Si votre parcours jusqu'ici vous a amené à développer et à nourrir cette spécificité et si vous êtes resté concentré autour d'elle, alors vous avez vécu une vie en accord avec un **moi authentique**. Dans le cas contraire, un moi fictionnel, défini par l'extérieur, a dominé votre vie.

Deuxième point

Votre parcours, durant vingt ou soixante ans, est en partie caractérisé par une **histoire apprise**, dont l'impact est redoutable sur votre spécificité originelle. Vous avez appris de vos expériences et elles vous ont transformé. Elles vous ont apporté la paix, la joie, le trouble et le chagrin ou un mélange de tout cela.

Troisième point

Bien que votre histoire soit constituée, littéralement, de millions d'expériences intérieures et extérieures, un nombre infime d'entre elles ont concouru à construire votre concept de soi. Comme nous l'avons vu, trois types essentiels de **facteurs extérieurs** ont structuré votre regard sur vous-même : vos dix moments clés, vos sept choix déterminants et les cinq personnages essentiels que vous avez rencontrés. Les dix moments clés sont des expériences assez fortes pour qu'elles vous aient marqué, que ce soit de façon positive ou négative, et ce de façon durable. Certains moments clés peuvent avoir renforcé votre authenticité et d'autres avoir déformé votre concept de soi, vous détournant de votre moi authentique vers une attente fictionnelle de qui vous seriez « censé » être.

Vos sept choix critiques sont ces décisions importantes qui, soit ont renforcé votre moi authentique en générant des résultats qui précisent votre caractère unique, soit vous ont amené à vous demander qui vous êtes et vous ont conduit à fabriquer des mythes qui ont empoisonné votre concept de soi. Ces résultats, qui affirment ou dénient votre être authentique, sont aussi déterminés par les interactions avec vos cinq personnages clés. Elles soutiennent l'authenticité qui est en vous ou vous donnent de fausses informations qui deviennent une partie centrale de votre concept de soi.

Quatrième point

Selon la pensée et le sentiment qui vous sont propres, vous avez interprété chaque événement de votre vie, grand ou petit, et vous y avez réagi. En particulier, comme vous l'avez appris dans ce livre, cinq **facteurs internes** ont influencé votre façon d'externaliser ces événements extérieurs. Ces cinq facteurs sont **votre pôle de détermination, votre étiquette, votre dialogue intérieur, vos enregistrements en boucle et vos croyances figées.**

Revoyons ces notions. Votre **pôle de détermination** identifie la façon dont vous percevez les événements et comment vous vous en attribuez la responsabilité. L'**étiquetage** est l'attribution de jugements durables, qui s'agglutinent à votre concept de soi, figeant l'idée que vous avez de vous-même. Le **dialogue intérieur** est la fenêtre de perception par laquelle vous voyez et comprenez le monde et vous-même. C'est le monologue que vous entretenez, en temps réel, tandis que la vie se déroule autour de vous. Les **enregistrements en boucle** sont ces jugements et ces itinéraires tracés qui emplissent le soi et qui sont tellement rabâchés qu'ils sont devenus des messages automatiques. Les bandes passent dans votre tête à la vitesse de la lumière et prédisent l'issue de votre vie et de vos luttes pour le succès. Des **croyances figées** sont des positions durables et résistant au changement. Elles organisent votre monde et prédisent ce que vous pensez et ce que les autres risquent de faire. Ce sont les pierres angulaires du scénario de votre vie. Elles créent des liens et des barrières, entravant ce que vous pourriez devenir et ce que vous faites.

Avec ce « centre de processus interne » en cinq parties, vous avez envoyé des messages à votre concept de soi. Soit ils ont affirmé votre moi authentique, soit ils l'ont enseveli, en faveur de votre moi fictionnel. L'un des deux s'est trouvé chargé de diriger votre vie.

Cinquième point

Ne pas réussir à vivre en adéquation avec votre être authentique vous lèse mentalement, émotionnellement, physiquement et spirituellement. Votre chaîne de vie vous étrangle, elle aspire et détourne votre énergie vitale. Supprimer votre moi authentique et nier son besoin d'expression, vivre pour quelque chose qui ne vous passionne pas ruinent des pans spectaculaires de votre énergie vitale. Vous pourriez les dépenser en créant selon vos désirs.

Il existe une prière pour obtenir la sagesse de comprendre la différence entre ce que l'on peut et ce que l'on ne peut pas changer. En développant votre plan d'action – vous rapprocher le plus possible de ce que vous êtes authentiquement –, vos facteurs intérieurs en deviendront les éléments clés. Voici pourquoi : *si vous connaissez les événements qui ont dirigé votre concept de soi et si vous pouvez identifier les réactions qu'ont suscitées en vous ces événements, vous pouvez ensuite savoir quels sont les leviers sur lesquels vous devez appuyer pour transformer la situation.* Ces leviers sont les facteurs intérieurs.

Les événements extérieurs sont importants, ils peuvent être les premiers maillons de votre chaîne de vie. Mais les facteurs intérieurs, dont nous avons parlé, sont le siège du pouvoir réel. Changer de direction de vie et retourner au contact de votre moi authentique se fera en fonction du changement de vos actions et réactions intérieures. La raison en est simple : si vous ne pouvez changer vos dix moments déterminants, vos sept choix critiques ou vos cinq personnages clés, vous risquez d'altérer considérablement votre façon de percevoir les événements extérieurs de votre vie. Il est possible d'utiliser les facteurs intérieurs, qui ont contrôlé votre vie, pour réinterpréter et réanalyser ces événements et mettre au point de nouvelles réactions en adéquation avec votre moi authentique. Aussi longtemps que vous avez le choix, vous avez le pouvoir de changer. Je vous assure qu'à l'aide des connaissances et des outils acquis au cours de ces pages, une nouvelle vision de votre vie, une nouvelle histoire, un nouveau potentiel vont naître.

Cela ne signifie pas que nous allons négliger votre comportement à l'extérieur. Une controverse fait rage, parmi les psychologues, sur la « meilleure » façon d'apporter des changements chez les gens : est-ce que nous changeons d'abord de sentiments et d'émotions, et le changement de comportement suit-il ? Ou est-ce que nous changeons d'abord de comportements, espérant que quand on *agit* différemment, on *sent* par la suite différemment ? J'ai entendu des spécialistes discuter à n'en plus finir sur ce sujet. Pendant ce temps, ceux qui ont besoin de changer attendent. « Nom d'un chien ! Je m'en fiche. C'est d'un plan que j'ai besoin ! »

Bref, qui s'intéresse à l'issue de ce débat ? Et pourquoi les deux voies ne fonctionneraient-elles pas : travailler à changer votre façon de penser et de sentir, tout en agissant en même temps sur votre voie vers le succès ?

Le plan dont vous allez prendre connaissance est conçu pour vous aider. Il vous aidera en même temps à changer **intérieurement**, en vous concentrant sur les cinq facteurs dont nous avons discuté, *et aussi* à changer la façon dont vous prenez contact avec le monde **extérieurement**. En pensant, en sentant et en vous comportant différemment, vous vous observerez vous-même et mettrez en place une nouvelle attitude à l'usage de votre concept de soi. On apprend sur soi-même en s'observant comme quelqu'un d'étranger. En vous voyant « vous comporter » différemment, plus authentiquement, avec plus de loyauté envers vous-même, à la fois intérieurement et extérieurement, vous créerez une nouvelle histoire qui laissera présager de votre nouvel avenir.

En termes plus simples, le plan agit ainsi : je vous demanderai de revisiter les « audits de vie » intérieurs et extérieurs que vous avez accomplis et enregistrés au cours de votre travail des premiers chapitres. Vous identifierez quelques événements extérieurs qui ont contaminé ou amélioré votre vie en adéquation avec votre moi authentique. Vous examinerez les facteurs intérieurs et la façon dont vous avez continué à engranger ces événements « toxiques ». Ensuite vous découvrirez quels secteurs peuvent être « nettoyés » pour améliorer votre vie. Et enfin, vous utiliserez certains outils spécifiques pour effectuer ce nettoyage qui, à son tour, vous placera sur le chemin de retour vers votre moi authentique.

Comme je l'ai dit précédemment, peut-être ne pouvons-nous pas changer ce qui est arrivé dans notre vie, mais nous pouvons certainement changer les messages qui ont découlé de ces événements. Nous pouvons changer votre façon d'y répondre aujourd'hui et, du coup, changer la place que ces événements prennent dans votre vie quotidienne. Ce plan vous demande de prendre un maillon particulier de votre chaîne de vie, de l'examiner, de tester vos réponses, ici et maintenant, et ensuite d'interroger les conclusions et les comportements que vous en avez tirés. Pesez les pensées, les sentiments et les réactions que vous avez acceptés passivement pendant des années. Peut-être ne saviez-vous pas qu'il y avait mieux, mais ce n'est plus le cas à présent. Vous serez stupéfait du pouvoir que vous avez. Vous n'êtes pas forcément prisonnier de votre passé. Vous n'avez pas besoin de traverser le monde avec des plaies béantes. Vous pouvez guérir, mais cette guérison viendra de vous-même. Elle sera le produit de ce que vous faites pour vous-même, non de ce que quelqu'un fait pour vous.

LE PLAN

Revenons aux spécificités du plan. Dans ce chapitre, je vais vous en exposer chaque étape en vous donnant une brève explication de ce concept. Ensuite, dans le chapitre suivant, je vous ferai partager l'histoire et la chaîne de vie d'une de mes anciennes patientes. Vous verrez comment elle a mis en œuvre ces étapes dans sa propre existence. Et ce sera votre tour.

ÉTAPE 1 : isolez un événement cible

Pour mettre en action le plan, il est important que vous appréhendiez les premiers maillons, les plus puissants, de la chaîne causale qui a fini par créer votre concept de soi tel qu'il est aujourd'hui. Il s'agit des facteurs extérieurs sur lesquels nous avons travaillé : **les moments déterminants, les choix critiques ou les personnages clés**.

Comme je l'ai déjà dit, vous ne pouvez pas changer ces événements extérieurs, puisqu'ils ont déjà eu lieu. Qu'ils datent de vendredi dernier ou d'il y a trois ans, ils font partie de votre histoire. Vous ne pouvez changer vos moments, résilier vos choix ou changer vos personnages essentiels. La première étape est donc cruciale, il s'agit d'identifier ces événements extérieurs, qui ont profondément marqué votre concept de soi actuel. Ne regrettez pas de ne pouvoir changer le passé, car **votre véritable pouvoir gît dans vos facteurs internes.** C'est dans les cinq zones de la réponse intérieure que vous trouverez les outils et les possibilités de redéfinir votre concept de soi ainsi que votre vie, en adéquation avec ce que vous êtes vraiment, et en l'absence de toute déformation.

ÉTAPE 2 : vérifiez vos réponses intérieures à cet événement déclencheur

Une fois que vous avez sélectionné un événement déclencheur, accordez-lui toute votre attention et concentrez-vous sur la façon dont vous y avez répondu et dont vous l'avez intériorisé. Revoir toute votre vie en un instant peut paraître une tâche écrasante. Il peut également vous paraître au-dessus de vos forces de voir précisément la liste de vos moments clés, de vos choix déterminants et de vos personnages essentiels, d'un seul coup. Mais nous allons procéder à cette analyse et à cet examen personnel étape après étape. C'est comme cette vieille histoire : « Comment faire pour manger un éléphant ? » La réponse est : « Une bouchée à la fois. » Oubliez que vous avez un éléphant à ingurgiter, cela intimiderait n'importe qui. Contentez-vous d'abord de croquer une oreille et mâchez-la bien. Sans vous en rendre compte, vous aurez déjà fait un réel progrès. C'est la même chose ici : nous prendrons juste un événement et nous décortiquerons votre histoire et décortiquerons comment vous êtes devenu ce que vous êtes. Après avoir isolé cet événement, nous allons regarder de très près ce qui vous est arrivé intérieurement quand il s'est produit. En quoi a-t-il changé votre concept de soi ? A-t-il ébranlé votre foi ? Vous a-t-il volé votre confiance ? Était-ce la mort de votre innocence ?

C'est là que vos cinq facteurs externes entrent en jeu. Je vous demande de préciser comment ce moment déterminant influence votre dialogue intérieur jusqu'à présent. Si c'était vraiment un moment déterminant, vous devez encore l'avoir en tête aujourd'hui, en particulier quand nous faisons ce travail. Votre dialogue intérieur peut en être influencé indirectement, y compris lorsque vous n'y pensez pas précisément.

De la même façon, votre pôle de détermination vous dicte-t-il l'endroit où vous placez votre responsabilité, peut-être même vous reprochez-vous cet événement ? Quelles étiquettes avez-vous générées comme une fonction de ce moment déterminant ? Quelles *bandes* cet événement a-t-il contribué à enregistrer ? Quelles sont les croyances figées qui résultent de ce moment déterminant et comment ont-elles joué dans votre scénario de vie depuis cet instant déclencheur ? Vous le noterez ou vous relirez ce que vous avez écrit sur ces processus intérieurs. Ainsi verrez-vous quelle a été leur influence et comment pratiquer des ajustements.

ÉTAPE 3 : testez l'authenticité de vos réponses intérieures

Une fois que vous avez identifié votre événement cible et appris quelles étaient, et quelles sont vos réponses, que faire ? L'équivalent d'un test chimique qui vous permettra d'évaluer vos perceptions pour voir si cela vaut la peine de les conserver ou si vous n'avez fait que vous agiter pour rien. Il vous faut de nouveau confronter ces perceptions à un standard de rationalité, de vérité et d'authenticité. Connaître et appliquer ce standard, voir si vos réactions intérieures sont acceptables, tel sera votre objectif au cours de cette troisième étape. Je vous expliquerai bientôt ce fameux test en termes clairs et pratiques.

ÉTAPE 4 : trouvez une Réponse Alternative Authentiquement Appropriée

Toute réponse intérieure qui échoue à l'étape 3 – en d'autres termes qui échoue au test « s'agiter pour rien » – doit être rejetée. Quand vous étudiez vos propres perceptions, vos dialogues avec vous-même, vos croyances figées, etc., si vous les jugez irrationnels, faux et inauthentiques, il faut vous en débarrasser ; vous devez rompre avec cette mauvaise habitude intérieure. « Rompre » est en fait une mauvaise expression, parce que nous n'avons pas à « rompre » avec nos habitudes. Pour éliminer un comportement habituel, vous devez *le remplacer* par un nouveau comportement, compatible avec celui que vous voulez éliminer. Générer cette nouvelle réponse intérieure est le but de cette étape. Vous devez vous engager dans ce que j'appelle « la pensée triple A » : il s'agit de donner naissance à une Réponse Alternative Authentiquement Appropriée, qui *passe* le test d'authenticité. Remplacez toute réponse qui ne soit pas un soutien pour votre moi authentique par une autre qui le soit. Remplacez toute réponse qui vous trouble ou vous fait souffrir par une autre qui vous pousse vers ce que vous désirez, ce dont vous avez besoin et que vous méritez.

ÉTAPE 5 : identifiez et mettez en œuvre votre Réponse Minimale Efficace (RME)

Cette dernière étape enseigne que *l'action* – un comportement extérieur – est souvent nécessaire si vous voulez aboutir à une clôture émotionnelle. La question qui se pose est alors la suivante : « D'accord, mais qu'est-ce que ça donnera ? » Quel comportement sera le plus efficace pour y parvenir, sans le payer trop cher en termes d'énergie, de risques, etc. ? Nous sommes en quête d'une réponse peu exigeante mais efficace, que j'appelle votre Réponse Minimale Efficace. Quels efforts réels êtes-vous en mesure de fournir pour guérir votre souffrance, pour vous libérer et vous autoriser à créer plus de ce que vous voulez, et moins de ce que vous ne voulez pas, sans vous mettre pour autant en danger ?

Voici les grandes lignes de notre plan d'action. Maintenant il est temps d'être plus précis et de mettre ce plan à exécution en votre faveur !

CHAPITRE 11

Mettre le plan à exécution

« Nous nous rendons nous-mêmes heureux ou malheureux.
Cela nous demande autant d'efforts. »

Carlos Castaneda

Alors que vous êtes sur le point de mettre en pratique notre plan d'action en cinq points, je vous encourage vivement à apprécier tout le travail accompli jusqu'ici. Il vous est parfaitement permis, et c'est même une très bonne idée, de vous servir de votre journal comme d'un stimulus ou d'une source d'inspiration dans les exercices qui vont suivre. Il peut vous être utile de réexaminer le dialogue intérieur que vous avez enregistré, ou bien de jeter de nouveau un coup d'œil aux tests que vous avez effectués, en respectant votre pôle de détermination. Ce plan d'action en cinq points est en effet destiné à enrichir les fondations que vous avez déjà posées. Vous ne devez pas avoir l'impression de partir de zéro.

Si vous avez sérieusement pratiqué les exercices proposés dans les précédents chapitres, le fonctionnement de ce plan ne devrait pas vous être totalement étranger. Ainsi, le chapitre consacré aux facteurs externes vous demandait déjà de réaliser une sorte d'audit de vos réactions aux événements extérieurs. En conséquence – là encore, si vous avez honnêtement répondu aux tests –, il ne serait pas excessif de dire que vous êtes à présent différent de la personne que vous étiez en entamant la lecture de ce livre. Votre connaissance de vous-même s'est considérablement développée. J'espère et j'ai la conviction que le travail que vous avez fourni jusqu'ici a fait la lumière en vous et vous a soulagé d'un poids. Ce que vous propose mon plan en cinq points va beaucoup, beaucoup plus loin dans cette direction.

Comme il est toujours très utile, je le crois, de pouvoir s'appuyer sur un modèle ou un exemple, dès que l'on applique un plan d'action à sa propre vie, permettez-moi de vous faire partager l'expérience d'une de mes ex-patientes. Je commencerai par vous préciser que Rhonda est aujourd'hui la mère de deux garçons d'âge universitaire. Elle a fait un mariage heureux et se partage entre différentes activités qu'elle affectionne. Je suis sûr qu'elle vous affirmerait aujourd'hui vivre en cohérence avec son moi authentique. Ce qui n'était pas vrai il y a seulement quelques années. Ne voyez pas de ma part une intention de vous choquer en vous parlant de Rhonda. En réalité, il se peut que certains éléments de votre expérience soient même encore plus tragiques que les siens. Mon but, en vous décrivant la problématique de Rhonda, est de vous montrer comment une personne peut mettre en œuvre notre plan en cinq points dans sa propre vie.

Lors de notre première rencontre, Rhonda entrait dans la trentaine. Dès qu'elle se mit à parler, il m'apparut claire-ment que son véritable moi avait été réduit à néant. Elle se méprisait elle-même, n'avait aucune confiance en elle, ni le sens de sa valeur. Elle pensait qu'elle n'avait rien à offrir aux autres et qu'en contrepartie, elle ne pouvait rien attendre de leur part. Elle s'excusa même de me faire « perdre mon temps », alors que « j'aurais pu en faire bien meilleur usage auprès de quelqu'un qui le méritait ». Rhonda vivait une vie abominable, dominée par un concept de soi fictionnel qui ne reflétait absolument pas qui elle était authentiquement, réel-lement. Elle était perdue, et plus que perdue. Il ne fallut pas longtemps pour identifier le premier maillon de cette impla-cable chaîne causale. À l'âge tendre de douze ans, elle avait été battue, violée et exploitée sexuellement par son père biologique. La mise à plat des sévices qu'elle avait subis occupa une longue suite de séances, au début desquelles Rhonda s'évertuait à excuser son bourreau.

Rhonda finit par me confier que son père, un représentant régional des ventes pour une grande entreprise, lui avait souvent demandé de l'accompagner en voyage d'affaires pendant ses vacances d'été, lesquels voyages représentaient des centaines de kilomètres pour retrouver des clients disséminés dans plusieurs États. Il devint vite évident que son père était un ivrogne psychopathe d'une extrême cruauté. Tard dans la nuit et ivre mort après une soirée de beuverie et de bamboche, il ramenait fréquemment dans sa chambre d'hôtel les clients qu'il se targuait d'entretenir ; lesquels se mettaient à jouer, se battaient ou s'invectivaient en poussant des hurlements et couchaient avec des prostituées ou des femmes rencontrées dans les bars. À de nombreuses reprises, ces loques avinées y avaient également forcé Rhonda, sous les yeux de son père, resté assis à regarder, inerte d'alcool. Il ne disait rien, mais la colère n'était jamais bien loin : la plus légère résistance de la part de Rhonda pouvait provoquer les insultes ou les coups. Si elle se mettait à pleurer ou faisait mine de s'échapper, il la battait brutalement et la culpabilisait : « Sale petite garce égoïste, pourquoi est-ce que tu veux ruiner mon business ? Ces hommes te nourrissent, c'est grâce à eux que nous avons un toit sur la tête. Veux-tu que tes frères et ta mère crèvent de faim ? De toute façon, tu n'es qu'une petite traînée. Tu te fais peloter sur le siège arrière de la voiture par tes pauvres taches de copains, alors tu peux bien le faire avec ceux qui te font manger ? » (Ah si seulement j'avais eu devant moi ce gibier d'alcootest !) Bien sûr, rien de ce qu'il disait n'était vrai, et Rhonda ne s'était certainement jamais retrouvée sur le siège arrière d'une voiture avec quiconque avant que son père ne lui vole sa dignité. Cette délicate enfant était vierge avant le premier voyage qu'elle entreprit avec son père, lors de ce sombre été. Une fois que le comportement haineux de son père fut enclenché, Rhonda perdit tout bonnement le sens de sa propre valeur, elle y perdit tous ses espoirs, son optimisme et son estime. Les actes de son père l'avaient forcée à endosser un rôle et, l'âme brisée, elle accepta ce concept de soi fictionnel, ainsi que le douloureux scénario de vie qui l'accompagnait.

Et comme pour ajouter la blessure à l'insulte, son père venait de mourir. En conséquence de quoi les émotions de Rhonda tournaient et retournaient dans le chaudron de ses contradictions. D'un côté, elle était soulagée que cet homme diabolique eût quitté cette terre. Mais de l'autre, elle se sentait coupable de ne rien ressentir. À cette ébullition intérieure succédaient des accès de rage et de frustration qu'il ait pu mourir sans avoir été confronté à sa propre responsabilité. C'estt extrêmement peu de dire que lorsqu'elle m'arriva en consultation, Rhonda souffrait d'une profonde altération du concept de soi et devait reprendre un travail émotionnel immense et totalement laissé en friche.

L'endoctrinement pathologique qu'elle avait intériorisé et qui, jour après jour, la broyait n'était qu'une information fausse et distordue. À cet âge fragile, son concept de soi avait été facilement balayé et remplacé par une image fictionnelle. Notre défi consistait clairement à la soulager de la confusion et du dommage de la douleur, du doute, de l'autocondamnation, de la colère, de la haine et de l'amertume. Le but était de remettre Rhonda en contact avec un moi authentique dont elle n'avait plus fait l'expérience depuis l'enfance. Je voulais la conduire au point où elle puisse se considérer avec respect, dignité, estime de soi et optimisme. Tous ses déterminants internes, porteurs de sa véritable énergie, étaient en déroute. Ils étaient terriblement déformés et travaillaient au service d'un moi fictionnel témoignant de sa défiguration psychique. Son dialogue intérieur, vingt ans après ce voyage fatidique et ce qui en avait découlé, continuait à la ravager. Les enregistrements en boucle qui se déchaînaient dans sa tête ne parlaient que de perdition et de désespoir. Ses étiquettes la désignaient comme « sale », « prostituée » ou « traînée ». Son pôle de détermination demeurait irrationnellement intérieur, et les croyances figées qui conditionnaient son scénario de vie ne lui laissaient aucune issue. Ces choses horribles lui étaient arrivées et elle en restait « marquée à vie ».

Ayant pris connaissance de l'histoire de Rhonda, vous évaluez à présent les enjeux et les difficultés qui lui faisaient face, tandis qu'elle s'apprêtait à mettre en œuvre dans sa propre vie notre programme en cinq points. Nous allons donc le mettre en pratique ensemble dans la vôtre, en nous basant sur l'exemple de chaîne causale fournie par la tragique expérience de Rhonda.

Il ne vous surprendra pas qu'à partir du moment où les prochains exercices vont donner du sens à tout le travail effectué dans les précédents chapitres, je ne saurais exagérer l'importance que ceux-ci revêtent à présent pour vous. J'ai remarqué que l'approche la plus efficace consiste à prendre un événement déclenchant identifié à la première étape et de le faire passer par toutes les étapes successives. Faites en sorte de faire peser chaque moment du programme sur cet événement avant d'en choisir un autre et d'y travailler à nouveau.

Ne hâtez pas le processus. Je ne m'excuserai pas de vous donner matière à un travail aussi intensif. La règle de « je garde, je jette » s'applique particulièrement aux exercices que vous vous apprêtez à faire : si vous en pressez le rythme, si vous « écrémez » l'information, au lieu de vous engager dans une appréciation honnête et exhaustive, vous ne récolterez qu'un résultat superficiel. Au risque de répéter ce qui devrait être une évidence, il n'y a pas de moment plus propice pour décider d'investir 100 % de votre énergie, de votre attention et de vos efforts à une tâche.

Comme nous l'avons déjà fait, reprenez votre journal et trouvez-vous le moment et le lieu le plus paisibles possible. Idéalement, vous devriez réserver au moins une heure pour confronter un événement de votre choix aux cinq étapes de notre programme. En fonction de l'événement spécifique que vous aurez retenu, vous constaterez peut-être que l'exercice vous demande plusieurs séances réparties sur plusieurs jours. N'oubliez pas que j'attends de vous un examen approfondi et exhaustif de vos réactions intimes. Faites attention de ne pas vous masquer une partie de ce qui vous handicape ou vous hante. Vous devez être déterminé à tout envisager, en allant au-delà de vos réponses émotionnelles, et à mettre à plat tous les facteurs qui affectent votre vie. Une fois que vous faites entrer un événement dans la machine, l'événement qui suit vous demandera également une heure au moins de travail, et ainsi de suite.

À chaque étape, considérez la situation de Rhonda et ses réponses possibles comme un simple exemple. Vos réponses doivent procéder d'une paisible et honnête appréciation de votre propre vie. Si les circonstances sont moins tragiques que celles de Rhonda (Dieu soit loué !), ne vous estimez pas quitte pour autant. Car si un événement particulier compte pour vous, alors il nécessite toute votre attention et tous vos efforts.

Commençons.

Première étape : ciblez l'événement

Prêtez attention à votre respiration, relaxez votre corps et votre esprit, et considérez les différents maillons de votre vie : la série des événements, des circonstances et des réponses qui ont fait de vous ce que vous êtes aujourd'hui.

Commencez par déterminer quel élément, parmi les événements clés identifiés précédemment dans votre sphère externe, s'est avéré le facteur le plus nocif dans votre vie.

Il pourra s'agir :

- d'un moment clé,
- d'un choix déterminant,
- d'un personnage essentiel.

Il peut vous être très utile de vous reporter au matériau déjà constitué sur ces facteurs externes au fil des travaux précédents.

Mettez à présent par écrit une courte description de cet événement. Celle-ci ne doit pas excéder quelques phrases et sera probablement déjà présente dans vos notes. Il se peut cependant que votre vision ait évolué depuis lors, aussi, si vous éprouvez le besoin d'ajouter quelque chose, allez-y.

À titre d'exemple, voici ce que Rhonda écrivit lors de cette étape : « Ce premier mardi matin du mois de juin, alors qu'il commençait à charger la voiture, il me dit de faire ma valise et de m'apprêter à partir. Je le connaissais trop bien, je le haïssais et je savais qu'il ne fallait pas que je monte avec lui dans cette voiture. Je n'avais pas la moindre idée de ce qui allait se passer, mais je savais que j'allais le regretter. J'aurais pu me ruer dans la cuisine et supplier maman de me laisser rester avec elle. J'aurais pu m'enfuir. Ou alors, si je m'étais exprimée correctement, j'aurais pu persuader ma mère de venir avec nous pour me protéger. Mais au lieu de cela, je fis exactement ce qu'il me demandait. Ce qui constitua à la fois l'événement le plus toxique et le choix déterminant le plus catastrophique de ma vie. C'est le choix le plus effrayant que j'aie jamais fait. » Bon, je sais qu'à présent, à la lecture de ces lignes, vous devez vous dire : « C'est dingue ! Comment pouvait-elle porter la moindre responsabilité dans ce que ce salaud pathologique lui faisait subir ? » Vous avez absolument raison, cher ami, mais souvenez-vous que cette réponse interne de Rhonda, confuse et biaisée par la culpabilité, reflète fidèlement la fiction dans laquelle elle vivait depuis lors. Il ne s'agit évidemment pas d'une réponse rationnelle, mais essayez donc de dire cela à une enfant de douze ans apeurée et sous l'emprise de la culpabilité...

Revenez maintenant à votre propre réponse. Avez-vous identifié ce moment le plus dommageable et en faites-vous une description honnête ? Rappelez-vous : notre but est d'assainir cet épisode et la perception que vous en avez, et d'en désamorcer le pouvoir déformant. Ne passez pas à côté de votre cible, ne serait-ce qu'un peu. Il ne s'agit pas d'épargner un seul de vos « démons » intimes.

Deuxième étape : analysez votre réponse intérieure à cet événement

Souvenez-vous que votre réponse concerne un ou plusieurs de vos cinq facteurs internes, chacun d'entre eux ayant été identifié et analysé dans un chapitre précédent. Servez-vous des questions qui vont suivre comme de stimuli pour votre pensée :

En vous référant à l'événement évoqué à la première étape :

1 – À qui imputez-vous la responsabilité de cet événement, quel est votre pôle de détermination ?

Par exemple, la première série de questions que j'adressai à Rhonda portaient sur qui avait la responsabilité de l'événement. Aviez-vous vraiment le choix, à douze ans, de refuser de monter dans la voiture ? Saviez-vous – pouviez-vous savoir – ce qui allait se passer ? Êtes-vous l'auteur de ces viols ? Étiez-vous responsable de la folie de votre père et des autres pervers avec lesquels il traînait ? Rhonda s'en attribue clairement la faute, d'après sa réponse à l'étape 1.

Je n'ai jamais vu une personne en forcer une autre à l'assaillir sexuellement, et je suis presque sûr que vous et moi pensons que la réponse de Rhonda devait se solder par un « non » franc et massif. Mais là encore, notre perspective diverge de celle d'une fillette de douze ans maintenue sous le contrôle paternel.

Question suivante, également axée sur l'attribution de la responsabilité : qui a décidé de la façon dont vous alliez réagir à cet événement, par exemple en pensant des choses terribles ?

Et comme personne ne peut régir de l'extérieur, la réponse de Rhonda fut donc : « C'est moi. »

Autre question : aviez-vous le contrôle de la situation ?

Cette question est directement reliée aux sentiments de responsabilité et de honte. Vous seriez étonné de connaître le nombre de gens qui s'accusent de faits dont ils ne sont que les victimes et non les auteurs. En outre, de nombreuses familles souhaitent désespérément effacer toute trace du problème et estiment les victimes coupables d'être assez égoïstes pour l'étaler au grand jour ou, tout simplement, tenter de l'aborder.

Appliquez ce questionnaire sur votre pôle de détermination à l'événement que vous avez retenu, et écrivez vos réponses. Attention : ne vous contentez pas de noter ce que vous pensez devoir dire *intellectuellement*. Il est facile de céder aux réponses correctes ou socialement acceptables. Mais telles ne sont pas les réponses que je souhaite vous voir écrire et considérer. Écrivez ce que vous ressentez lorsque vous êtes seul et envahi par le poison de ce souvenir. Vous ne pouvez changer que ce que vous connaissez, alors soyez tout à fait honnête. À combien estimez-vous réellement votre part de responsabilité, quoi qu'en pense votre intellect ?

2 – Quels ont été le ton et le contenu de votre dialogue intérieur depuis cet événement ? Trouvez-vous que vos conversations ordinaires et quotidiennes « à vitesse normale » reflètent les changements intervenus en vous et restent associées à cet événement ?

À cette occasion, lorsque vous réfléchissez à cet événement, que vous dites-vous ? Toujours à cette occasion, lorsque vous n'y réfléchissez pas directement mais qu'il provoque en vous honte et culpabilité, que vous dites-vous alors, bien que cela n'ait pas de rapport direct avec les faits ?

Comme nous le suggèrent les réponses de Rhonda, les victimes d'abus sexuel sont nombreuses à souligner qu'elles n'ont d'abord pas pu, ou pas voulu envisager ce qui se passait. De nombreuses victimes d'agressions sexuelles disent avoir d'abord pensé qu'elles faisaient l'objet d'un traitement particulier et, dans un second temps seulement, découvert les intentions destructrices qui les visaient. Certaines se sentent dupées et se reprochent leur stupide naïveté. D'autres se fabriquent à dessein une autre version des faits afin de protéger leur agresseur, en particulier s'il s'agit d'un membre de la famille. Ainsi, une fille ayant été agressée sexuellement par un parent peut se persuader qu'il s'agit d'un accident ou de la manifestation d'une amitié particulière. Que votre propre situation ait été proche de celle de Rhonda ou totalement éloignée, la question pertinente serait : comment perceviez-vous votre comportement ? Comment perceviez-vous les intentions ou comportements des autres personnes impliquées dans cet événement ? Que pensez-vous aujourd'hui de tout cela ? Comment la façon dont vous avez étiqueté et assimilé cette situation affecte-t-elle aujourd'hui votre sentiment de confiance et votre rapport au monde ? Par exemple, si vous rencontrez un désagrément avec votre compagnon actuel ou votre partenaire de vie, pensez-vous des choses désobligeantes à votre égard parce que vous vous sentez atteint ?

Quoi qu'il en soit, si un dialogue intérieur négatif semble être la conséquence de cet événement, mettez ce dialogue par écrit. Comprenez que ce dialogue interne ne concerne peut-être pas précisément cet événement. Il peut être entrelacé de messages de doute et d'incompétence, ou des pensées résiduelles de l'événement le plus « toxique » survenu dans votre vie. Si un événement a ébranlé votre confiance, il reste déterminant quand bien même les échos dans la vie courante paraissent déconnectés de leur origine.

3 – Quelles « étiquettes » vous êtes-vous attribuées suite à cet événement ?

Que vous êtes-vous dit à propos de vous-même après avoir vécu cette situation ? Rhonda a découvert qu'elle s'était collé des étiquettes telles que « salace », « marchandise avariée », « n'ayant rien à offrir », « honteuse », ou encore « chose utile au plaisir d'un autre ».

Observez si, vous aussi, vous vous êtes affublé d'étiquettes à l'issue de la situation vécue. Revenez aux étiquettes que vous avez recensées auparavant et croisez la liste avec celles-ci. Il se peut que vous en découvriez de nombreuses autres, maintenant que vous avez approfondi la question – notez-les.

4 – Quels « enregistrements en boucle » cet événement a-t-il générés ou encouragés ?

En conséquence de ce que vous avez appris à la suite de cet événement, avez-vous développé une réponse automatique, réflexe, qui juge et prédit ce qui se produira dans une situation donnée ? S'il vous semble que, lors des situations les plus stressantes, une voix intérieure vous hurle des messages d'échec, cet enregistrement réflexe est-il une conséquence de l'événement que vous traitez ici ?

Ainsi, Rhonda reconnut qu'elle attendait le même résultat de chaque relation amoureuse qu'elle avait tentée. Elle identifia toute une série de bandes enregistrées sur les hommes et les relations amoureuses, sur son sentiment d'être utilisée, sur la honte qu'elle associait à toute situation d'intimité. Elle s'attendait purement et simplement à être jetée comme un Kleenex lorsqu'elle entrait dans une relation intime avec un homme. Voici un échantillon des bandes enregistrées de Rhonda : « Les hommes ne sont que des cochons, je ne les intéresse que si je couche, et après ils me laissent tomber. Je suis piégée pour la vie. » Explorez à votre tour les attentes et prédictions systématiques qui persistent en vous, en réponse à l'événement extérieur que vous traitez. Identifiez vos propres enregistrements réflexes, avec le plus de détails possible.

5 – Quels sont les croyances figées et les scénarios de vie que vous avez bâtis en réponse à cet événement ?

Avez-vous le sentiment de vivre selon un scénario tiré en droite ligne de cet événement, impliquant une suite de mots, de pensées et comportements auxquels vous obéissez aveuglément, jour après jour ? Comment vous êtes-vous limité à l'issue de cet événement ? Avez-vous simplement renoncé à ce que le monde vous traite autrement ? Vous êtes-vous limité à ce que vous êtes en ce moment même ? Rhonda, pour sa part, vivait un scénario de vie dans lequel elle fuyait toute opportunité de rencontrer des hommes, y compris dans une atmosphère détendue et sympathique, de peur de tomber dans un schéma prévisible – et ô combien douloureux. Elle vivait selon ses convictions, alternant une promiscuité éhontée avec de brusques replis, pétris de honte.

Comment ces croyances sont-elles reliées à votre expérience première ? Identifiez toute connexion entre l'événement que vous avez choisi et les croyances figées qui imprègnent votre vie.

Là encore, n'hésitez pas à vous replonger dans les chapitres précédents et dans le matériau que vous avez constitué au fil des exercices, pour faire émerger les réponses les plus complètes à chacune des cinq questions de cette deuxième étape.

Arrêtons-nous un instant pour considérer la position de Rhonda à ce stade. Au moment où elle terminait le travail de la deuxième étape de ce plan, elle pouvait avoir identifié nombre de réactions intimes assez éloquentes.

Tout comme vous, Rhonda ne peut modifier les événements extérieurs intervenus dans sa vie, y compris certains de ses choix malheureux, conséquences directes de la maltraitance qu'elle subissait. Ce qu'elle est en mesure de changer, ce sont ses paroles et ses actes *actuels* à ce propos. Bien que cela puisse vous paraître une plate victoire, je peux vous assurer qu'il n'en est rien, lorsque vous la verrez s'épanouir dans votre propre vie.

Je suis convaincu que vous êtes déjà en train de modifier votre propre dialogue intérieur. Et que vous continuez d'apprendre au fur et à mesure que nous avançons. Par exemple, vous avez dû prendre conscience que vous n'étiez pas responsable des événements retenus. En faisant ce travail, de très nombreuses personnes considèrent pour la première fois ces événements avec les yeux de la maturité. Pour la première fois, elles découvrent s'en être souvenues depuis des années à travers leurs yeux d'enfants. Ces nouvelles perspectives leur donnent soudain la possibilité de se juger autrement.

Je me souviens d'un homme qui se jugeait constamment irresponsable, ne se faisait jamais confiance en quelque occasion que ce soit, en conséquence directe de la noyade accidentelle de son jeune frère. Bien qu'il eût été à l'école au moment de l'accident, il avait un jour surpris les propos de sa mère affirmant que, s'il avait été là, la tragédie n'aurait pas eu lieu. Le résultat fut que tout au long de son existence, il avait quelque part porté la responsabilité de la mort de son jeune frère. Cependant, lorsqu'il eut examiné objectivement l'événement lui-même, il découvrit que sa mère l'avait en réalité indirectement complimenté pour son sens des responsabilités : la tragédie était qu'il n'ait pas été là pour sauver son frère. Lorsqu'il rendit visite à sa mère peu de temps après, elle corrobora cette nouvelle et plus mature interprétation des faits. Elle fut également horrifiée d'apprendre à quel point son fils s'était mépris sur ses propos. Et vous pouvez difficilement imaginer quel fut le soulagement de cet homme.

Lorsque nous commençons à écouter notre dialogue intérieur, nous sommes en mesure d'obtenir des résultats étonnants. Nous pouvons apprendre des choses surprenantes sur nous-mêmes. Son petit frère a disparu à jamais, mais son interprétation et sa perception des faits ont changé du tout au tout, et sa vie de même.

Troisième étape : testez l'authenticité de vos réponses intérieures

Comme nous venons juste de le voir, l'examen intime de notre discours intérieur peut être thérapeutique. Mais un retour à l'authenticité exige plus que cela. *Voici le moment de vous munir de critères d'authenticité très précis, à l'aune desquels vous pourrez tester vos réponses internes.*

Rhonda, à l'issue de ce processus, pourrait dire : « OK, je peux voir comment l'abus sexuel que j'ai subi équivaut à une défiguration psychique. Et je vois que ma réaction aux faits a été largement contre-productive : j'ai entrepris un audit de mes facteurs internes et je peux voir comment j'ai réagi à ce qui est arrivé. Il n'est pas étonnant que je me sente si mal dans ma peau. Je me sens mal parce que tout cela est arrivé et parce que j'y ai réagi de cette manière. Ça, je le comprends. Et maintenant que vais-je faire ? »

Eh bien, ce que vous allez faire, c'est apprendre à manier ces quatre critères pour une auto-évaluation authentique. Vous évaluerez alors chacune de vos réponses internes – croyances, dialogues, étiquettes, etc. – à l'aune de ces critères.

Ces critères d'authenticité vous aideront à déterminer si vos réactions et vos réponses enrichissent votre moi authentique ou vous repoussent au contraire vers le moi fictionnel, sur l'échelle continue du concept de soi. Ces quatre règles vous donnent le cadre à partir duquel vous évaluerez chaque attribution, étiquette, conversation interne, bande enregistrée ou croyance figée. Et, pour chacune d'entre elles, ça passe ou ça casse. Lorsqu'elles ne résistent pas au test, vous savez que vous devez ouvrir votre esprit à d'autres options. En d'autres termes, je suis maintenant prêt à vous apprendre comment tester tout ce que vous vous dites à vous-même de manière à vous permettre de distinguer ce qui est authentique de ce qui est fictionnel. Je veux vous amener au point où essayer de vous faire passer un mensonge pour votre vérité sera aussi difficile que de vous faire prendre des vessies pour des lanternes.

Considérez chacun de ces quatre critères d'évaluation à la fois comme une question et un défi. Lorsque vous les utilisez pour passer au crible chaque pensée et chaque perception, vous verrez clairement à quel point votre discours intérieur est fictionnel ou authentique. Les voici :

1 – S'agit-il d'un fait vrai ?

Ce que vous pensez, ressentez, percevez ou prenez comme facteur causal constitue-t-il des faits objectivement vrais et vérifiables ? Si votre dialogue intime, par exemple, était analysé par des observateurs indépendants, ou si des gens absolument neutres écoutaient vos propos, seraient-ils ou non d'accord avec vous ? Est-ce juste quelque chose que vous croyez aujourd'hui parce que vous l'avez cru alors ? La plupart du temps, nous agissons sur la base de croyances totalement fausses que nous n'avons jamais évaluées. Il se peut que vous agissiez sur la base de croyances qui étaient vraies lorsque vous aviez trois ou sept ans, si elles l'ont jamais été. Peut-être n'en savez-vous rien, après tout. Si tel est le cas, n'agissez pas sur la base de ce que vous tenez simplement et machinalement pour vrai, en négligeant de le remettre en question.

2 – Le fait de vous maintenir dans cette pensée ou dans cette attitude sert-il vraiment vos intérêts ?

Il arrive que vous mainteniez des croyances parce que vous avez peur de les laisser partir, bien que tenir à elles vous provoque des souffrances et des peines. Ce critère d'évaluation est simple : si ce que vous pensez, ressentez ou faites ne fonctionne pas pour vous, si cela ne vous aide pas à être et à faire ce que vous désirez authentiquement, alors c'est que ça ne passe pas la barre. Cela vous rend-il, au contraire, heureux, calme, serein et épanoui ? Banco ! Appliquez ce critère et votre qualité de vie va changer – et tout de suite ! Ne faites *aucune* concession. N'écoutez pas les justifications intimes au nom desquelles vous persistez à tolérer des pensées et des croyances qui ne fonctionnent pas pour vous. Si cela ne marche pas, LAISSEZ TOMBER !

3 – Vos pensées et attitudes servent-elles et protègent-elles votre santé ?

Ces pensées que vous entretenez sur vous-même vous entraînent-elles dans des situations à risque ? Par exemple, votre orgueil mal placé vous poussant à conduire votre voiture en prenant des risques vous amène-t-il au bord de l'accident ? Votre obstination à bien faire vous met-elle en fâcheuse posture ? La peine et le stress engendrés par vos pensées, sensations et croyances sur vous-même ont-ils des consé-quences physiques qui vous pèsent ? Nous générons parfois des croyances égoïstes qui nous mettent sur la défensive alors que c'est inutile. Les pensées auxquelles vous vous accrochez engendrent-elles une harmonie physique et corporelle ? Ou êtes-vous constamment nerveux et agité, gaspillant vos réserves physiques et vous exposant à la maladie ? Il est peut-être temps de comprendre que tenir à de telles croyances ne vous aide pas. Et vous nuit.

4 – Cette attitude ou cette croyance m'apportent-elles plus ce que je veux, désire et mérite ?

Cette question se veut aussi directe qu'elle en a l'air. Quel est votre but ? Quelle est la cible que vous essayez d'at-teindre ? Peut-être vous dites-vous que votre but est d'atteindre une sensation de paix intérieure, une inébranlable tranquillité ancrée dans une très forte conscience de votre propre valeur. Ou bien qu'il consiste à améliorer votre rela-tion à vos enfants. Peut-être souhaitez-vous un meilleur mariage ou une promotion au travail. Quel que soit ce but, confrontez-y votre réponse interne et passez-la au test : cette attitude ou croyance, cette pensée, vous rapprochent-elles de ce que vous voulez ? Ou vous conduisent-elles au contraire à maintenir une situation dont *vous ne voulez pas* ?

Mettons ces critères à l'épreuve, en prenant à nouveau l'exemple de Rhonda. Considérons que Rhonda a adopté une croyance figée sur sa nature salace, dégoûtante et méprisable aux yeux des autres. Elle a honte de ce qui lui est arrivé et des actes auxquels elle a pris part, bien qu'involontairement. Elle est prête à passer cette croyance au gril de nos quatre critères, pour en déterminer l'authenticité.

Question 1 : Est-ce la vérité ? Est-ce un fait dont tout le monde attesterait la vérité ?

Non, non et non ! Rhonda répondrait probablement : « Ce n'est pas vrai. Je sais désormais, en tant qu'adulte mature et objective, qu'on s'est servi de moi et qu'on a sexuellement abusé de moi. Je ne suis ni répugnante, ni ravagée, ni méprisable. J'ai été persécutée par ces gens, mais ce n'est pas de moi qu'il s'agit. Les gens ne savent rien des événements de ma vie, et encore moins des événements qui l'affectent. »

Question 2 : Le fait de vous maintenir dans cette pensée ou dans cette attitude sert-il vraiment vos intérêts ? Une réponse possible : « Ce n'est pas seulement inutile et sans valeur, cela limite également ma vie. Pourquoi y tiendrais-je ? Cela me procure-t-il du courage ou, au contraire, cela m'affaiblit-il ? Est-ce que cela me rend heureuse ou triste ? À moins de vouloir absolument conserver une raison de m'apitoyer sur moi-même, je ferais mieux de laisser tomber cette pensée – et tout de suite. »

Question 3 : Vos pensées et attitudes servent-elles et protègent-elles votre santé ? Réponse possible : « Mon obstination à me voir comme un être repoussant n'est peut-être pas une cause de mortalité directe ; mais elle ne contribue certainement pas à ma santé. Cela peut même me pousser à des jugements contraires à mon bonheur, et donc à ma santé. »

La leçon de la question 3 devrait être limpide. Si vous avez répondu « non » à l'une de deux premières questions ou « oui » à la troisième, vous tenez la preuve que cette croyance est un concept fictionnel. Cette idée vous empoisonne. Vous ne pouvez vous mouvoir dans une atmosphère de paix et de joie tant que ce poison règne dans votre esprit. Abandonnez-le sur-le-champ.

Question 4 : Cette attitude et cette croyance m'apportent-elles ce que je veux, désire et mérite ? Rhonda pourrait répondre : « Non, pas du tout. Je veux me sentir nette, heureuse et en pleine santé. Je veux me sentir digne de valeur et de respect, et aucune de mes croyances, pensées ou réponses intimes ne me conduisent à ce que je veux vraiment. »

En révisant vos réponses de la deuxième étape de notre programme d'action, reprenez toutes celles qui peuvent passer le test des quatre critères et procédez à l'examen. Il peut vous être utile de jeter un coup d'œil au résumé écrit de chaque réponse et d'écrire une courte explication montrant comment elle ne résiste pas au test d'authenticité. Approfondissez au maximum. L'usage que vous ferez de ces quatre critères, aujourd'hui et dans le futur, doit être impitoyable. Pour faire bref, ne cédez plus à vos propres fadaises. Si elles échouent au test d'authenticité, laissez-les tomber, et tout de suite.

Je vous en redonne les quatre critères :

1 – S'agit-il d'un fait vrai ?

2 – Le fait de vous maintenir dans cette pensée ou dans cette attitude sert-il vraiment vos intérêts ?

3 – Vos pensées et attitudes servent-elles et protègent-elles votre santé ?

4 – Cette attitude ou cette croyance vous apportent-elles ce que vous voulez ?

Quatrième étape : trouvez une Réponse Alternative Authentiquement Appropriée

Après vous être engagé à retrouver votre authenticité, vous devez probablement vous dire : « Que dois-je faire pour dépasser cet événement *toxique* ? » En tout premier lieu, je dois cesser de m'attribuer la responsabilité d'éléments que je ne contrôle pas. Je dois modifier mon dialogue intérieur – ce que je me dis à moi-même absolument chaque jour, depuis que je suis sur cette terre. J'ai besoin de comprendre où sont mes étiquettes et de les mettre à l'épreuve de l'authenticité. J'ai également besoin d'identifier les bandes enregistrées qui me limitent, et les croyances et jugements qui m'entravent. Je dois les identifier avant de pouvoir aller plus loin.

À l'issue de ce processus, vous allez me dire : « D'accord, je réalise en quoi consiste mon dialogue intérieur et j'en ai remis en question chacune des réponses. Et maintenant, *qu'est-ce qui se passe ?* »

Lorsque vous testez votre dialogue intérieur fictionnel et lorsqu'il s'avère inauthentique (et il le sera : il n'est pas juste, il ne sert pas vos meilleurs intérêts, il ne protège pas votre vie, il ne vous procure pas ce que vous souhaitez), il est alors temps de passer à ce que nous appellerons la *Pensée Triple A*. Pour remplacer des réponses fictionnelles, vous devez générer un *comportement Alternatif Authentiquement Approprié* (AAA). Et pour être estampillés AAA, ces réponses ou comportements doivent satisfaire à nos quatre critères d'authenticité. Vous devez mettre à jour de nouvelles options AAA et les employer à remplacer celles qui ne fonctionnent pas.

Supposons que le dialogue intérieur de Rhonda ressemble à ceci : « Je suis sale et dépravée. Je suis un pauvre déchet dont aucun homme ne voudrait, hormis pour coucher avec. »

Une fois qu'elle confronte ce dialogue intérieur au test des quatre critères sans y satisfaire (ce que nous savons déjà), Rhonda doit avancer et s'essayer à la *pensée AAA* ; elle doit générer des Alternatives Authentiquement Appropriées.

Au lieu d'entretenir l'idée qu'elle est une « marchandise avariée », Rhonda devra adopter une nouvelle perspective l'autorisant à se voir comme importante et digne de respect. Elle peut même accepter l'idée qu'elle n'est coupable de rien et que personne n'a le droit de la juger. Elle doit également élaborer une AAA du type : « Je dois cesser de me juger. Je n'ai rien fait de mal. Je dois me tenir debout et accepter les qualités qui font de moi une personne unique et particulière. »

Une seconde alternative consisterait, pour elle, à considérer qu'elle a laissé son passé derrière elle, ou du moins qu'elle accorde désormais moins d'importance à cet événement. Elle prend alors la décision positive de vivre au présent.

Voici une technique simple pour vous entraîner à penser « AAA ». Vous allez vous constituer un tableau comme suit :

• Divisez votre page dans le sens de la hauteur.

• Du côté gauche de la page, faites la liste de vos croyances fictionnelles actuelles. Vous savez désormais comment constituer cette liste : vous savez quelles réponses sont fictionnelles parce que vous y avez appliqué le test des quatre critères et connaissez lesquels de vos pensées, sentiments et croyances n'y ont pas résisté.

• Le côté droit de la page est réservé au brain-storming. En face de chaque croyance actuelle, listez autant de croyances alternatives que vous le pourrez. Puis vous reprenez chacune de ces alternatives et (souvenez-vous de la troisième étape) vous les soumettez au test d'authenticité.

Les croyances qui auront passé le test sont des croyances authentiques.

Voici à quoi pourrait ressembler le tableau de Rhonda :

Croyance actuelle	*Alternative proposée*
Je suis une marchandise avariée.	1 – Je suis un être humain de qualité qui a souffert mais qui peut à présent être soigné.
	2 – Je suis un être humain de valeur qui peut vivre dans la dignité et le respect.
	3 – Je vis dans le présent où je peux décider pour moi-même, au lieu d'être une prisonnière du passé et de ses souvenirs douloureux.

Testons maintenant ces alternatives :

1 – L'alternative est-elle vraie ? Oui.

2 – Est-il dans l'intérêt de Rhonda d'entretenir ces croyances ? Oui.

3 – Servent-elles et protègent-elles sa santé ? Oui.

4 – Lui procurent-elles ce qu'elle recherche ? Oui.

Conclusion : ces trois alternatives paraissent authentiques et Rhonda a donc un agréable choix à faire : elle peut en adopter une, deux ou les trois ensemble.

Mettez à présent en œuvre votre propre tableau « AAA ». Consacrez à cette quatrième étape tout le temps nécessaire. Et n'oubliez pas de faire passer le test des quatre critères à chacune des alternatives proposées.

À la fin de la quatrième étape, afin de ne pas vous tromper sur vos options, entourez d'un cercle chaque pensée « AAA » ayant satisfait au test. Vous êtes en train d'accrocher les nouveaux maillons d'une chaîne de vie qui vous correspond.

Cinquième étape : identifiez et mettez en œuvre votre Réponse Minimale Efficace (RME)

Souvenez-vous que cette étape du programme, que nous appellerons votre REM, vous demande quelle sera votre action, si vous en prenez l'initiative.

L'enjeu de cette cinquième étape est la *clôture émotionnelle*, une démarche qui autorisera à « refermer » votre livre sur les circonstances vécues et la douleur qui y est encore associée. Vous pouvez poser ce Livre de la Douleur sur l'étagère et ne serez plus obligé de l'en descendre pour lire un passage chaque jour.

Notez bien l'aspect « Minimal » de la REM. Votre RME est le moindre des actes que vous pouvez poser afin d'accomplir cette clôture émotionnelle. Pour vous donner un contre-exemple, j'entends souvent parler de gens qui tramant de grands complots pour confondre les autres, alors qu'il leur suffirait, pour résoudre leur nœud émotionnel, d'une explication ou d'une excuse. Le concept de RME tend à satisfaire votre besoin de résoudre ce qui vous pèse, sans créer pour autant une nouvelle série de problèmes. Il tend également à ne pas vous faire gaspiller vos ressources. Il peut vous aider à mieux estimer la méthode des anciens guerriers se livrant à de longues délibérations pour décider des actions les plus efficaces à mener, pour le moindre prix de sang et de souffrances. Il n'était pas question de tout brûler sur leur passage, mais d'obtenir le meilleur résultat au moindre « coût ». En matière de RME, *vous* avez les rênes en main.

Analysez vos alternatives d'action. En pensant à votre RME, utilisez ce test en quatre points :

1 – Quel acte pouvez-vous poser pour mettre fin à cette douleur ?

2 – Si vous réussissiez dans cette entreprise, que ressentiriez-vous ?

3 – Le sentiment que vous éprouveriez alors serait-il conforme à celui que vous *souhaitez* ressentir ?

4 – Souvenez-vous du terme « minimal » : existe-t-il une autre action, moins coûteuse sur le plan émotionnel et comportemental, qui puisse vous procurer la clôture émotionnelle que vous recherchez ?

Rhonda, pour sa part, trouverait sa propre RME en recherchant la moindre chose qu'elle puisse faire pour se sentir innocentée et libérée de la prison émotionnelle où elle s'est enfermée.

Son père est mort, mais peut-être sait-elle encore où habite un de ses « potes ». La RME de Rhonda est peut-être d'aller voir cette personne, de la prendre entre quatre yeux et de lui dire : « Ne croyez pas un seul instant que j'aie oublié ce que vous m'avez fait. Je veux que vous l'entendiez, vous devez prendre conscience de la souffrance que cela m'a causé. Vous devez savoir à quel point ce que vous avez fait m'a handicapée. Vous devez connaître l'impact que cela a eu sur ma vie, mon mariage et ma relation avec mes propres enfants, espèce de dangereux enfoiré de salopard… »

Voilà ce que pourrait être la RME de Rhonda. Il se peut qu'elle ait besoin d'un effet cathartique de ce type. Mais d'un autre côté, il se peut aussi que cela ne lui vaille rien de bon. Elle peut tout aussi bien tirer avantage du fait que la prescription juridique ne s'applique pas aux abus sexuels, filer au commissariat pour faire enregistrer une plainte et faire arrêter l'un de ces sombres salauds.

À l'examen de votre événement déclenchant, de la nature et du degré de la souffrance endurée, quel serait votre REM ? Peut-être n'éprouvez-vous ni le besoin ni le courage de faire aucune des choses évoquées à propos de Rhonda. Peut-être avez-vous besoin d'écrire une lettre en y notant toutes vos pensées et vos sentiments. Peut-être que cela fonctionne pour vous. Vous pouvez même aller jusqu'à poster cette lettre, si la situation implique quelqu'un d'autre. Et peut-être qu'à l'instar de Rhonda, si vous ne pouvez poster cette lettre, il vous faut vous rendre sur la tombe de votre agresseur et la lui lire sur place.

Je vous confie que Rhonda en a réellement fait ainsi. Initialement, elle pensait que sa RME impliquerait aussi qu'elle lise la lettre à sa mère, une autre façon de donner enfin libre cours à ses sentiments. Cependant, elle écarta vite cette option, en réalisant qu'il s'agissait plus d'une *Réponse « Maximale » Efficace*. Bien que potentiellement efficace, cette réponse aurait entraîné d'inutiles effets secondaires, comme la culpabilité, le chagrin, la rage ou le déni de la part d'une mère déjà sérieusement touchée par la maladie.

En fin de compte, elle décida qu'il lui fallait se rendre au cimetière où son père avait été enterré, aller sur sa tombe et lui lire la lettre. Ce que d'autres auraient considéré comme un comportement futile a parfaitement fonctionné pour Rhonda. Lorsqu'elle a lu sa lettre à son père décédé, elle s'est autorisée à hurler, pleurer et faire entendre son indignation la plus profonde. Lorsque ce fut fini, elle confia qu'elle avait l'impression qu'on lui retirait une énorme charge de la poitrine.

À la place de Rhonda, vous auriez peut-être agi différemment, en renversant par exemple une poubelle sur cette tombe. Mais quoi qu'il en soit, vous devez identifier votre RME et la mettre à profit. Et vous devez le faire jusqu'à ce que vous ressentiez un soulagement : « Ça y est, j'y vois clair, mon travail émotionnel est terminé et je suis libre de revenir à la personne que je sais être désormais. »

PARDONNER

Une part de l'efficacité d'une RME réside dans l'acte qu'elle génère. Et dans la pensée AAA qu'elle implique. L'autre part de son efficacité est le pardon, et la capacité à réécrire sa vie et à la réorienter vers le succès. Parlons un peu de cette notion de pardon.

Bien que chaque situation soit différente, je peux vous assurer que le pardon est un des éléments clés dans l'élaboration d'une RME réussie. Le pardon peut constituer une étape très difficile, mais probablement essentielle à la mise en œuvre d'une clôture émotionnelle. Vous devez comprendre que lorsque j'emploie ce terme de pardon, je ne vous demande en aucune façon d'accepter passivement ce qui a pu se passer dans votre vie.

Le pardon est, à mes yeux, un élément important parce que, sans lui, vous êtes presque inévitablement promis à une vie de colère, d'amertume et de haine. Autant d'émotions qui ne font que redoubler la tragédie. Vous êtes en définitive celui ou celle qui en paie le prix fort en supportant le poids d'émotions négatives, libres de contaminer chaque élément de votre vie quotidienne. Le pardon n'est pas une émotion dont vous devez attendre passivement qu'elle envahisse votre vie. Pardonner est un choix, un choix que vous pouvez faire pour vous libérer d'une prison émotionnelle faite de colère, de haine et d'amertume. Je ne prétends pas qu'il s'agisse d'un « choix » facile, mais il est nécessaire.

Rhonda devrait-elle pardonner à son père les abus, le viol et l'inconcevable exploitation qu'elle a subis ? La réponse est un oui sans équivoque. Ce n'est pas dans un désir de pardon qu'elle devrait agir ainsi, mais plutôt parce qu'*elle mérite* de s'en libérer. Beaucoup de gens ne pardonnent jamais, parce qu'ils estiment que cela les déshonore et minimise ce qu'ils ont traversé. Rien ne pourrait être plus éloigné de la vérité. Mais les gens qui trimballent ce fardeau de ressentiment disent invariablement qu'ils en font ainsi parce qu'il leur est impossible d'accomplir une clôture émotionnelle en la laissant aux mains d'une autre personne. Ce dont nous parlons ici, c'est de cette plaie ouverte du travail émotionnel inachevé vis-à-vis de quelqu'un, quelque part : et ce, quelle que soit la cible de cette émotion négative. Et il arrive un moment où vous en venez à dire : « La souffrance s'arrête, là, maintenant. Je dois me soigner et je ne peux y parvenir avec les blessures ouvertes de la colère, de la haine et de l'amertume. Je me donne la permission de changer. Et si ce malade (ou ce monstre) dispa-raît de mes émotions négatives, qu'il en soit ainsi. Ceux qui accomplissent ces actes odieux auront à en rendre compte un jour de façon encore plus terrible que si je les y avais confrontés moi-même. Je laisse à la vie le soin d'accomplir cette justice et je choisis de panser mes blessures. »

À travers vos circonstances personnelles, il vous appar-tient de puiser où vous voulez la force et le courage de pardonner. Peut-être vous en remettrez-vous à Dieu. Peut-être aussi vous appuierez-vous sur notre plan d'action en cinq points.

Appliquez ce critère d'authenticité à ces réponses, à votre colère et à votre perception des choses. Supposons par exemple que vous croyiez que vos parents vous ont blessé en ne vous encourageant pas assez et que votre enfance a été dépourvue de joie. *Cette pensée est-elle vraie ?* Cela est tout à fait possible. Vos parents ont pu en effet manquer de vous encourager et de vous féliciter, et, donc, votre point de vue doit passer par le premier critère. Mais souvenez-vous que le pardon de ceux qui ont mal agi envers vous, ou de ceux que vous aimez, ne concerne que vous. Il n'y a certainement rien d'inauthentique à affirmer qu'ils vous ont fait du mal. Je ne vous demande absolument pas de mettre tout cela sous le tapis ou de faire comme si rien n'avait eu lieu. Je ne vous demande pas non plus de banaliser l'affaire ou de la minimiser. Cependant, vous devez également réfléchir : « Quel a été le prix de ma colère, *cette pensée a-t-elle servi mes intérêts ?* » Ces pensées sans effet n'apportent aucune satisfaction dans votre relation avec votre parent et elles représentent indiscutablement pour vous un lourd fardeau. En conséquence vos perceptions et vos réactions ne répondent pas au second critère d'authenticité et, donc, devraient être bannies.

Votre rancœur améliore-t-elle et protège-t-elle votre santé ? Il est clair que non. La colère et la vengeance rongent le corps, comme elles dévorent l'âme. Là encore, elles ne satisfont pas au test d'authenticité. En d'autres termes, ce que vous vous dites à vous-même est vrai, mais ne sert pas votre intérêt et ne protège pas votre santé. Si l'on s'en tient au quatrième critère du test, il est évident que de traîner un cœur empli d'amertume ne vous permettra pas d'*obtenir ce que vous voulez*. Et voilà donc où se niche le pouvoir du pardon. Quelque chose vous est arrivé et, pourtant, dans votre propre intérêt, vous devez abandonner cette blessure derrière vous et avancer.

Au contraire, survivrait au test d'authenticité la croyance selon laquelle vous contrôlez la qualité de votre vie émotionnelle et vous ne pouvez pas vous laisser enfermer dans un quelconque piège destructeur. Vous pouvez choisir, en cohérence avec votre authenticité, de *couper* tout lien de haine, de peur ou de ressentiment envers ces êtres. Vous pouvez vous empêcher d'en alimenter l'énergie à travers votre discours intérieur. Observez la technique à laquelle avaient recours les tribus indiennes d'Amérique pour punir les comportements injurieux : la tribu entière se déconnectait littéralement du coupable, en refusant de reconnaître sa présence. Il ou elle leur devenait invisible. Parmi toutes les réponses possibles, cette attitude constituait le pire des châtiments imaginables. Au lieu de s'adresser à l'individu avec la rage du ressentiment, lui conférant par là même encore plus de pouvoir, il lui était opposé un total détachement. Les Indiens réservaient leur énergie à des causes plus importantes. Ce sont la liberté et le soulagement dont je parle lorsque je fais allusion au pardon. Désengagez votre énergie des facteurs ou des êtres qui vous ont nui, et ils disparaîtront de votre écran radar.

L'objectif de la Réponse Minimum Efficace (RME) est donc de purifier votre concept de soi. Si vos réponses internes sont clarifiées et que votre écran de vision est net, au lieu de vous pousser à des réactions impulsives et inadéquates basées sur la colère et l'exagération, votre concept de soi adoptera des comportements constructifs qui vous donneront plus de ce que vous voulez, et moins de ce dont vous ne voulez pas.

Souvenez-vous de ce qui vous a mené sur le chemin de la souffrance et de la distraction : ce sont les nombreuses circonstances négatives externes et les réactions intimes qu'elles ont causées en vous qui vous ont éloigné de votre moi authentique. Ces événements sont autant d'éraflures, de nids-de-poule et de collisions qui ont endommagé le « véhicule » de votre vie, et enfoui un moi authentique sous le monceau pourrissant d'expériences de vie bonnes à jeter. Afin de reprendre contact avec ce moi authentique, vous devez vous assurer d'avoir fait le ménage dans votre travail émotionnel inachevé, lequel contamine votre vie quotidienne et l'image que vous avez de vous-même. Nettoyez la lentille de votre projecteur. Appuyez sur le bouton de mise au point pour obtenir les contours nets et clairs de votre propre image.

Lorsque vous appliquez activement les principes énoncés dans ce livre et commencez à écrire un scénario à votre profit, vous commencez à vous régler sur la fréquence du succès. En vous engageant à faire passer tous vos conflits intérieurs par le filtre d'une pensée *Alternative Authentiquement Appropriée* (AAA), vous sentirez s'estomper votre sentiment de restriction et de lourdeur. Vous aurez plus d'énergie à investir dans vos objectifs et découvrirez que ma promesse de joie et de sérénité n'est pas un mensonge.

Au premier abord, vous allez probablement vous sentir maladroit. Tester chaque aspect de votre discours intérieur demande de l'entraînement. Vous allez vous retrouver perdu dans le monde fictionnel de vos étiquettes et de vos enregistrements en boucle. Vous avez un long passé d'habitudes acquises – habitudes que sont vos réponses internes – et celles-ci ne s'en iront pas du jour au lendemain. Mais vous *pouvez* changer votre dialogue intérieur. Vous pouvez changer votre point de vue sur vous-même. Vous pouvez appuyer sur le bouton « Eject » pour ôter vos vieilles bandes enregistrées et vous pouvez dépasser les croyances figées qui vous ont retenu en arrière. Vous pouvez confronter toutes vos réponses internes au crible de l'authenticité et proposer des réponses AAA en face de celles qui n'y résistent pas.

Choisir une Alternative Authentiquement Appropriée signifie que vous allez mettre au point de nouveaux usages et la politique de la personne que vous êtes vraiment. Votre vie va fonctionner en accord avec votre vérité et non plus au service d'une fausse identité.

Un moi authentique se caractérise par la confiance, l'espoir, l'optimisme, la joie et les projets. Il est temps de vous y essayer.

À partir d'aujourd'hui, il vous appartient d'avancer et d'accepter la responsabilité d'une vie authentique. Il vous appartient de vous forger la vie qui vous correspond. Vous avez les outils ; à présent, servez-vous-en.

CHAPITRE 12
Sabotage

« Dire que les autres sont malades est une façon malhonnête de faire l'éloge de nous-mêmes. »

Will Durant

Joan était aux anges. Cela faisait si longtemps qu'elle se battait. Après l'échec de son mariage, elle avait décidé qu'il était temps de penser à elle. Il était temps de cesser de vouloir faire le bonheur des autres et d'être en fin de sa liste de priorités. Elle avait passé tellement de temps et d'énergie à complaire à sa belle-mère autoritaire et omnisciente qu'une fois divorcée, elle avait eu la sensation qu'un poids énorme était ôté de sa poitrine. Au début, elle s'en était terriblement voulu de tout ce qu'elle avait supporté de cette femme et de son cher « petit garçon ». Elle se sentait tellement stupide, et si blessée aussi, d'avoir accepté de coopérer. Maintenant, peut-être était-ce lié à l'âge, les choses commençaient à changer. Elle avait arrêté de se fustiger. Elle avait décidé que seul le présent existait et qu'elle devait retourner à sa propre vie. Il s'agissait d'ailleurs davantage d'aller vers sa vie que d'y retourner, car elle avait depuis longtemps perdu de vue la Joan qu'elle était réellement.

Elle s'était mise en sommeil du plus loin qu'elle s'en souvienne. Un de ses grands renoncements avait été quand son père, expert-comptable, avait exigé qu'elle étudie la comptabilité à l'université, plutôt que d'obtenir un diplôme pour enseigner l'art, un domaine auquel elle vouait une passion effrénée. « Sois sérieuse », lui avait-il dit. « Tu dois construire ta vie. Ce n'est pas en apprenant à des gosses à jouer à la pâte à modeler que tu réussiras ! » Elle avait déjà abdiqué tellement de fois, c'était pour elle devenu presque automatique d'accepter qu'il lui dise ce qu'elle devait faire. Et c'était de plus en plus facile. Elle avait pris ses décisions les plus importantes pour plaire aux autres : que ce soit se marier, choisir où elle allait vivre, sa voiture, sa destination de vacances ou accepter de ne pas avoir d'enfants. Son but dans la vie était très simple : ne pas faire de vagues.

Mais tout cela était derrière elle à présent. En même temps qu'elle s'était trouvée, elle était devenue forte. Elle avait beaucoup lu, suivi une thérapie et s'était fixé des défis auxquels elle n'aurait jamais songé auparavant. Elle avait écrit des centaines de pages dans son journal et était même parfois choquée par certains passages. Mais enfin, elle continuait à creuser et à approcher de sa propre réalité. Finalement, après des mois et des mois de travail acharné, elle s'était accordé le plus beau voyage de toute sa vie. Elle avait passé quatre merveilleuses semaines en Arizona dans un centre de remise en forme où elle avait perdu les dix derniers kilos qui semblaient ne pas vouloir décoller de ses hanches. Elle se sentait parfaitement bien. En rentrant dans sa chambre un soir, elle avait relevé un message sur son répondeur. Elle avait réussi l'examen d'entrée dans une école d'art. Elle était enfin sur la voie à laquelle elle aspirait depuis longtemps. Et elle n'avait pas seulement perdu ces derniers kilos, elle n'était pas seulement parvenue à paraître et à être plus forte que jamais… elle était tombée amoureuse ! Elle découvrait en elle-même quelqu'un d'entièrement différent, une Joan perdue depuis longtemps, qui pouvait – elle s'en rendait compte – être surprenante. Tout arrivait en même temps. Elle avait trouvé son moi authentique.

Au cours du voyage de retour, en se remémorant l'année écoulée, Joan put difficilement contenir un fou rire.

Elle pensait à la façon dont elle allait annoncer à ses amies toutes ces bonnes nouvelles. Elle savait qu'Alice et Becky allaient tomber à la renverse quand elle leur raconterait tous ces changements dans sa vie, surtout que, ces derniers temps, elle avait un peu vécu en « sous-marin ». Cela lui avait demandé du travail de remettre de l'ordre dans sa vie. Au téléphone, elle avait essayé de leur décrire la magie des lieux, mais elle était restée muette au sujet de Mark. Elle voulait leur faire la surprise.

Alice serait très émue. C'était elle, après tout, qui lui avait conseillé le centre de remise en forme. Sachant combien le divorce avait été douloureux, elle avait convaincu Joan de démarrer d'un nouveau pied. Tel un coach enthousiaste, Alice lui avait constamment rappelé que c'était l'occasion ou jamais de réfléchir, de tout rassembler, que c'était une chance de pouvoir laisser derrière elle cette période « glauque » et de tout recommencer. Oui, Alice serait folle de joie, comme tout le monde, et Joan était impatiente de lui annoncer la nouvelle.

Becky aussi serait contente, mais Joan la connaissait. C'était une pessimiste. C'était certain, elle commencerait par demander si tout cela était bien vrai. Becky avait beau être enjouée et drôle, il y avait toujours dans sa voix une sorte de certitude négative, un petit ton qui disait qu'elle savait bien comment cela allait se terminer. Et quand les gens tentaient de changer de vie, Becky ne semblait jamais admirative. Ils pouvaient bien se battre pour trouver le bonheur, elle semblait être certaine qu'ils échoueraient finalement tout près du but, pour une raison ou pour une autre. Mais cette fois, c'était différent. À coup sûr, Becky allait être épatée. Elle s'apercevrait vite de la différence et devrait reconnaître que Joan avait véritablement changé. Cette fois, même Becky verrait et admirerait la transformation de son amie. Joan espérait être dans le vrai et en même temps, assez étrangement, cela n'avait pas autant d'importance que d'habitude. Si Becky était contente pour elle : tant mieux. Sinon, pas de problème.

Au long de toutes leurs expériences, certaines bonnes, d'autres moins, Joan, Alice et Becky étaient devenues les meilleures amies du monde. Leur amitié n'avait fait que grandir depuis quinze ans. Elles s'étaient rencontrées au collège. Elles avaient vu leurs mariages fleurir et se faner. Joan et Becky travaillaient et Alice s'occupait de ses enfants. Elles avaient pris l'habitude de déjeuner ensemble tous les samedis ; ce sacro-saint rendez-vous leur permettait d'échanger des nouvelles de leurs vies respectives. Elles se racontaient parfois les potins qui traînaient en ville, sur une femme mariée ou sur qui avait été vu à quel endroit. Leurs causettes du samedi étaient invariablement émaillées de considérations mélancoliques sur l'ennui de la vie provinciale et sur le fait qu'aucune d'entre elles ne semblait être heureuse dans son métier. Mais ce samedi serait différent : Joan s'échappait. Elle était sur le point de s'envoler loin de tout ça, vers une nouvelle vie.

Rien ne la préparait au choc qui l'attendait. En effet, ses amies manifestèrent leur intérêt pour ses aventures, mais cela semblait forcé. Elles étaient tout sauf enthousiastes. Elle parla de ses kilos perdus, reçut des félicitations mitigées, puis il y eut un silence embarrassé. Finalement Becky prit la parole. Avec un sourire entendu et un très léger haussement de sourcils, elle admit que, oui, la perte de poids était vraiment un succès. Mais il serait dommage, soupira-t-elle, que Joan reprenne ce poids en moins de temps qu'il ne lui en avait fallu pour le perdre. Becky cita même une statistique qu'elle avait lue dans un magazine, qui venait appuyer ses propos. Quand on aborda la vie sentimentale de Joan et que celle-ci parla de Mark, Becky devint encore plus dubitative. D'une voix pénétrée, elle murmura que, bien entendu, elle n'avait jamais rencontré Mark, mais comment Joan pouvait-elle savoir qu'il était « le bon » ? Il ressemblait au parfait séducteur de villages de vacances. Joan pouvait bien se permettre une petite amourette, mais cela s'arrêterait là. Et elle laissa entendre avec la plus grande gentillesse que Joan ne le reverrait sans doute plus jamais. Becky aurait pu aussi bien dire clairement ce qu'elle sous-entendait : « Laisse tomber. Le temps du fantasme est terminé. Termine ton dessert et reviens finir la vaisselle avec nous. »

Joan connaissait Becky et avait déjà essuyé son cynisme. Mais la réaction d'Alice la laissa sans voix. Comme si les propos de Becky avaient libéré ce qu'elle retenait depuis des semaines. Maintenant qu'elle en avait la « permission », elle laissa échapper un flot de critiques amères qui firent à Joan l'effet d'un acide. Elle dit que Joan s'était mise à s'habilller comme une « pute » et les regardait « de haut ». « Pour qui se prenait-elle ? Même si Mark était sincère, que pourrait-il trouver chez une fille de province comme elle ? » Alice était hors d'elle, elle traita Joan de prostituée, d'imposteur, de traître qui ne cherchait qu'à tourner le dos à ses amies. « Et cette idée stupide de reprendre tes études, à ton âge ! Mais réveille-toi ! Reviens à la réalité ! » Et puis Joan gagnerait des clopinettes comme enseignante ! Si elle voulait s'élever au-dessus de ses amies, eh bien qu'elle y aille, qu'elle coure après ses désirs et elle en subirait les conséquences.

Après le déjeuner, Joan traversa en tremblant le parking. C'est tout juste si elle parvint à trouver sa voiture à travers ses larmes. Elle ne s'était jamais sentie aussi blessée depuis les discussions avec son père sur l'université. Il lui semblait sortir d'un cinéma et découvrir soudain que les choses étaient comme elles avaient toujours été. Elle était complètement désorientée. Elle croyait s'être trouvée, avait fait des rêves d'avenir qui commençaient à se réaliser. Elle avait même rencontré quelqu'un qui l'aimait pour ce qu'elle était. Est-ce qu'elles n'avaient pas compris tout cela ? N'avaient-elles pas vu qu'elle était heureuse ? Elle avait enfin trouvé sa voie, au lieu que les autres lui dictent sa conduite. Et maintenant ses meilleures amies lui disaient qu'elle avait tout faux, qu'elle se trompait, que toute cette merveilleuse aventure n'était qu'un conte pour enfants. Cependant, Alice et Becky avaient toujours été de bon conseil, et même un repère pour elle. Pouvaient-elles se tromper ? Ou était-ce elle ? Était-elle encore le vilain petit canard qu'elle s'était toujours sentie être ? Tout cela était-il un rêve ? Pouvait-elle abandonner ses vraies passions et revenir à la vie qu'elle avait toujours connue ? Après tout, il était bien difficile d'imaginer « cette bonne vieille Joan » être la star de quelque chose, même de sa propre vie. Elle était à un carrefour crucial : continuerait-elle sa course après ce sabotage, ou retournerait-elle au rôle qu'on attendait qu'elle joue ? Ce qui arrivait à Joan n'était pas nouveau. Trop souvent, quand nous commençons à percevoir une parcelle de notre être authentique, que nous entendons un murmure qui nous indique nos potentialités, les menaces surviennent. Nous risquons d'être ramenés à notre scénario de vie, de nous convaincre que tout cela n'était qu'un rêve. Nous pouvons être soudain persuadés que nos passions, que ces convictions que nous avions ressenties avec tant d'intensité et de clarté relèvent de la folie. Nous commençons à avoir peur de paraître étranges aux yeux de ceux dont nous respectons les opinions. Peur d'être un peu fêlés. Nous sommes embarrassés par notre audace à croire que nous sommes différents. Il arrive souvent qu'au moment même où nous nous échappons de notre moi fictionnel, nos « amis » veuillent nous maintenir sur le chemin où nous étions et où, de leur point de vue, nous devrions rester.

Ce que vous devez comprendre avant tout, c'est que cette réaction n'est pas intentionnelle. Vos amis et votre famille n'ont pas toujours planifié de vous ramener à votre moi fictionnel. Certains le font dans un désir de vous protéger. D'autres essaient de se protéger eux-mêmes du changement. D'autres encore sont peut-être en train de protéger le monde que vous partagiez et où tout était prévu.

Ce que j'ai découvert, c'est que la plupart des gens ne savent pas vraiment comment encourager l'épanouissement du moi authentique chez autrui. Cette quête apporte à la fois la sagesse et une grande dose de confiance. Avoir confiance en vos choix, décider de faire machine arrière et vous autoriser à vivre selon votre personnalité authentique exigent de ceux qui partagent votre vie qu'ils aient confiance dans le processus, peut-être même plus que vous. Il est aisé pour eux de se sentir menacés : ils peuvent avoir peur de vous perdre parce que vous avez l'air de les dépasser. Le résultat, c'est qu'il se peut qu'ils essayent, conciemment ou non, de maintenir le *statu quo*. Car, enfin, il s'agit pour eux de faire la connaissance d'une autre personne et de comprendre ce que signifie votre recherche vers votre moi authentique.

Obtenir le soutien et la compréhension des gens qui vous entourent est bien difficile, car à leurs yeux votre situation ne semble pas stable. Vous remettez en question chaque valeur, chaque opinion que vous aviez de vous-même, vous remettez en question vos relations. Il peut leur sembler que vous n'avez pas les idées claires. Vous commencez à expérimenter de nouveaux concepts et ces nouvelles idées peuvent paraître ridicules à quelqu'un d'autre. Ce qui complique les choses, c'est que le processus est souvent assez subtil : vous transformez et pacifiez votre expérience initiale, vous testez et peaufinez vos changements jusqu'à atteindre un niveau de conviction plus profond. Ainsi, ils seront durables et auront un sens véritable. En assistant à vos premières tentatives plus ou moins réussies, les gens négatifs peuvent tirer la conclusion que vous avez échoué ; ils peuvent s'écrier : « Tu vois, je te l'avais dit ! » Mais votre vie est un processus et vous allez rencontrer des embûches. Ne vous détournez pas de votre quête vers un soi authentique, simplement parce que quelqu'un vous fait remarquer les vicissitudes du parcours. Souvent ces mêmes gens ont trop peur pour se confronter à leurs propres difficultés. Ils contestent votre nouveau scénario parce que celui-ci remet en question le leur.

Par exemple, il peut arriver que vous vous posiez des questions sur votre relation à Dieu, ce qui ne signifie pas « vendre votre âme » au diable. Vous avez certainement le droit de vous demander si votre foi vous appartient vraiment ou si on vous l'a seulement inculquée. Peut-être vous demandez-vous si elle est sincère, si elle résonne au plus profond de vous ou si, simplement, c'est comme ça, parce que quelqu'un en a décidé un jour. Ce type de questionnement, honnêtement poursuivi, peut vous amener à une relation avec Dieu, plus forte, plus pertinente et plus personnelle. Mais il vous faut reconnaître que certaines personnes ne vous encouragent pas dans ce processus.

Il arrive la même chose lorsque les gens décident de prendre en charge leur santé physique. L'expérience enseigne que les thérapies les plus efficaces ont tendance à être celles qui tiennent compte des désirs des patients, mais cela ne plaît pas toujours à leurs familles. C'était montré de façon très convaincante dans un documentaire, que j'ai vu à la télévision, à propos d'une femme, Deborah Frankie Ogg. On lui avait diagnostiqué un cancer. Cette femme décida que la médecine traditionnelle n'avait rien à lui offrir. Elle choisit donc d'expérimenter les thérapies alternatives.

Quand il fut clair pour sa famille qu'elle s'en remettait à cette approche, ils se mirent à la rabaisser. Ils prenaient des airs affligés, faisaient des plaisanteries sur les « médecins sorciers » et sur ces herbes « bizarres », et entreprirent de la ramener à un traitement plus conventionnel. Finalement, lors d'une scène mémorable, Debbie demanda à sa famille de la laisser tranquille et de ne pas revenir avant qu'elle n'ait achevé le traitement qu'elle avait choisi. Elle affirmait : « Je ne peux pas me battre contre mon cancer, si je dois me battre en même temps contre vous. J'ai besoin que l'on croie en moi et, si vous en êtes incapables, il vous faudra partir jusqu'à ce que tout soit fini. »

L'important, c'est qu'elle décidait qui faisait partie de son équipe et qui n'en faisait pas partie. Elle choisit son médecin, ceux qui seraient là pour la soutenir et ceux dont elle avait besoin. Elle allait juger elle-même des traitements qui lui étaient bénéfiques. Avec le temps, certains de ses choix s'avérèrent judicieux et d'autres non. Mais il était clair qu'elle faisait avancer son propre bateau et qu'elle se préparait à vivre ce qu'elle avait décidé, même s'il s'agissait d'une question de vie ou de mort. Heureusement, les thérapies qu'elle avait choisies furent efficaces et, aujourd'hui, elle peut nous raconter son histoire. Elle vous dirait que son approche n'est peut-être pas la bonne pour vous, mais que vous avez la responsabilité de chercher la vôtre.

Vous devez faire un chemin vous aussi, vers un moi et une vie authentiques. Tout comme Debbie, vous devez apprendre à conduire votre bateau et les quelques passagers que vous invitez à bord. Il sera d'autant plus aisé ainsi d'atteindre votre but. Vous avez le droit de choisir ceux qui vous entoureront pendant ce travail, ainsi que le lieu et le moment. Vous avez ce droit et vous devez le revendiquer sans vous excuser. Ne prétendez pas ne pas savoir qui vous intéresse et qui ne vous intéresse pas. Vous le savez aussi sûrement que vous êtes assis là. Il est temps de vous accorder la permission d'agir. Vous avez le droit de choisir votre équipe et, si vous voulez réussir, vous devez garder les yeux grands ouverts.

J'ai observé à travers quelle dynamique notre entourage peut nuire à nos tentatives de renouer avec un moi authentique. Vous devez connaître ces dynamiques pour éviter les sabotages qui jalonneront votre chemin vers la guérison.

Il y a quatre modèles destructeurs de base qui peuvent s'opposer à votre quête d'authenticité. Restez en alerte face à ces profils. Soyez prudent quand vous êtes vulnérable et prévoyez toujours une porte de sortie au cas où, au cours d'une conversation, vous vous retouveriez piégé, comme Joan tout à l'heure. Souvenez-vous que les gens correspondant à ces profils sont des « porteurs de toxicité » envers votre moi, intentionnellement ou non. Comme je l'ai déjà dit, en général leur but n'est pas de vous faire du mal, mais de protéger leurs propres vies, leurs propres peurs et leur moi fictionnel.

Comprenez que les intentions ne m'intéressent pas, ici. Que ces gens veuillent vous blesser ou non n'est pas le problème. Je ne veux que vous aider, et je ne m'intéresse donc qu'au résultat. Si quelqu'un me roule « accidentellement » sur les pieds avec sa voiture, il n'aura sans doute pas voulu me blesser, mais il m'aura malgré tout écrasé le pied. Vous ne pouvez vous permettre le luxe d'être magnanime et tenir compte des intentions des autres. Ce n'est pas le moment de vous dire : « Eh bien, je suis complètement perturbé, me voilà revenu à mon point de départ, mais je sais que ce n'était pas son intention. ».

J'ai, pour ma part, défini quatre catégories de « bonnes intentions » que je vous propose d'analyser :

1 La surprotection.

2 La manipulation.

3 Le nivellement.

4 La sécurité dans le *statu quo*.

LA SURPROTECTION

Ce type de sabotage distille fondamentalement un message de peur : « Je ne pense vraiment pas que tu puisses devenir plus que ce que tu n'es. Tu es en train de courir à l'échec. Calme-toi ou tu vas te blesser. Si tu vises trop haut, tu risques de tomber et de te détruire, toi et tout ce que tu possèdes. Arrête avec tes idées de grandeur. Reste là avec moi et je prendrai soin de toi. Le monde est dur. Réfléchis, qu'est-ce que tu as fait jusqu'à présent ? »

J'ai travaillé avec la famille d'un champion sportif universitaire, un sauteur à la perche remarquable et doué. C'était un athlète talentueux, confiant et passionné, mais sa mère voulait le préserver de la déception. Elle ne cessait de dire à David qu'il ne devait pas s'investir autant dans le sport. Elle craignait qu'après avoir travaillé très dur, après avoir espéré être le meilleur et gagner le championnat régional, il ne soit déçu. Et elle ne supporterait pas de voir son « petit cœur » brisé ainsi. Elle craignait que cet échec n'entame son orgueil. De fait, son attitude était : « Si tu ne fais rien, pas d'échec, et ainsi, tu ne risques pas d'être blessé. » À vrai dire, je pense simplement qu'elle ne pouvait pas supporter la pression. Nous savons tous combien il est dur de voir nos enfants en compétition.

La bonne nouvelle, c'est que, alors que David était censé ne pas pouvoir « la supprimer de son équipe », il le fit pourtant et cessa de l'entendre. Quand il se présenta au championnat régional, sa mère était présente à chaque étape lui recommandant : « Fais-en moins, repose-toi, arrête de travailler si dur. » J'aimerais vous dire que David gagna, mais non. Il arriva troisième. Il était déçu de ce résultat, mais fier de lui et de son éthique de travail, et il avait raison. Après avoir réussi à entrer, grâce à son parcours sportif, dans une petite université d'excellente réputation, il remporta de nombreux concours de saut à la perche et de sprint. Il est maintenant entraîneur sportif et il adore ça. Bientôt, je sais qu'il gagnera ce championnat régional et il est vraiment très très heureux d'y travailler.

Malgré sa jeunesse, David était assez fort dans ses convictions pour ne pas laisser sa mère saboter sa vision de lui-même. Il savait au fond de son cœur ce qu'il voulait et il savait aussi qu'il passerait des tests et que cela aurait des conséquences. J'ai vu d'autres gens qui ne mettaient au défi ni eux-mêmes, ni leurs parents, parce que ceux qui auraient dû les encourager essayaient de les « protéger » de la souffrance de l'échec. Ces gens ne croient pas assez en eux pour risquer de gagner ou de perdre ; ils ne rentrent même pas dans le jeu.

Des gens surprotecteurs comme la mère de David sont extrêmement dangereux parce que leur action est invisible. Ils semblent tellement aimants, si bien intentionnés. Leur influence peut être particulièrement forte, parce que ce sont en général des gens en qui vous avez confiance. La « sagesse » qu'ils veulent partager vous est transmise au nom de l'amour et de l'inquiétude. Il est donc très difficile de vous y opposer, surtout si vous n'êtes pas tout à fait sûr de vous.

Oui, il peut être très douloureux de tenter quelque chose et d'échouer, mais c'est la tentative qui doit être soutenue, pas la peur de l'échec. Disons simplement que votre démarche pour renouer avec un moi authentique ne sera pas jalonnée que de succès. Armez-vous contre les gens négatifs et faites ce que vous devez faire.

LA MANIPULATION

La manipulation consiste à saboter votre force personnelle dans l'intention de maintenir une relation. L'histoire de Joan au début de ce chapitre est caractéristique. Elle a trouvé une nouvelle source d'énergie en elle. Elle a découvert qu'elle pouvait perdre du poids, elle a rencontré un amant, en se basant sur ses propres qualités et sur ses efforts. Joan a commencé à croire en elle, suffisamment pour poursuivre dans cette nouvelle voie. Malheureusement, ces succès menaçaient ses amies de longue date, et ce jusqu'à provoquer la rupture. Jusque-là, elles pouvaient la contrôler et ce pouvoir était menacé. Elles avaient peur de la perdre. Au lieu de placer les intérêts de Joan avant les leurs ou de choisir de faire comme elle, elles ont tenté de la ramener vers l'arrière, vers leur relation ancienne et familière. Qu'elles l'aient fait consciemment ou non était sans importance pour Joan, et il en ira de même dans votre vie.

Apprenez à évaluer les messages de vos proches. Je ne veux pas que vous deveniez paranoïaque, mais que vous vous écoutiez et que vous pensiez à vous-même. Si votre amie vous dit que vous ne « pouvez pas », est-ce parce qu'elle se sentira menacée si vous réussissez ? Les gens qui comptent vraiment vous diront la vérité, même si vous ne voulez pas l'entendre, mais ils essayeront aussi de vous aider à obtenir ce que vous désirez, même s'ils craignent que vous ne changiez. Ne pensez pas qu'il s'agit forcément de sabotage quand quelqu'un n'est pas d'accord avec vos projets. Son point de vue peut très bien être valable. Mais *examinez ses motivations*, les yeux grands ouverts. Votre épanouissement personnel peut représenter pour lui une menace si bien que, consciemment ou non, il essaye de vous garder en sécurité dans son petit cocon. Le mécanisme spécifique de ce sabotage est de vous infantiliser pour que vous cédiez, comme un enfant, devant l'autorité.

L'âge ne fait aucune différence. Les luttes de pouvoir peuvent durer une vie entière. Il se peut que vous entendiez des réflexions comme : « Mais pour qui tu te prends ? », « Tu te crois tellement au-dessus des autres ? », « Mais quel est le cinglé qui t'a influencé ? » Le pouvoir est une drogue et si quelqu'un a eu le pouvoir sur vous pendant un certain temps, il est difficile de changer, pour lui et pour vous. Après tout, s'ils ont le pouvoir, pourquoi vous l'abandonneraient-ils ?

Et souvenez-vous : quand vous examinez votre environnement, en cherchant à identifier la source de ces messages, écoutez aussi votre propre voix, ce peut être elle aussi, le coupable. Votre moi fictionnel, et ses pulsions, peuvent être en train de couvrir toutes les autres voix et vous indiquer ce que vous ne pouvez ou ne devez pas faire. Qu'il s'agisse de votre propre voix ou de celle d'un autre, soyez très attentif aux messages que vous allez intérioriser.

LE NIVELLEMENT

Imaginez quelqu'un se voyant en situation d'échec. Il lui manque quelque chose d'indispensable pour se réaliser pleinement. Si quelqu'un d'autre arrive, et possède apparemment ce qui lui fait défaut, un sentiment d'injustice s'empare de lui.

Le ressentiment, la colère et la peur entrent en scène.

Vous arrivez pour déjeuner et vous dites à vos amis :
« Devinez quoi ! Je viens de gagner à la *Loterie* et je vais me
marier ! Regardez ma nouvelle bague ! »

À présent, comme nous l'avons observé, tous peuvent
se réjouir pour vous, mais il y a de grandes chances pour
qu'au moins quelques-uns d'entre eux pensent : « La garce ! »
Les gens ne sont jamais vraiment contents de vos succès. Si
vous les laissez vous contrôler, avec leur jalousie, si vous les
laissez vous ramener en arrière et définir votre personnalité, ils
vous assigneront une place qui leur conviendra et ne les
menacera pas. C'est ce que j'entends par nivellement : les
tentatives des autres pour que vous fassiez des compromis,
pour vous mettre à un niveau plus bas que le leur. Subtilement, tellement subtilement, et consciemment ou non, les
gens jaloux vont vous saboter dans votre élan vers un stade
plus élevé. Ce peut être assez confus dans la majorité des cas,
parce que les gens jaloux sont ambigus : ils travaillent *pour*
vous quand vous ratez et *contre* vous quand vous réussissez.

LA SÉCURITÉ DANS LE *STATU QUO*

Même si leur vie est d'une tristesse infinie, beaucoup de
gens réclament le *statu quo* : ils ne veulent pas changer, fût-ce
en mieux.

Ceci parce qu'ils trouvent la sécurité dans le *statu quo*.
Ils vivent selon leur scénario fictionnel. Alors, qui êtes-vous
pour vouloir leur gâcher la vie ? Vous montrez votre réussite,
mais ils peuvent ne pas être prêts à regarder en face leurs
faiblesses. Car même s'ils ne mènent pas une vie authentique,
cela leur semble ainsi plus facile. Là au moins, tout le monde
connaît les règles et sait à quoi s'attendre, même s'il s'agit
d'être anéanti.

Je me souviens très bien d'une famille avec qui j'ai
travaillé presque une année, les Lincoln. Je les appelais les
« Brise-tout », c'étaient les gens les plus sauvages et les plus

querelleurs que j'aie jamais rencontrés. Pris dans leurs frustrations mutuelles, ils détruisaient plus de mobilier que
quiconque autour d'eux. Ils lançaient des lampes à travers les
pièces, faisaient des trous dans les murs, démolissaient les
voitures et tout ce qui leur tombait sous la main. Ils étaient
venus me consulter, sans doute pour changer tout cela. Mais
après plusieurs séances, il devint évident que même si chacun
se sentait malheureux, aucun d'entre eux ne voulait réellement
modifier ce système. Le père était frustré parce que sa femme
sapait ses efforts par en dessous. La mère était sans arrêt hors
d'elle parce que ses enfants lui manquaient totalement de
respect. Les enfants étaient exaspérés parce que leurs parents
ne savaient que faire. Cette frustration permanente menait à
des situations incontrôlables et à des bagarres spectaculaires.

Bref, il était évident que les Lincoln étaient en très
mauvaise posture. Je trouvai le courage de leur suggérer de
changer de comportement. On aurait cru que je venais de les
accuser de meurtre. C'était comme s'ils avaient conclu le
pacte de se battre à mort, et que tout changement fût une
trahison. Une approche différente des choses les effrayait
complètement. Montrer de la maturité et se concentrer sur
leurs besoins personnels auraient exigé d'eux que chacun se
montre honnête et s'ouvre à sa famille et à lui-même. Cela
leur faisait trop peur. Ils s'étaient entendus, sans se le dire,
pour adhérer au *statu quo*.

Au cours d'une de nos dernières séances, Susan, la mère
de cette bande d'enragés, déclara qu'elle avait décidé de
prendre des cours du soir pour devenir infirmière. Elle voulait
que tout le monde sache qu'elle était fatiguée de ces bagarres
quotidiennes et qu'elle voulait se dégager de cet engrenage.
Vous auriez dû voir le sentiment d'écœurement du reste du
groupe ; c'était incroyable. L'un des enfants s'exclama : « De
quoi tu parles ? Tu nous laisserais tout seuls le soir ? Et
d'ailleurs, pourquoi tu veux faire ça ? Tu es trop vieille et trop
bête. Et nous ? Tu t'en fiches, de nous ? T'es qu'une égoïste. »

Évidemment, il leur fallut moins d'une heure pour convaincre Suzanne qu'elle était incapable de faire quoi que ce soit d'autre que se bagarrer avec sa famille. Je leur montrai le processus en marche, mais cette fois la mère elle-même se joignit aux autres. En l'espace de quelques minutes, ils se trouvèrent tous contre moi, comme une meute de sauvages, et cela parce que je menaçais leur *statu quo*. (Quand je pense que je me demande parfois pourquoi je n'exerce plus !)

Le *statu quo* offre un refuge à la peur de changer. Un changement de position de l'un est vu comme une menace majeure par les autres. Ce qui signifie que, quand vous tentez de vous reconnecter à votre moi authentique, vous pouvez provoquer une résistance : votre entourage peut se dresser contre ce qu'il perçoit comme une menace.

Ne laissez pas cet attachement au *statu quo* refroidir votre désir d'authenticité. Vous êtes en vie pour une raison bien particulière et cette raison est de vous accomplir entièrement. Ne permettez à personne de prendre cette responsabilité à votre place, et surtout pas au nom de son propre confort.

ESSAYEZ CET EXERCICE

Vous avez besoin d'être particulièrement prudent et discret en abordant l'exercice suivant, car il peut mettre en jeu des gens très importants pour vous. Le but est simplement de vous aider à vous concentrer sur la façon dont les autres peuvent saboter les efforts que vous faites pour vous reconnecter avec votre moi authentique.

Rappelez-vous que ces gens sont capables de vous voler votre authenticité *inconsciemment*. En fait, ils peuvent se dire qu'ils vous protègent, qu'ils ne veulent que le meilleur pour vous. Leur raisonnement peut être bienveillant et plein de compassion, mais le résultat est le même.

Étape 1

Dans votre journal, inscrivez les noms des gens dont vous sentez qu'ils pourraient saboter votre progression vers une vie authentique. En face de chaque nom, et en repensant aux descriptions que je vous ai données, inscrivez la catégorie dans laquelle vous classeriez ce qui ressemble à un sabotage. Je vous en prie, comprenez bien qu'il ne s'agit pas de lister des reproches. C'est plutôt une façon de vous alerter sur ces gens qui pourraient miner de façon sous-jacente cette reprise de contact, fût-ce de façon très gentille et très bien intentionnée.

Étape 2

Pour chaque personne de la liste que vous avez établie, décidez de la réponse que vous allez donner. Allez-vous sourire, remercier et détourner poliment son intervention, tout en sachant que vous allez poursuivre votre chemin ? Ou aurez-vous besoin d'être plus direct, de dire à cette personne que vous ne voulez plus la voir et qu'elle vous laisse vivre votre propre vie ? Utilisez le schéma ci-dessous pour vous guider.

Saboteur éventuel	Méthode	Ma réponse
....	....	....
....	....	....
....	....	....
....	....	....
....	....	....

Il y a une morale à cette histoire et vous la connaissez déjà : le monde est indifférent au fait que vous vous épanouissiez. Il est attaché à ce que vous soyez *conforme* et *soumis*, sans se soucier de savoir si vous êtes en accord avec vos dons, vos talents, vos capacités, vos désirs et vos rêves. Si vous laissez les autres déterminer qui vous êtes, vous ne vivrez pas en accord avec votre moi authentique et originel. Vous vivrez plutôt sur la base d'un moi fictionnel, qui n'est rien de plus qu'une structure d'adaptation au monde et à ceux que vous y rencontrez.

Nier votre moi authentique, c'est trahir tout ce qui fait votre vérité. C'est pourquoi j'ai pris soin de vous vacciner contre les manipulations de ceux qui partagent votre vie et contre la société qui ne poursuit que ses propres intérêts. C'est pour cette raison que j'achève ce livre comme je l'ai commencé : en dénonçant ce marché de dupes.

Le marketing, vos parents, vos employés, vos amis, ont tous besoin que vous suiviez un certain chemin. Et selon toute vraisemblance, vous vous êtes soumis et conformé à leurs attentes, au détriment de vos propres dons, de vos capacités et de vos rêves. Si ces besoins sont en désaccord avec votre être authentique, il faut que vous *repreniez le pouvoir*.

Les hommes d'État qui signent d'importants traités savent combien il est important de mettre à l'épreuve des faits la confiance accordée. Chacune des deux parties peut échanger des promesses sur le papier et se dire : « Vous avez ma parole », mais cela ne l'exonère pas du devoir de surveiller l'autre. « Vous me dites que vous avez radicalement diminué votre arsenal de missiles nucléaires, mais vous permettez que je les compte ? » De la même manière, en vous reliant à votre moi authentique, vous devez adopter la même attitude. Ayez confiance, ce travail en vaut la peine. Ayez confiance, vous avez en vous ce qu'il faut pour accomplir ce que vous attendez de la vie. Ayez confiance, vous êtes de loin le meilleur juge de ce qui est le mieux pour vous. En même temps, soyez sans pitié quand vous testez vos pensées. Vérifiez que vos propres réponses internes et vos interprétations passent le test d'authenticité.

Au stade de la vérification, utilisez les outils qui vous ont été donnés. Reprenez les quatre critères d'authenticité dont nous avons parlé au chapitre 11. Si vous vous sentez à un carrefour, comme Joan sur ce parking après le déjeuner, prenez les commandes de la situation en utilisant ce test. Je pense que si Joan s'était simplement assise quelques minutes dans sa voiture, en appliquant chacun des quatre critères, elle aurait rapidement détecté le sabotage en cours. Elle aurait bientôt vu qu'en choisissant de revenir à son ancien moi, le moi fictionnel qu'Alice et Becky semblaient préférer, elle serait recalée au test de rationalité. Elle aurait pu ainsi retrouver tout son optimisme et prendre sa décision en découvrant les défauts de son propre raisonnement. Il en va de même pour vous : quand vous suspectez un sabotage, n'hésitez pas à faire le test. Soyez sans pitié et écartez toute pensée négative.

Vous aurez également besoin de développer une autre forme de pensée, authentique. Si vous découvrez que votre réponse initiale ne répond pas aux critères du test d'authenticité, quelles autres options se présentent à vous ? Explorez toutes les directions possibles. Imaginez autant de réponses que possible, et ensuite testez leur authenticité. N'adoptez que celles qui correspondent vraiment à un triple A.

Je ne vous dis pas que ce processus se fera naturellement, certainement pas. Un peu comme quand on apprend à jouer d'un instrument, ou à être un parent responsable, ou toute autre chose importante. Cela nécessite du temps et des efforts. Mais si vous vous engagez à le faire, jour après jour, vous *pouvez* devenir un expert en Pensée Triple A et en Vie Triple A.

Vous ne pouviez défendre votre authenticité quand vous étiez enfant, mais vous le pouvez à présent. Et vous êtes la personne le mieux placée pour l'affirmer.

Épilogue

« Si votre bateau n'arrive pas jusqu'à vous, nagez jusqu'à lui. »
Jonathan Winters

Lorsque nous avons commencé, vous et moi, ce voyage ensemble, je vous ai fait part de mon parcours personnel. Je vous ai dit comment j'avais cédé aux attentes extérieures, à l'inertie de ma chaîne de vie et à l'attrait de l'argent. J'ai été piégé pendant dix ans, je n'avais ni le courage, ni le véritable désir d'y remédier. J'ai complètement ignoré ce que me disaient mes besoins et mes envies, et j'ai répondu à ce que je percevais des attentes des autres. Je me dis maintenant que cette mise à nu ne vous a probablement pas donné confiance en moi ! Vous vous êtes sans doute demandé : « Mais où avait-il la tête ? »

Cela n'était pas très attrayant, mais c'était la vérité, et une vérité sur laquelle j'avais tout pouvoir si je la mettais à jour. Heureusement que c'est enfin arrivé, sinon je ne serais pas ici en train d'écrire ce livre.

Étrangement, même si j'avais cédé aux attentes des autres, elles étaient aussi les miennes. Il était clair que je ne faisais que ce que j'acceptais consciemment, je sentais une pression, floue mais assez forte malgré tout, qui m'amenait à complaire aux autres. La force d'inertie de mon milieu était incroyablement puissante. Vous aussi êtes lié à votre famille, n'est-ce pas ? Vous allez où vont les autres, vous faites comme eux et vivez dans leur monde. Ma vérité personnelle était terriblement limitée, je ressentais le besoin de rester dans la ligne de ma famille et de ses modèles. Il me semblait égoïste de penser aller vers quelque chose de différent simplement parce que j'en avais le désir. Cet environnement m'était familier, il représentait la sécurité et tout cela, d'une certaine façon, me semblait juste. En tout cas à ce moment-là.

Durant ces dix années, qui m'en ont paru quarante, je me trompais moi-même, ainsi que ma femme et mes enfants. Si je sais tout cela maintenant, ce n'est pas grâce à mon intelligence, mais c'est parce que j'ai fait tant d'erreurs pendant si longtemps que j'ai fini par sombrer. C'est une question de déclic. À l'époque, je ne comprenais pas, et aujourd'hui, tout est clair. Et maintenant, voici la fin de l'histoire.

À la suite de notre conversation cet après-midi d'automne, Robin et moi décidâmes, sans nous soucier de ce qui nous attendait, ni des conséquences éventuelles, et sans céder à l'éternelle peur du changement, de ne plus gaspiller notre énergie de vie. Nous avons décidé que notre vie était bien réelle et qu'elle ne constituait pas une sorte de répétition générale. Le temps est la seule ressource qui ne se régénère pas et nous le perdons trop souvent. Nous décidâmes pour commencer que je cesserais de me plaindre de ce que j'avais fait ou pas fait dans ma vie personnelle et professionnelle, que j'allais enfin agir et que nous ne perdrions plus de temps. Nous avons pris une décision, déclenché un processus et, en moins de quatre-vingt-dix jours, cette longue et lourde chaîne de vie a été brisée et remplacée par une autre. Nous envisageâmes d'abord toute une série d'options dont la plupart demeuraient assez modérées et ne représentaient qu'un risque calculé. Fort heureusement, nous avons fini par réaliser que cela ne mènerait à rien : il ne fallait pas tourner autour du pot par manque de cran. Quitte à tout changer, autant le faire bien, et jusqu'au bout.

Robin fut assez gentille pour me faire remarquer que je n'étais pas bien malin : j'avais totalement oublié qu'elle aimait le changement. Elle ajouta que ses passions, c'étaient son mari et ses garçons et que, pour elle, le plus important était que nous soyons tous ensemble. (Je déteste quand elle est plus intelligente que moi, surtout dans un domaine qui est censé être le mien.)

Comme ma capacité à intégrer de nouvelles informations était annihilée par mes croyances figées et un scénario de vie élaboré sur le mode « sans issue », je n'avais pas su voir les ressources présentes chez mon épouse. Elle n'était pas aussi prisonnière des autres que moi, elle était bien plus souple, je devais le reconnaître. J'avais négligé son désir de changement. Vivez et vous apprendrez !

Pour continuer l'histoire, nous avons décidé que ce que je voulais, c'était de vivre à un autre endroit, et de faire autre chose parmi d'autres gens. C'était devenu évident, je l'avais formulé à haute voix, l'envoi était donné.

J'ai d'abord parlé à mon père. Je lui ai dit : « Je t'aime, j'aime ma famille, je déteste ma vie, ma carrière et cette ville. J'arrête. » Il m'a répondu : « Mon fils, mais qu'est-ce que tu as dans le crâne ? Tu as travaillé dix ans pour construire tout ça et tu veux tout arrêter sur un coup de folie ? Nous avons dû te laisser tomber sur la tête quand tu étais bébé. » Comme il faut toujours que je fasse de l'esprit, j'ai répondu que si j'étais tombé plus fort, j'aurais au moins arrêté plus tôt. Je lui ai ensuite fait remarquer qu'il n'avait lui-même pas agi autrement en allant à l'université, en devenant docteur en psychologie et en quittant sa ville natale de cinq mille habitants. Il prit un temps avant de me répondre que c'était différent parce que, lui, contrairement à moi, avait assez de bon sens pour ne pas se mettre en danger, alors que, moi, j'allais allègrement dans le mur (j'ai expurgé la conversation de tout ce qui pourrait choquer votre sensibilité, mais sachez qu'il était vraiment persuadé que je devenais fou).

Nous sommes partis en nous empressant de ne pas suivre ses conseils. Nous sommes allés vivre dans une autre ville que *nous* avions choisie, nous avons démarré une nouvelle carrière qui me passionnait et nous nous sommes intégrés parmi de nouvelles connaissances qui partageaient nos idées et nos passions personnelles ou professionnelles. Il y eut des moments difficiles et des moments terrifiants, mais je peux dire, en toute honnêteté, que je n'ai pas douté une seconde d'avoir fait le bon choix pour moi et pour ma famille. Parce que, pour la première fois depuis des années, cela semblait parfaitement juste. Cette fois, j'étais relié à mon être authentique, je l'écoutais et tout se passait à merveille autour de moi. Je me suis immédiatement senti plus vivant, comme si je regagnais les années perdues. Mon énergie de vie était sans limites. Le matin, j'étais impatient de me lever et le soir, je ne voulais pas dormir. Que ce soit dans mon travail ou dans les moments que je passais avec ma famille, ou quand je jouais au basket avec mes enfants, ou encore simplement quand j'étais seul avec moi-même, je me sentais totalement vivant.

Tout ce qui avait été bien durant toutes ces années était encore mieux. Tout ce qui avait été un fardeau était à présent beaucoup plus facile. Je n'ai jamais eu de doutes sur la suite des événements. Grâce à la passion que je ressentais, et parce que ma nouvelle vie me convenait si naturellement, si authentiquement, je savais que je ne pouvais pas échouer. J'étais tellement passionné qu'il n'était pas question que qui que ce soit – mon associé, mes clients, mes collaborateurs ou mon équipe – ne soit pas entraîné par cette énergie. À la fin de la journée, j'avais le sentiment d'avoir fait du bon travail et j'en étais fier. Et devinez quoi ! Quand ma « *fenêtre de données* » s'est réouverte dans le secteur des affaires, j'ai rencontré partout des possibilités dans le domaine personnel, spirituel et professionnel. Ma société, mon associé et moi sommes devenus leader international dans notre domaine. J'ai commencé à écrire des livres et à faire de la télévision. J'ai trouvé de nouvelles voies qui m'ont permis de me dégager d'une éducation et d'une carrière qui m'avaient fait perdre tant d'énergie. Je vais bien, ma femme et mes fils vont bien, et les membres de ma famille qui pensaient que j'étais devenu fou (y compris mon père), au vu de nos résultats, nous ont suivis. J'aurais peut-être dû aussi changer de nom ! – je plaisante…

Pour moi, les composantes essentielles d'un véritable changement portaient sur le lieu de vie, la carrière et le quotidien. Mais il peut en aller tout différemment pour vous. Quelle importance, dès l'instant où vous retouvez votre moi authentique ! Quelle importance, puisque vous réécrivez votre vérité personnelle et vivez en fonction de ce que vous êtes vraiment. Il ne vous reste plus qu'à vous en donner les moyens. Chacun **est** unique et vous seul savez ce qui est important pour vous. Si vous ne vous battez pas pour vivre cette singularité, personne ne le fera à votre place. Un pur-sang doit courir, un oiseau voler, un artiste peindre, un enseignant enseigner. Il y a en vous quelque chose que vous devez accomplir. Si vous vous êtes attelé au travail considérable qui vous était proposé dans ce livre, tout ce qui vous reste à faire, c'est d'agir.

Rendez-vous sous le soleil.

Annexes

A – QUI CONTRÔLE VOTRE SANTÉ ?

Pour chaque proposition, vous déciderez si vous êtes d'accord ou non. Il y a quatre possibilités de choix : si vous êtes totalement d'accord, sans restriction, entourez le A. Si vous êtes d'accord, mais avec quelques restrictions, entourez le MA. Si vous n'êtes plutôt pas d'accord, mais avec quelques réserves, ce sera LD. Et si vous n'êtes absolument pas d'accord, vous entourerez le D.

A : d'accord : 8 points.

MA : moyennement d'accord : 4 points.

LD : léger désaccord : 2 points.

D : en désaccord : 1 point.

1re partie

1. Quand je tombe malade, c'est généralement parce que je n'ai pas suivi les règles de nutrition.
A – MA – LD – D

2. Pour guérir d'une maladie, je dois changer mes habitudes de vie de façon drastique.
A – MA – LD – D

3. Je crois qu'être en bonne santé, c'est avoir de bonnes habitudes de vie, comme faire de l'exercice et gérer son stress.
A – MA – LD – D

4. Je crois que si je veux aller bien, je dois en prendre la responsabilité.

A – MA – LD – D

5. Ma santé dépend des efforts que je fais, et non des médecins ou des hôpitaux.

A – MA – LD – D

2ᵉ partie

6. Pour aller bien, le plus important, c'est d'avoir un médecin intelligent.

A – MA – LD – D

7. Je dépends de mes auxiliaires de santé qui sont des experts et qui font le nécessaire pour que je ne sois pas malade.

A – MA – LD – D

8. Les gouvernements utilisent des armes qui nous rendent malades.

A – MA – LD – D

9. Si je vais bien, c'est parce que je prends le bon médicament.

A – MA – LD – D

10. Je m'en remets aux docteurs pour mon état de santé. Ce qu'ils disent est vrai.

A – MA – LD – D

3ᵉ partie

11. Si je tombe malade, c'est que c'était écrit ce jour-là.

A – MA – LD – D

12. J'ai de la chance de ne pas tomber malade.

A – MA – LD – D

13. La mort est un fait accidentel – personne ne peut savoir quand quelqu'un va tomber malade.

A – MA – LD – D

14. Si j'attrape un rhume, c'est parce que j'ai été en contact de microbes ce jour-là.

A – MA – LD – D

15. La vie est basée sur la chance et le hasard.

A – MA – LD – D

B – QUI CONTRÔLE VOTRE VIE ?

Comme précédemment, pour chaque proposition, vous déciderez si vous êtes d'accord ou non. Il y a quatre possibilités de choix : si vous êtes totalement d'accord, sans restriction, entourez le A. Si vous êtes d'accord, mais avec quelques restrictions, entourez le MA. Si vous n'êtes plutôt pas d'accord, mais avec quelques réserves, ce sera LD. Et si vous n'êtes absolument pas d'accord, vous entourerez le D.

A : d'accord : 8 points.

MA : moyennement d'accord : 4 points.

LD : léger désaccord : 2 points.

D : en désaccord : 1 point.

1ʳᵉ partie

1. Si je ne me connais pas moi-même, c'est parce que je n'ai pas pris le temps d'affirmer qui je suis réellement.

A – MA – LD – D

2. Pour me comprendre moi-même, je dois me baser sur ma perception de la vie.

A – MA – LD – D

3. Je crois que j'ai le pouvoir et le talent nécessaires pour être celui (celle) que je veux être.

A – MA – LD – D

4. Je crois que si je veux devenir qui je suis, je dois répondre à ces questions difficiles sur moi-même.

A – MA – LD – D

5. Mon degré d'authenticité est fonction de mon honnêteté envers moi-même.

A – MA – LD – D

2ᵉ partie

6. Le plus important pour être qui je suis, c'est l'avis de mes amis.

A – MA – LD – D

7. Mes amis savent très bien qui je suis.

A – MA – LD – D

8. Ils me diront quel est mon moi authentique.

A – MA – LD – D

9. Le vrai moi est ce que les autres pensent que je suis.

A – MA – LD – D

10. L'estime que je me porte est fonction de ce que pensent les autres. Ce qu'ils disent est vrai.

A – MA – LD – D

3ᵉ partie

11. Si je suis déprimé, c'est la faute à pas de chance.

A – MA – LD – D

12. J'ai de la chance quand j'obtiens ce que je veux.

A – MA – LD – D

13. Gagner ou perdre, c'est un accident.

A – MA – LD – D

14. Si j'arrive à être moi-même un jour, ce sera parce que quelqu'un aura eu pitié de moi.

A – MA – LD – D

15. La vie est fondée sur la chance et le hasard.

A – MA – LD – D

Pour mieux connaître
le Dr Phillip McGraw…

À moins que vous n'ayez vécu sur une île déserte ces
derniers temps, il se peut fort que vous ayez eu vent du
phénomène « Dr Phil ». À lui tout seul, Phillip McGraw,
praticien hors du commun, est parvenu à galvaniser des
millions d'Américains en les invitant à porter un regard
réaliste sur leur propre comportement, et à se forger une existence positive. Opportunément baptisée « Dr Phil », sa série
télévisée d'envergure nationale a fait les gros titres des journaux et a battu des records d'audience aux États-Unis, depuis
son lancement en septembre 2002. D'ores et déjà sélec-
tionnée pour deux Emmy Awards, l'émission crève le plafond
de popularité et pulvérise les taux d'audience dans la catégorie
des nouveaux magazines, atteignant un niveau jamais atteint
depuis le lancement du talk-show d'Oprah Winfrey, il y a
seize ans.

Le magazine *People* a fait du Dr Phillip McGraw « l'une
des personnalités les plus étonnantes de l'année 2002 » ; dans
le même esprit, la célèbre journaliste américaine Barbara
Walters l'a retenu pour son édition spéciale consacrée aux
« Dix personnalités les plus fascinantes ». Dr Phil a également
fait la couverture de l'hebdomadaire *Newsweek*, sacrée depuis
meilleure vente de l'année…

Produite par la Paramount Domestic Television en
partenariat avec Harpo et King World Productions, cette
émission phare met à profit ses vingt-cinq années

d'expérience en psychologie du comportement. Après avoir débuté en tant qu'expert attitré du talk-show d'Oprah Winfrey, Dr Phil poursuit sur son propre plateau l'examen des innombrables problèmes concrets de la vraie vie, dans son inimitable style « brut de décoffrage ».

Cofondateur du cabinet Courtroom Sciences, leader mondial en matière de litiges, Phillip McGraw est l'auteur de trois best-sellers consacrés par le *New York Times* : *Seul maître à bord* (Marabout 2001), *Sauvez votre couple* (Marabout 2002) et le présent ouvrage. Ses livres ont été traduits en trente-trois langues et édités à plus de huit millions d'exemplaires.

Dans l'esprit de ses livres et de son programme télévisé, Dr Phil prodigue des conseils stratégiques à des millions d'Américains dans sa rubrique mensuelle pour *O, the Oprah Magazine*. Il est également l'un des conférenciers les plus sollicités dans le monde entier. En tant que praticien, on lui connaît de nombreuses contributions à la littérature médicale. Il a par ailleurs exercé dans de nombreux domaines, allant de la psychologie clinique à la médecine comportementale.

Golfeur et joueur de tennis accompli, passionné de plongée sous-marine, Phillip McGraw vit à Los Angeles avec son épouse Robin et leurs fils Jay et Jordan. Jay McGraw est l'auteur de deux autres succès de librairie, dont *100 % ados* (Marabout, 2003).

Contact : www.philmcgraw.com